ヒトは生成AIとセックスできるか

人工知能とロボットの性愛未来学

TURNED ON

SCIENCE, SEX AND ROBOTS

ケイト・デヴリン
池田 尽 訳

新潮社

はじめに　ロボットと人工知能が出会うとき

あなたが本書を手にしたのはさまざまな理由によるでしょう。「セックス」という言葉がひっかかった人もいれば、ロボットや人工知能という言葉の組み合わせが気になった人もいるでしょう。SF小説の定番テーマでもあるその2つの言葉の合流は、今や科学的に現実味を帯びつつあります。表紙でこの本に決めた人もいるかも……？　もしくはいたずら気分で、誰かにプレゼントして赤面させるつもりで買った人もいるかもしれません。この本をプレゼントとして受けとった人、おつかれさまです。

一方、こうしたテーマが果たして本当に科学的な意義を持ちうるでしょうか。疑わしく思う人もいるでしょう。至極まともな疑問ですし、できれば続く10章のなかで、驚きのエピソードや発想、そして科学や最新技術を紹介させていただき、この本で紹介される一見わけのわからない話題には、それ以上のものが潜んでいたのだと示せれば幸いです。

この数年間、セックスロボットについて報じる記事が次々と新聞や雑誌を賑わせてきましたが、私はそのほとんどに目を通してきました。というよりも、それらの記事のほとんどは私自身か、私の顔見知りの〝ロボセクソロジスト仲間〟――たった今つくった造語です――によるものでした。こうしたニッチで際どいテクノロジー分野の専門家の代弁者になろうとは、少なくとも20

15年くらいまでは考えたこともありませんでした。それでもひとたびセックスとロボットという2つの単語を組み合わせてみると——想定した通りではありますけど——多くの人たちが即座に激しい拒否反応を見せました（とは言え、本書が目指しているのは、ただこの2つの言葉のスキャンダラスな組み合わせで人を驚かせるということではありません。卑猥な言葉を求めて読まれているのだとしたら、ほぼ間違いなく期待外れに終わりますので、ご注意を）。

本書の題材はセックスに限定するものではありません。ロボットや人工知能という題材に限っているわけでもありません。本書は愛情表現とテクノロジーについての本であり、コンピュータと心理学についての本でもあります。あるいは歴史と考古学、愛と生物学についての本でもあります。近未来と遠未来、SF小説でいうユートピアとディストピアについても語るべきことは多くありますし、孤独と友情、法と倫理、個人と社会について書かれた本でもあります。そしてなによりも、機械が溢れる現代世界における、人間についての本なのです。

私のセックスロボットの研究は世の多くの名案と同じく、居酒屋での他愛ないおしゃべりから始まりました。ヨーロッパで行われた認知科学とロボット工学に関する学会に参加した時のこと。そこには人工知能の研究者が大勢集まっていました。ふつう、学会が終わった後の打ち上げでの会話は、人間の存在を根本からバラバラに分解して議論するような話になりがちなのですが、その場に哲学者がいるとその傾向はさらに強くなります。そして哲学者の友人を持つ利点を1つだけ挙げるとすれば、それは人間存在に関する根源的な考えを聞けることであり、認知科学関連の学会のいいところを1つだけ挙げるならば、哲学者が大量に参加していることにあります。

そこで交わされた会話のディテールは、いまやぼんやりと霞んだ陽気なアルコールのもやに覆われてしまいましたが、人が人である根拠や、人が生きていると実感する要因だったりを議論したような記憶が（なんとなく）残っています。学会自体のテーマはテクノロジーに思考を持たせるための方法論、つまり「人工認知」の可能性について、というものでした。それを実現するには（つまり、それまでに遭遇したことのない環境やシチュエーションに置かれたとしても、しっかり対応できる柔軟な機械をつくるためには）、まず私たち人間がどうやってそれを実行しているのかを整理する必要があります。とはいっても人間の認知や反応を真似させて、そのままロボットに適用させたいわけでもありません。それも1つの手なのでしょうが、せっかくのコンピュータ駆動の機械なのですから、もっと効率がよく、もっと最適化された手法があるかもしれません。その手法を検討する前に、私たち人間がどうやってこれらに対応しているのか、その解釈が先決されなくてはいけません。何百万年もの進化を経てきた私たちですが、まだ自分たちのことでわかっていないことが、山ほどあるのです。

私たち人間は、きれいな家を建てて、そこにセンスのいい家具を置いたり、お洒落なコーディネートで着飾って、髪の毛が乱れていないか気にしたりと、あらゆる洗練を目指していますが、どんなにがんばっても野性の本性を完全に除去することはできません。劇場やワインバーでデートしている間くらいは、自分たちを高尚で都会的だと思いたいだけ思っていただいても構わないのですが、私たちは人とのつながりを求める単純な生きものでもあります。そしてそのつながりとは、恐らく（というよりほぼまちがいなく）裸の物理的な接触をともなう〝番（つがい）の儀式〟でしかありません。セックスは人間にとって大きな部分を占めているのです。だからこそ私たちは何百万年とその存在を継承し、今ここにいるのです。あの、脳天が沸き立つような快感の興奮には、良識を紙屑みたいに捨てさせてしまう力があるのです。肉体の一部としてしっかりと組み込まれている本質的な力に抗うのは容易ではありません。私たちの思考そして行動は、セックスの影響を強く受けています。私たちの知覚や認知機能も影響されている。その上、セックスは楽しい。

こうした会話を肴（さかな）にお酒を飲みながら、私たちは答えのない疑問を、そして取り組みたい謎について論議していたのでした。たとえば私たちの世界の捉え方、世界の理解の仕方はセックスに影響されているのか？　そしてセックスのもたらす効果を人工の認知システムにも認知させるべきなのか、認知させるべきでないのか？　人間のように振る舞うよう設計されたロボットに、性欲を持たせるべきなのか？　欲望は設計できるのか？　性行為可能なロボットを医療用途に活用すると、どんな役割を担わせることができるのか？　社会はそれを認めるのか？

その学会で発表されたことのほとんどはもう忘却の彼方ですが、アルコールに浸されたその日の打ち上げの議論は、その後も私の頭に残り続けました。その後、昼間の日差しを浴びて素面（しらふ）に戻ったあとも、その時の疑問は悩ましくも私にとって意味をなし続けたのです。まもなくすると2つの出来事が私の周りで立て続けに起こって、私はこのテーマを自分の研究対象にすると決意したのです。1つはある学生が、人工的なセックス機能を修士論文のテーマに選んだことで、私は喜んで彼女の指導教員を引き受けました。2つ目はちょうどその頃、セックスとロボットをめぐる報道が嵐のごとく取り沙汰されるようになって、規制の機運が高まったこと。これが決め手で、夢中になったのです。

私たちの生活にロボットが登場してから久しくたちますが、ロボットという発想そのものはさらにさかのぼり、実に何千年も前から存在していました。一方、事前に命令（プログラム）された仕事を自ら遂行できる機械という意味での自律型ロボットは、20世紀半ばまで出現することはありませんでした。工場の製造ラインを自動化するためにつくられた産業用ロボットがそれに当たりますが、蒸気機関を原動力とする18世紀の産業革命がそうであったように、ロボットは製造プロセスの高度化を推進しました。

近代西洋文明においては、これまで人類は3度の産業革命を経験しています。第1が蒸気機関で駆動する工場の登場。第2が鉄と原油と電気の活用。もっとも最近の3度目の産業革命がインターネットやパーソナルコンピュータによるデジタル革命。そして今、人工知能とロボット技術が、現存する製造工程の手法を不可逆的に変え、人間に取って代わるとされる第4次産業革命が間近に迫っているとされます。

ロボットと人工知能は2つの異なる概念ですが、目的によっては併用することが可能です。ロボットとは機械化されたボディです。物理的な形状を有し、ヒューマノイド=人のかたちをしている場合もありますが、必ずしも人の姿をしている必要があるわけではありません。また、プログラムされた指示に基づいて動いたり、反応したりすることができます。一方、AIの略称で知られる人工知能には実体がありません。現時点では人間のように思考することはできないため、「頭脳」と呼ぶと語弊がありますが、仮に人体のアナロジーを使えば脳に相当します。しかしやっているのはデータから学び、入力された情報を解析し、パターンを見出し、新たな気づきを示しているだけに過ぎません。インテリジェントに動作しているとされる機能であっても、今のところは具体的に定められたタスクをこなしているだけで、汎用人工知能なるものはまだ存在していないため、かなりの制約のもとにあります。たとえＡＩがチェスや囲碁で私たちに勝つことができても、理論の掛け合わせなど複雑な要素が強い分野では、まだ私たちに一日の長があります。

ロボットとＡＩは私たちの日々の生活にますます溶け込みはじめています。ＡＩにいたってはもうあちらこちらに存在していて、あまりにさりげないため、気づくことさえ困難になってきています。たとえばあなたが今しがた利用したネット通販のカスタマーサポートのページはどうでしょう？　おそらくかなりの確率で自動化されたＡＩ、つまりチャットボットだったはず。人間が顧客への対応マニュアルにしたがって口にした言葉と、ＡＩが生成した回答を比べても、違いを見出すことは難しくなりつつあります。感性のあるＡＩはまだ存在していないし、ＡＩが感性をもつことなんて永遠にあり得ないかもしれませんが、人間に似た振る舞いをさせることは可能なのです。ロボットにＡＩを搭載すれば、そのロボットは周辺環境から学習し、センサーから入力されたデータを処理し、その時々で行動を起こすこともできます。そのロボットを人のかたちにすれば、さあどうでしょう。人造人間の製造までの道筋はもうついたようなもの……というのは言い過ぎでしょうか？

音声で発せられた命令を認識し、それに応答できるソフトウェア、いわゆる「仮想アシスタント」は目覚ましい勢いで普及しつつあります。現時点で市場を席巻しているのはアマゾンの〈アレクサ〉、アップルの〈Siri〉、グーグルの〈グーグルアシスタント〉、マイクロソフトの〈コルタナ〉の4巨頭。いずれも話しかけるだけで天気予報から好みのラジオ番組の放送時間、レシピやスポーツの試合結果まで、ありとあらゆる情報を引き出すことができます。欲しいもののリストを記録させておいたり、目覚まし時計を設定することなど朝飯前です。あなたがスマート電球をお持ちであれば、部屋の明るさを調整させたりといったことも可能だし、エアコンがインターネットに接続されていれば、外出先から帰宅した頃に涼しくなるように設定しておくなんてこともできます。湯沸かしポットであれば、水を入れてコンセントにつなげたりといった一連の動作は必要ですが、お湯を沸かすように指示することもできます（自分でスイッチを入れる方が手っ取り早い気がしなくもないですが）。

「コルタナさん、音量を下げて」といった命令だけではなく、卑猥なお願いをしてみた人がいることは想像に難くありません。〈Siri〉に下ネタを振ってみたり、〈アレクサ〉を口説いてみたなんて経験はないでしょうか？　「どんな反応をするのか知りたかっただけ」という人も含めれば、そうした経験のある人はあなただけではありません。人間とは、存在するすべてのものを堕落させようとするものです。ただし、人気の仮想アシスタントは口説かれるのにも慣れていて、マイクロソフトもグーグルもアップルもアマゾンも、口説きにかかるようなユーザーは軽くあしらうように、裏で大幅にカスタマイズを施しています。よかったら試してみてください（ただし職場で試すのはおすすめしません）。

しかし、そういった仮想アシスタントはどの程度人間らしいのでしょうか。信頼に値するほど？　親しみを覚えるほど？　恋に落ちてしまうほどの人間味があるのでしょうか？　スパイク・ジョーンズ監督の映画「her／世界でひとつの彼女」（2013年公開）では離婚協議中の孤独な男性が、コンピュータのOSに恋をするという近未来の物語が描かれています。悲しいかな、真の愛への道のりはいつだって平坦ではないようで、主人公は彼女が肉体を持たないことに歯痒さを覚えはじめます。ただ、幸いにして現実世界には解決策が存在していたのです。そう、〝セックスロボット〟です。

期待が高まる前に申し上げておきますが、セックスロボットなるものはまだはっきりと存在しているとまでは言えません。長らくSF小説の定番テーマとして取り上げられてはいるものの、現実味を帯び始めたのはここ数年のこと。大規模な商業生産を実現している製品はまだなく、カリフォルニアを拠点とする〈リアルドール〉のメーカー、アビスクリエーションズ社がシリコン製のドールの頭部にアニマトロニクスを搭載し、AIで個性をもたせているのが、もっとも近い事例でしょうか。〈ハーモニー〉という愛称で呼ばれるこのロボットは（首から下が完全に動かないので、厳密にはロボットではないですが）、AI駆動のアプリを使うことによって、ユーザーが好む特徴を強調させるなどして、キャラクターを調整できます。またヨーロッパではセルジ・サントスというエンジニアが、欲情させることを目的としたロボットをつくっています。この研究テーマをよしとするのであればの話ですが、あなたの目的は彼女にオーガズムを与えること。ただ、ここまで聞いて何かお気づきにならないでしょうか。そう、今日つくられているセックスロボットは圧倒的に女性の形をしているものばかりなのです。

現在見られるセックスロボットは、実際の人間と見間違えることなど、まずもってありません。アニメチックだったり、女性の身体の特徴を過度に強調したり、誇張して過剰にセクシーにされていたりと、人間とはまったく別の代物です。どんなものでもつくりだせる素晴らしいテクノロジーが簡単に入手できてしまう時代において、どうしていまだに実物を真似るような、絶対に成功しないことばかり人間は試みているのでしょうか。おっぱいを5つ、ペニスを3本、腕を20本といった具合に、ほしいままにパーツを組み立てることもできます（あなたがもし好むのであれば）。もしかしてロボットには、人間のような形状をしているからこそ惹きつけられる何かがあるのでしょうか。

また、テクノロジーを用いて快楽を得るという未来像には、誰もが賛同しているわけではありません。法や倫理の観点からみて、セックスロボット相手の行為は浮気になるのか？　セックスロボットは暴力やレイプを増長しないか？　もし誰かが子ども型モデルを開発したとしたら？　人間同士の関係を破綻させることはないのか？　2016年にあるメディアが見出しで注意喚起したように、ロボットが「私たちを死ぬまでファック」するようなことが起きないか――整理すべき問題は山積しています。

ただし、逆もまた然りで、性的欲求を満たすことのできるコンパニオンロボットが、孤独の解消や快楽の提供、あるいは強制性をともなうセックスワークの根絶や、性犯罪者を対象とする治療・社会復帰のための活用など、私たちの世界を好転させてくれる可能性だってあるのです。それこそが私たちの未来なのだとすれば、ロボットの台頭は恐れることではなく、文字通り寄り添ってみていいことなのかもしれません。

さっそくはじめていきましょう。魅惑的にして、時に怪しいセックスロボットの探索を。時々途中下車することもありますが、まずは手はじめとして、3万年前に時計の針を戻す必要があります。きわどい話ばかりですが、労力なくして得るものなしです。いざ出発。

ヒトは生成AIとセックスできるか＊目次

第4章 恋という字は下心 119

第8章 セックスロボットはディストピアか 237

ヒトは生成ＡＩとセックスできるか

ケイト・デヴリン
池田尽 訳

第１章
かつてきた道

昔話風にはじめてみよう。

昔々あるところに、ラーオダメイアという名の若い女がいた。狂おしいほどに夫を愛していた彼女は、トロイ戦争に出征した新婚まもない夫のことを想い続け、岸辺で泣いていたそうである。悲しいことに、夫のプローテシラーオスはトロイの地での最初の戦死者となった。

親切なギリシアの神々は、2人が夫婦としての最後のひとときを過ごせるようにと、ギリシア神話ならではのお馴染みの計らい、そう、3時間だけ夫を蘇らせてやった。だが、黄泉の世界に戻らなければならない時がやってくれば、ラーオダメイアは再び悲しみのどん底に落ちることになる。しかしそこは機知に富んだ彼女だった。夫に似せた銅像をつくる手配をしたのだ。添い寝にも使える「人工恋人（アーティフィシャルラバー）」である。しおらしい話だが、危険な試みでもあった。使用人が扉の隙間からラーオダメイアの寝室を覗くと、銅像に接吻し、抱擁し、(ある古文書によれば)「交渉」までしていた彼女の姿がそこにあり、使用人は即座に新しい男といるに違いないと思い込む。それを知らされた彼女の父親は部屋に押し入り(気まず……)、銅像を見るなり焼き払うように命じた。それで事が収まればよかったのだが、さらなる苦悩に耐えきれなかったラーオダメイアは自らも炎の中に身を投じ、夫の銅像とともに消滅する道を選ぶのであった。めでたし、めでたし……とはならないこの話、セックスロボットの記述としては最古のもので、何千年もの時を経て語り継がれている悲劇の物語である。

　このラーオダメイアの物語を「人工恋人」の物語であると指摘するのは、ブリストル大学で古典学の上級講師を務めるジュヌヴィエーヴ・リヴリーである。彼女はイギリスの名門赤レンガ校の一角である伝統あふれる環境で、歴史の淫らな側面をあますところなく研究している学者である。古典文学は無味乾燥だと思う人はリヴリー博士の著作を読んでみるといい。何年ものあいだ、喜劇、口承文学、サイボーグ、ロボット、そしてポルノグラフィをテーマとし、時にラテン語やギリシア語を交えながら、それらを古典文学の文脈で学生たち相手に教えている。

　ニュースなどでセックスロボットが報じられる際、歴史的背景に触れる場合は「ピグマリオン」の伝説が引き合いに出されることが多い。それはシェイクスピアの『冬物語』からバーナード・ショーの20世紀の戯曲『ピグマリオン』、バレエ作品の『コッペリア』、『マイ・フェア・レディ』のミュージカル版や映画版など、高く評価される作品の題材として選ばれてきたこともあってか、比較的知名度の高いテーマだ。男が女と出会ったが、女は人工物であり、男は人工物である女に恋をするという流れからして、表層的にはいずれも魅力的なセックスロボットの物語のように見える。しかしリヴリー博士が指摘するように、より深い考察が必要だ。というよりもこの解釈は、完全に的外れな可能性もある。

　手はじめに、ピグマリオンの物語のなかでも、大衆文化を通じて知られているお馴染みのバージョンから確認してみよう。ピグマリオンは古代ギリシアのキプロス王で、彫刻の名手でもあった。ただ、生身の女性に魅力を覚えることができない人物でもあり、ついにはその代替として美しい彫像をつくることにした。彫像に恋心を抱いた彼は、自らつくったその像に生命を宿してくれるよう、愛の女神アフロディーテに懇願する。その後自宅へ戻り、彼が彫像に口づけすると、なんと彫像に命が宿ったではないか。彼女は「ガラテア」と名付けられ、2人は結ばれて子を授かったという話である。

　この物語はオウィディウスの作品であることから、その起源はギリシアではなくローマで、全編を通じて「まやかし」と「妄想」で溢れた作品なのだとリヴリーは指摘する。ピグマリオンが収録されているのは250編以上の古典や神話から成る西暦8年の詩集、『変身物語』だ。さらに古くは、亡き妻アペガーの姿に似せ、生きているかのような「ロボット」をつくり、綺麗に着飾らせたスパルタ王ナビスの話をポリュビオスが残すなど、実物さながらの「自動装置（オートマトン）」に関する逸話は、それよりも以前からある。しかしオウィディウスによる物語は彼独自の発明だ。まずもって主人公が妄想癖を有しているという特徴が焦点となる。象牙でつくられた彫刻に命が吹き込まれたと、自分自身を錯覚させているからだ。「要するに、彼は妄想をしているというのが一番のポイント」とリヴリー博士は語る。「彼は愚か者で、これは彫像。動かないのに動いていると思い込んでいるということは、彼の頭の中だけのことであって、オウィディウス自身、妄想であることを、かなり丁寧に強調している」と彼女は説明する。

「別の見方をするならば、ピグマリオンは錯乱して完全な妄想状態に陥ったか、あるいは何らかの超常現象によって彫像が生身の女性になったのか、そのどちらかしかない」と続ける。「つまり正気を失った彼が、無機質な彫像とセックスをしたか、もしくは魔法かなにかで血肉が通い、生身の人間相手に本当のセックスをしたか、そのどちらかでしかありえない。いずれであっても、セックスロボットとは真に同類ではない。これを最初のセックスロボット物語だと述べてしまっては語弊がある」。

無機質な影像とセックスするというピグマリオンの登場人物による発想を冷笑する前に、銅像や人形、またはマネキンなどに性的魅力を覚える〝人形偏愛症(アガルマトフィリア)〟という概念は初期のギリシア文明の記録にも残されているということに留意されたい。「変態行為の今昔」という、小粋なタイトルが付けられた1975年の論文では、2人の学者A・スコビーとA・J・W・テイラーが、古典にみられる影像との性行為について論じていて（古代ギリシアからは11例、イタリアから1例）、なかでも大プリニウスが「ひとたび男は其れと恋に落ち、夜に紛れて其れを愛(め)でるも、かの色欲行為は、染み跡により背かれる、とする逸話がある」と論じる記述を紹介している。スコビーとテイラーの論文は検証が不可能という理由から批判されているが、性科学者(セクソロジスト)の先駆けの1人であるイヴァン・ブロッホも、「ヴィーナス・スタチュリア」と呼ばれるパラフィリア（性的倒錯）、つまりは「像姦行為」についての記録を残している。「極度に性的興奮(リビドー)を覚えやすい個人である場合、影像が多数収容された美術館の中で歩みを進めるだけでも性的衝動を発するに充分である場合がある。これについて我々は事例を有す」と、1907年の著書『我らが時代の性生活　現代文化との関係』で言及している。

しかし、研究者らはピグマリオンにはこうした性癖の傾向は見られないという。確かにピグマリオンの影像に本当に生命が宿ったと仮定すると、彼が好意を抱いているのは（たとえそれが思い込みであったにしても）あくまでも生きた女性である。彼が求めたのは影像ではなく、あくまで本物であり、となれば彼の欲望は生身の女性に対する感情である。とすると、今日の人間とセックスドールとの関係は、果たして人形偏愛者と人形との関係に等しいと言えるだろうか？　つまり、人びとが人形に対して愛情を抱くのは、生身の人間に焦がれているからなのか、あるいはセックスドールの、それ自体としての存在に惹かれているからなのだろうか？　ポーツマス大学でサイバーセックスを専門に研究するトルーディー・バーバーは、セックスドールに（そしてセックスロボットに）魅了され、自分自身の容姿を改変させてまで真似ようとする「アンドロイディズム」という名称で知られるフェティシズム愛好集団を対象に調査を行っている。バーバーは、「実際に自らがロボットや人形になって自己陶酔型の性的興奮を感じたいと希望する人びとで構成されるサブカルチャー、あるいはテクノボディ・ファシズムなどのカルトは、その数を増加させている」と述べる。

メディア研究家のアリソン・デ・フレンのエッセイにテクノ・フェティシズムの世界を探究したものがあるが、それはコミュニティとして最初に形成されたのが初期のオンライン・グループ「Usenet」のスレッド、「alt.sex.fetish.robots」であったことから「ASFR」の名称でも知られているフェティシズムである。彼女によると、同コミュニティの中にはあくまでも人工的に製造されたロボットを愛する人びとと、人間ではなくロボットになりたいとする変身願望を抱く人びととの2グループが確認できるという。またASFRの主張にはモノの女性化が見られるという（ジェンダーロールの体現と常態化が、明確に見られるといった見解である）。さらに本質的には、プログラム制御が彼らに共通する関心事だともいう。一方、ASFRコミュニティのウェブサイトに掲載されている説明には「本人の希望の有無はさておき、何かしらの生命なきモノに転身を遂げた人間（通常は女性）」といった定義が示されている。「逆ピグマリオン」とでもいえばいいだろうか。いずれにしても人工恋人（アーティフィシャルラバー）への飽くなき関心は、このようにして世紀を跨いで継承されているのだ。

しかし人間の身体を性的に表現したモノという観点からすると、さらに太古の記録が存在する。ひとつのモノとしても知られる、アレである——。

セックストイの起源

歴史とは、過去のできごとを書き綴ったものである。それよりも前の、文字が出現するまでの時代は先史時代という。この時代は、実に面白い。陶器を破片から復元するように、小さな情報の断片を慎重かつ精密に、そして丁寧につなぎ合わせなければならず、あらゆる情報を常に注視し、解明していかなければならない。そこから人びとは何をつくり、何を組み立て、創造していたのかなど、当時の人たちの生活を垣間見ることができる。さらには当時の食生活、骨折の状態や患った病気など、身体に関する情報の手がかりをつかむこともできる。そして私たち人間はずっと、テクノロジーを駆使して人生を生きやすくすることを追求してきたわけだが、テクノロジーとはつまり道具の活用であり、道具の登場も最初は何かを突くだけの単純な棒切れから始まっている。

「突く」つながりで話を広げていこう。

２００５年、ドイツの洞窟で長さ20センチ、幅３センチの石器が見つかった。年代測定の結果、約２万８０００年前のものとされた。14片からなるシルト岩の破片を慎重に組み合わせてみたところ、もはや疑いの余地はなかった。エッチングの模様といい、形といい、明らかにペニスを表わしているようなのだった（これをカギ括弧つきで「ツール」と表現したBBCオンラインニュースの記事があるのだが、その見事な言葉選びが私は好きだ）。BBCが「男性自身の象徴的表現物」と評したそれは、（考古学的にいうならば）現生人類が活動していたとされる時代の地層で発掘された。つまりセックストイは車輪の登場より2万5000年も先立って発明されたのだろうか。

これは考古学史上最初の人工ペニスではないが、最初期の1つであることには違いない。考古学者らは、その利用目的を限定することに対して慎重で、石鎚として使用された形跡が残されているという。実際これらは、祭事や儀式を目的とした神具であったと推察する向きも多い。なにも照れ隠しにお茶を濁しているわけではない。何世紀にもわたって、男根を模したオブジェが宗教的なお守りとして使われていた例には事欠かない。古代王朝が誕生する前のエジプトの神「ミン」の場合、大きく反りたったペニスが描かれており、彼を讃えるためにペニスの置物を家屋の外に設置する慣わしもあった。インドにおいても、先史時代にまで遡るシヴァ神はペニスのフォルムをした「リンガ」として信仰されている。現にインド南東部アーンドラ・プラデーシュ州のパラシュラメシュワラ・スワミー寺院に行くと、紀元前3世紀に建造された高さ150センチのリンガが奉られている。古代ローマ文明もまたペニスを大変好んだ。お守りとしての効果があるとされて、家具や装飾品、住宅の壁面など、さまざまなものをペニスで飾り立てた。「ファシヌス」または「ファシヌム」の名で知られており、邪気を祓うと伝えられ、神の聖なる加護を招くためのものだった。

卑猥と言われればそれまでだが、私としてはセックストイとしての側面の方こそ検討したくなる。先史時代の私たちは、こうした器具をさらなる快楽を追い求め使っていたということはないのだろうか？　使っていただろうと私は思う。全部が全部ではないであろうし、頻度も少なかったかもしれないが、その後に続く時代に目を向ければ、そうした用途で使われていたことは確実である。そして考古学の講義を受講して1つだけ学んだ教訓を挙げるとすれば、人間の行動パターンというものは、そう簡単には変わらないということだ。

「玩具（トイ）」という言葉がこの文脈で使われるようになったのは近年になってからである。同じ快楽といえども、こうして遊び心の要素を反映する言葉が用いられることにより、タブーから解き放たれた印象もある。私の場合は歴史的な説明をする上でもこの言葉を使っているが、当時の人びとがこの表現を用いていたことはないだろう。昨今ではセックスやセクシャリティに対する捉え方が変化したこともあって、おちゃらけた雰囲気というか、娯楽のニュアンスで解釈されがちだが、こうした器具の歴史的経緯を研究していた初期の性科学者たちにしてみれば、まったく真剣なテーマであった。

これまで見てきたように、古代ギリシア文明の人びとは、性的な戯れを書き綴ることを、恥ずかしいこととして差し控えたりしなかった。それは同時代の黒絵式や赤絵式の陶器からも裏付けられており、当時の壺や皿にはありとあらゆる性愛の営みが残っているだけではなく、女性が陰茎のようなものを掲げている図柄さえたくさんある。ではセックストイはどうかというと、ディルドの存在は確認されており、パンでつくられていたのではないかとする説がある。挿入式のセックストイを求める市民であれば、文字通りディルド・パンを意味する「olisbokollix（パンの張形)」と呼ばれる、硬焼きのスティックパンを使うことができたという(複数形は「olisbokollikes」で、これまた舌を噛みそうだ)。ただ、形が似ているという理由だけでその呼称が選ばれたという可能性もある。一方、革製のディルドは当時から確実に存在しており、オリーブオイルが潤滑油として使われていた。アリストファネスの紀元前411年の喜劇『女の平和』には、ペロポネソス戦争の終結を訴え、ギリシアの男たちが和平交渉の席につくまで女たちがセックスを拒むというエピソードがあるが、その際の代用品として、次のように人工物を求めているのだ。

愛人の輝き、微塵(みじん)も無きて!
ミレトスに裏切られてより、このかた
男の立たん、ひとたびも見ず
大理石の物、慰めんかな。(ジャック・リンゼイ編訳)

時代がギリシアからローマに移るとクレオパトラが登場するが、彼女こそがバイブレーターの発案者だとする風説もある。瓢箪の空洞に大量の蜂を閉じ込め、バイブレーターにしたという。しかし英国の歴史家グレッグ・ジェンナーは、この説を「完全なるナンセンス」と一蹴している。彼は誤って信じてしまう人が出てくるような架空の話を〝フィクショナル・ファクト＝フィクト〟と呼んでいる。実際にはクレオパトラに悪女のレッテルを貼るためのプロパガンダのようなもので、敵対勢力による中傷や攻撃が生んだ噂であったと考えるほうが事実に近いだろう。

バイブレーターとヒステリー

バイブレーターの起源については、いまだ議論が続いている。クレオパトラを考案者とする説は排除したが、ならば誰によるものなのか？　1つの通説としてよく論じられるのが、バイブレーターは〝女性のヒステリー〟を治療する目的で発明されたというものである。この説にはある程度の理があるものの、確証を得るまでには至っていない。〝ヒステリー〟という言葉は今日においては笑いや興奮やパニックをともなう激昂状態という意味で知られているが、20世紀に入るまでヒステリーは（ギリシア語で〝子宮の〟を意味する〝ヒステリコス〟に由来する）、女性を対象に一般的に診断されていた医療用語であった。これは女性の子宮をあらゆる厄介ごとの根源と見なす当時の考えに基づいており、子宮は神経症や頭痛、胃腸炎、さらには死にいたるまで、あらゆる諸症状を引き起こす原因と目されていた。また、子宮は何世紀もの間、女性の体内を徘徊するとも考えられていた。文字通りの〝徘徊〟なのである。現にカッパドキアのアレタエウスは紀元後2世紀に、子宮とは生命体の中にある別の生命体のようなものだと説明している。〝徘徊する子宮〟という概念は17世紀になって啓蒙思想が登場し、解剖学が劇的に進歩する直前まで、ずっと支持され続けた。

「ヒステリー症を緩和するには、緩和を施せばよい」とする、なんとも安直な主張はかねてより唱えられていた。要するに骨盤マッサージのことである。コーネル大学の技術史学者レイチェル・メインズの著書『ヴァイブレーターの文化史』（１９９９年、邦訳は論創社刊）では、女性をオーガズムに到達させればヒステリーが治癒するといった発想が、古くはヒポクラテスの時代から続いていることが示唆されている。しかしそもそもこの説自体が原文の読み違えだという批判も浴びており、オープン大学の医学史学者ヘレン・キングは論文「ガレンとその未亡人　古代婦人科学にみる治療としてのマスターベーションの歴史に向けて」（2011年）の中で、かなりの紙幅を割いてこれに反証している。キングいわく、ヒステリーとマスターベーションを関連づけるとまとまりがよく、一見都合がいいのだが、先ほどのグレッグ・ジェンナーの言葉を借りれば〝フィクト〟の1例である可能性が非常に高いとし、彼女はこれを真っ向から否定する。

『バズ――セックストイの刺激的な歴史』（2017年）の著者ハリー・リーバーマンは、セックストイで博士号を取得しているが、彼女の行った婦人科医学史の研究によると、少なくとも過去の文献を読み解く限り、バイブレーターをヒステリー治療に利用していた形跡は、歴史上には見られないという。とはいえ19世紀といえば、工業化の発展した国ではどんな種類の困難であれ、ひとまず工業的に対処するのが好まれた時代だ。電動機械式のバイブレーターが最初に登場したのも、そんな19世紀の後期であったことは事実として確認されており、ただし当時はセクシャルな用途としてではなく、〝振動治療〟を施す器具として販売されていたという。つまり、生殖器とは無関係の部位に生じた痛みをほぐすためのものであり、当時の販売対象には女性だけでなく男性も含まれていた。1883年、英国人医師のジョセフ・モーティマー・グランヴィルが『神経振動と刺激の活用による機能障害ならびに器質性疾患に対する治療法』と題した本を出版している。オンラインにアーカイブされていて誰でも読める論文だが（https://wellcomecollection.org/works/r265trd8）、グランヴィル医師には失礼ながら、読み物としてはいくぶん退屈である。バイブレーターが神経痛を緩和すると主張されているものの、読み応えはまるで低周波電気療法に使用される鎮痛器具の説明書（それも長文の）を読んでいるかのようである。ただ、便秘痛にも効くらしい。グランヴィルはヒステリー症にも言及しているものの、自身の専門外であるとし、これとは距離をおくべきとして、以下のように述べている。

神経振動法を活用するに当たり、いま私は、対象となる病の種別をいくつか選定し、それを推奨すべき立場に置かれていると認識するわけであるが、こうした判断をするに当たり、私が唯一拠りどころにできるのは、当該治療における私自身の経験のみに限られる。かたや私が悩ましき病と向き合う際、この手法を広く活用してきたかといえば、その相当数においていまだ体験するには至っていないのであるからして、強く訴求しようにも到底できないが故、私としてはこの手法には依拠できないのである。これらには、前述のヒステリー症や擬病に加え、とりわけインポテンスであったり、おそらくは誤診のたぐいであると考えられるが、精液漏として知られる病に代表されるような生殖器に纏わる障害が含まれるであろう（筆者注：不随意な射精——おそらくは夢精のことを指しているかと思われる）。左記に言い及んだ疾患のうち、最後の2つは私自身にて対応したことのある症例にして、大いなる効果が示され、持続しており、1〜2例においては明確に完治が認められたものの、いかなる医師であろうとも、新たなる治療法を事実発見したと期待することを正当化するには、私がこれまで診てきた症例数などよりも、相当にして大量の症例を観察することが必須となるであろう。

ファーン・リデル博士はビクトリア朝時代の英国の性科学の専門家だが、その著書『ビクトリア朝時代のセックスガイド』（2014年）は、架空の人物を語り部に設定して、1800年代に行われていたであろう、あらゆる類のセックスを細部まで忠実に、登場人物の視点から臨場感を持って再現している。ビクトリア朝時代は潔癖だったというイメージをわずかでもお持ちなら、そんな観念を吹き飛ばしてしまうほど人びとが夜の生活に熱心であったことがわかる。結婚生活の枠内のことではあるが、ビクトリア朝時代の人びとにとって性的に快楽を得ることは非常に大きな意味合いを持っていた点などは特に印象深い。妊娠そして出産は、女性のオーガズムなしには成し得ないとさえ考えられていた。

しかし、マスターベーションは当時から扱いにくいテーマで、社会的に容認されていなかったばかりか危険行為とさえ見なされた。マスターベーション反対運動の活動家としても著名なコーンフレークの生みの親、J・H・ケロッグなどは、一連の行為は心身ともにあらゆる欠陥をもたらすものだと固く信じた。そういった衝動を抑えるための粗食として開発されたのがコーンフレークだ。私も一度だけコーンフレークの製造工場を訪れたことがあるが、雰囲気のなさでいうと、これまで行ったあらゆる場所の中でも際立っていた。生産ラインのフェチなら、白衣や青い頭髪保護ネットにそそられて、その気になるかもしれないが、分厚いゴム手袋が邪魔をして、行為に至るのは不可能だと思われる。

ではバイブレーターは、どのようにしてセックストイに発展したのだろうか？　これが、はっきりとしていない。当時の文献やイラストから可動しないディルドが存在していたことくらいは明らかである。しかし初期のバイブレーターが、公(おおや)けにセクシャルな用途として宣伝されていたエビデンスは見つけられない。筋肉痛を和らげるために利用するか、さもなくば美容器具として販売されていたようである。こっそり本来の目的以外で利用していた人がいた可能性は十二分にあるが、それを立証できる確たる記録が見当たらない。20世紀も初頭になると、その可能性をほのめかす広告が現れるが、それでも表立って謳われることは、遂にはなかった。「異なる神経中枢部に連続使用すれば、久しく感じることのなかった、否定しようのないゾクゾク感がやってくる」といった売り文句が当時の雑誌広告を飾ることはあっても、法や礼節といった観点からセクシャルな表現が禁じられていたことも手伝って、露骨な表現は封印されていた。ただ、〈それがすべてではないにせよ〉クリトリスへの刺激とオーガズムの相関関係が強い女性の身体にとっては、すばらしいブレークスルーであった。

1953年、米国の性科学者アルフレッド・キンゼイが6000人近い女性の性生活を調査したところ、バイブレーターの使用は稀であり、対象者の1%にも満たなかったことが報告されている。1970年代に入っても企業が積極的に健康以外の目的でバイブレーターを宣伝することもなかった。

ただ、少なくとも広告はされていた。セクシャルな目的であることが火を見るよりも明らかなため、大衆の目からはほぼ完全に遮断されていたディルドとは対照的である。1968年、日本のテクノロジー企業である日立は、米国で家庭用電動マッサージ器〈日立マジックワンド〉の販売を開始。これが明らかに性的な商品として大成功を収めるのだ。

本書執筆中の段階で88歳だったベッティー・ドッドソンの場合を見てみよう〔訳注　二〇二〇年没〕。

私たちはどうしてもセックスすなわち若さと情熱の賜物と捉えるよう刷り込まれているため、女性の性的快楽に対する基本的な意識に大転換をもたらした立役者の1人として、この老齢のドッドソンが挙げられると聞くと驚くだろう。さらに彼女は、いまだ現役である。それも性教育、そしてセックス自体の両方で。最高のオーガズムを達成する方法から、かなり年下の愛人との楽しみ方まで（間もなく70歳になろうかという頃、22歳の彼氏がいた）、あらゆることをありのままに、率直に語る女性だ。

私に言わせればドッドソンは絶対的なレジェンドである。自身のことを「セックス支持派のフェミニスト」と称するドッドソンは、アメリカの女性解放運動の中心的存在の1人としても名高い。1970〜80年代にかけて、ドッドソンは〈日立マジックワンド〉を教材として、ニューヨークの自宅マンションでマスターベーションの勉強会を開催している。彼女の出会った女性たちのほとんどが、自らのセクシャリティを探求することに否定的で、その多くが一度もオーガズムを経験したことがないことに彼女は気づく。そこで、自らの身体や性反応について学ぶことのできる、10〜15人単位の女性を対象とした講座を開講したのである。1973年、各種のバイブレーターを試した2年間を経て、日立のマジックワンドが推奨器具に選ばれた。日立から対価を受け取るようなことはなかったが、彼女の推薦の甲斐あって、それは史上もっともポピュラーなバイブレーターとなるのだった。

セックストイとしての評判が定着したにもかかわらず、1999年時点の日立は自社の人気商品は決してマスターベーション用のものなどではないという立場を貫いた。2013年になると、企業名とセックスが紐付けられるのを恐れ、製造自体を中止するという判断を下す。アダルトビデオに登場するようになって久しかったことを考えるに、どうして気づくのにそこまで時間を要したのかは定かではない。幸いにしてその後、商標を変更するという方針が採られ、商品名を〈オリジナル・マジックワンド〉に変更。日立の名称を隠しつつ、バイブレーターの製造自体は継続された。

1970年代に始まるセックスショップの登場は、性的な用途を隠さずにセックストイが販売できるようになったことを意味する（ただし地域によっては規制上、販売が禁じられ、一部には今になっても手に入れられない場所もある。気の毒なアラバマのみなさん……）。とはいえすっかり表舞台に立ったかというと、そうではない。セックストイを買いたければ勇気を振り絞ってニッチな店に入るか、通信販売に頼るしかない。1980年代になると、たとえば英国のアン・サマーズ社のように、セックストイを見たり購入したりできるホームパーティーを開催するセックスショップが台頭した。このように、セックストイを買う環境は整ってきたが、まだ閉じた空間での出来事だった。

1998年、HBOの連続テレビドラマ「セックス・アンド・ザ・シティ」の脚本家たちは、シーズン1のエピソード「マンハッタンの結婚観」のストーリーにバイブレーターを登場させようと考えた。そこで白羽の矢が立った機種は、回転軸と外側に突き出た2本の小さな〝耳〟でクリトリスを刺激する、ダブルアクションのセックストイ〈ラビットバイブレーター〉だった。うさぎのデザインは日本によるものだが、わいせつ罪に抵触しないよう、ペニスを明るく可愛く、カラフルなものに抽象化してデザインされていた。そのエピソードが放送されるや、売上はうなぎ登りに。性的快感を最大限引き出す、ペニスを模した器具がお茶の間にお披露目された瞬間である。さらに、ちょうどオンラインショッピングが出現した時期と重なったため、即座に発注して人目に触れることなく自宅で受け取ることができたのもよかった。メディアの露出も手伝い、アン・サマーズのセックスショップでは年間100万羽のラビットが販売された。

これを境に人びとはセックストイを持っていることを、冗談交じりにせよオープンに語り合うようになった。20年の時を経て風景が変わり始めたのである。そしていまやセックステクノロジーは2020年までに世界全体で220億ポンド（300億ドル）の収益を生み出すと予想されている。その内訳はセックストイなどハードウェア産業、スマホ画面の操作で相手を見つけられるマッチングアプリなどのソフトウェア産業、さらにはVR（仮想現実）のようなテクノロジーを使って独自の性体験を提供するといった新種のコンテンツビジネスといった領域で構成される。ただこの300億ドルという数字には、ハリウッドの映画産業と同程度の収益を生み出しているオンラインポルノ産業は含まれていない。

挿入するためのセックストイ、〝クヌス・サクセダネウス〟（代用外陰部）はどうだろう？　バイブレーターは今でもそうだが、昔から男性にも利用されてきた。前立腺を刺激し快感をもたらすバットプラグやアナルビーズといった自身への挿入目的の器具も広く利用されている。外陰部や膣は象徴として、時代を超えて表現されている。だとすれば挿入目的のセックストイも古くから利用されていてもよかったのではないか？　しかし物的証拠の観点からは、ほとんど何も残っていない。あるいは少なくとも考古学の記録として認められるような形式では存在しない。男性はセックストイを必要としなかったのかもしれない。あるいは男性の場合、性的衝動を感じるには、相手の存在が大きいということが関係しているのかもしれない。特定の相手がいないにしても、自分の手で処理することも容易だ。しかし開口部に似せた代用品は布や革を材料としてつくられていたのではないかという指摘もあるのだ。ただ、悲しいかな、いずれの材料も何しろ保存性がよろしくない。ゴム製であっても同じだ。

より近代に近づくと、実例や記述などの記録が出現する。シンシア・アン・モーヤがＩＡＳＨＳ（ヒューマンセクシャリティ研究所）在籍中の２００６年に書いた秀逸な博士論文は、まさにこれをテーマとしている。１９０２年のフランス国内に流通した商品カタログ広告を網羅し、ヘンリー・ナサニエル・キャリーの翻訳によって紹介している。女性の腹部と骨盤部を模した空気式の商品の魅力が熱烈な表現で説明されており、「ハンカチーフと同じほど手軽に、折り畳んでポケットに収納」することができたという。

１９２７年には、クッションのようなものの中心に穴を開け、擬似的に陰毛をあしらったヴァギナのぬいぐるみを写真で紹介するという書籍が出版されている。モーヤも指摘するように、今日のセックストイではほとんど見られない傾向だが、初期の頃のディルドであっても多くには陰毛があしらわれていた。時も嗜好も、移りゆくものですね。

アルフレッド・キンゼイは１９４８年の著書『人間における男性の性行為』（邦訳はコスモポリタン社刊）で、男性のセクシャリティについて報告しているが、その中で「女性器を模した用具を用いてマスターベーションをする人もいるにはいるが、その度合いは稀である」と書いている。彼によれば、男性は手作業で処理する傾向が強いが、ある調査によれば、一部の男性の間では「稀、ないしは時折、ボトルやチューブ、または穴の空いたものを使用する」ことが確認されたという。

１９４０年代の日本では、膨らませたり、お湯で温めたり、携帯しやすいよう萎ませることのできるゴム製の入れものを掲載したカタログがあった。昔の日本では、こういった人工ヴァギナが民間伝承の一部として登場している。「吾妻形（あずまがた）」という名前で知られており、19世紀であれば春画の中で、18世紀であれば文献中に見ることができる。

一方、西洋諸国で携帯式の人工ヴァギナが商品化されるのは１９９０年代も半ばに差し掛かってからだった。アメリカのスティーヴ・シュービンは、妊娠中の妻が医師から性交渉は高リスクのため控えるように注意され、何ヶ月もセックスができない状況におかれていた。意気揚々とセックスショップに（妻の了承を得た上で）駆け込むも、期待は裏切られ、打ちひしがれたシュービンは、ならば自らの手でなんとかしようと決意する。そして発明されたのが、中心をくり抜いた懐中電灯のような形をしたマスターベーション用具にして、今日ではほとんどの類似器具がその名称で呼ばれている〈フレッシュライト〉であった。これはかなりのヒット商品となった。

今日、男性用セックストイの製造において最先端を行き、市場規模でも最大の一角をなすのが日本だ。「セクシャルウェルネス器具のライフスタイルブランド」を自称する日本企業ＴＥＮＧＡは過去13年、全世界で５７００万本を超える挿入型セックストイを販売している。商品だけみると、人体の構造を再現しようという意欲は微塵もうかがえず、自慰行為に最適化した設計が追求されている。表面加工が施された使い捨てのスリーブから、電動マスターベーション器具まで、幅広いラインナップも取り揃えられている。いずれも人体を模写しようとしておらず、それどころか近代的なスペースエイジを彷彿とさせる、白く柔らかな彫刻作品のようだ。

私の手もとには仕事の都合上、大量のセックストイが届くため、少し男友だちにおすそ分けをしようと思い立ち、ちょっとした実験もかねて、ＴＥＮＧＡの〈ＥＧＧ〉を１つずつお届けしてみた。〈ＥＧＧ〉は伸縮性のＴＰＥ（熱可塑性エラストマー）でできたスリーブで、手のひらサイズの卵型のプラスチック容器に梱包されている。〈EGG〉1つにつき、ローション1包が付属している。またスリーブの内側にはリブやスパイラルといった各種パターンがエンボス加工されている。男性器の先端にかぶせるように装着し、しっかり奥まではめ込んだ上でマスターベーションに使用するというものである。

友人らの反応は、まちまちであった。友人1号は、こうした発想自体に恐れをなしてか、「こんなものに自分のアソコは絶対入れない」と宣言した。友人2号は「いいけど、わざわざ金を払ってまでは買わない。おしゃれだとは思うが」とどっちつかず。友人3号は「自分の手の方がいい」と力説。友人4号は、感想を報告すると前向きだった。物心つく前から知っている友人だっただけに、詳細を聞かされるのは抵抗があったが、「まあまあ」だったとのこと。友人5号は「別に……」。キンゼイによれば、「男性の場合、各自の性的経験に基づいて条件づけられてきた固有のやり方というものがあり、その手法に固執する傾向が強い」のだそうだ。私の友人たちは、そんなキンゼイの意見に賛同しているようである。

2013年にオンライン市場調査とデータ分析を手掛ける企業ユーガヴ社が欧州全域で行った調査によると、英国の回答者2168人のうち、33%がセックストイの使用経験者であった。販売実績が16秒に1台という英国系企業ラブハニー社によれば、世界で一番人気の商品はディルドであり、僅差で各種形状のコックリングとバイブレーターが続いた。挿入する用途の商品はトップ10入りを果たしていない。

ここ何年かは素材やテクノロジーの進化を受け、快感を求める需要が高まっているという傾向に乗じたのか、新進のスタートアップの参入が多い。〈ラビットバイブレーター〉もまた、人体を模倣しようという試みとは距離を置き、デザイン自体を変えている。セックストイは、その形状を自由に考えていいのだ。抽象化してもいいし、最適化してもいいことが示されている。今日、何百種類ものバイブレーターやディルドまたは〈フレッシュライト〉などが販売されているが、その多くが人体とは似ても似つかぬ形状をしている。一風変わった曲線を描き、あたかも優美な装飾品のようなものもあれば、反らせたり、折り曲げたりなど、形状可変式のバイブレーターもある。異質な形状をした人工ホールもある。刺激のパターンが何種類か備わっており、ユーザーが随意の振動を選べたりもする。

こうした近年の製品には、もう1つの大きなメリットがある。〝スマート〟であることだ。

「遠隔ディルド」

ポーツマス大学のトルーディー・バーバーは、長年にわたって愛情とテクノロジーの関係の研究に取り組んでいる。仮想現実（VR）でセックスを体感できる没入型環境をはじめて開発した1人であるが、それも1992年、ロンドンの芸術大学セントラル・セント・マーチンズに学部生として在学していた頃のことだ（仮想空間でペニスを勃起させたのは、これが歴史上最初の例だと誇らしげに語る）。その後「コンピュータフェティシズムおよびセクシャル未来学」という、今になってもなお極めて前衛的なテーマで博士号を取得。利発にして愉快、聡明かつインスピレーショナルな女性だ。彼女の底なしのエネルギーと情熱は周りに伝播し、バーバーが喋りはじめれば誰もが立ち止まって耳を傾ける。さまざまな種類のテクノロジーを性的な用途に用いて試すという観点からすれば、彼女はまさしく〝テレディルドニクス〟（teledildonics）の草分けであり、サイバーセックスの女王である。先見の明があって、心から尊敬する女性だ。

テレディルドニクスという言葉は、ギリシア語で〝遠く〟を意味する〝テレ〟にディルドを組み合わせて造られた単語である。言い換えるならば、遠隔操作が可能なセックストイ技術の1つであり、ユーザーに、別の場所にいる誰かが促した動きを触感として感じることを可能とする技術だ。そんなテレディルドニクスだが、VRの最初の波を受け、私たち人間の関係性に革命をもたらすのではないかと期待された。新しい性のセンセーションと快感をもたらすだろう、と。しかし、悲しいかなVRの第1波はデバイスの扱いにくさやデータ転送の遅延、セクシーさには遠く及ばない乗りもの酔いのような吐き気を催させるもので、限定的なブームに留まった。しかし、順風満帆ではなかったからといって、開発者らを消極的にさせたわけではない。

バーバーはこのテクノロジーが人類に幸福をもたらす可能性があるとして、あくまで楽観的である。「可笑(おか)しな実験なのだから、あまり真面目にならないようにしている」と笑顔をみせる。そんな彼女は現在、新しい波を起こそうと、再びVRの研究に勤しみ、身体と仮想空間の活用についてさらなる探究に挑んでいる。彼女はまた「扱っているのは人間の本能であって、昔からなにひとつ変わらないことを新しいテクノロジーでやっているだけ」と、改めてそんな事実を気づかせてくれている。

また別の人物に登場してもらおう。

私はサンフランシスコ近代美術館の向かいの公園で、スマート・セックストイを開発しているという男と会うために待ち合わせした。qDot の名でも知られるカイル・マチュリスはインターネットを介して遠隔動作するスマート・セックストイ、テレディルドニクスをゆうに10年は開発し続けている人物である。彼と比べれば私などは素人も同然だ。マチュリスの情報量と比べてしまうと、このテーマにおける私自身の知識量は雀の涙である。まさにミスター・セックステックだ。

マチュリスは時間ぴったりに現れた。普段はモジラ社でプログラマーをしていることもあり、メガネにテック系のTシャツという小綺麗な出で立ちで、過去14年セックス関連のサブカルチャーにどっぷりと浸かっているようには見えない。しかし、おとなしい人に限って注意が必要なものだ。彼とは長らくオンラインで情報交換していたこともあり、はじめて直接会えるので嬉しかった。近くのカフェまで歩き、空いていた最後のテーブルに陣取ると、まずは彼の仕事について質問をぶつけてみた。

スマート・セックストイは近年ますます一般的になっている。今や必ずしもVRを使わずとも、人びとはアプリとネットを経由してスマホでサクッとつながることができる。セックストイをオンラインで操作することができるというわけだ。ユーザーはスマホからバイブレーターの設定を変更できて、互いに操作権限を許可すれば、他者に参加してもらい、離れた場所にいながら性行為を共有して楽しむことができる。すでにさまざまな種類のスマート・セックストイが出揃っており、なかには2人で（ないしはそれ以上で）ペアリングし、お互い離れた場所にいながら相手を刺激し合うという体験ができる。

マチュリスはセックストイやセックステクノロジーなど、ありとあらゆるセックスアイテムについてのウェブサイト「メタフェティッシュ」の運営者でもある。「メタフェティッシュ」はセックストイをつくったり、ハックする人にとっては、便利なメディアでもある。フォーラムには

「〈フレッシュライト〉がうまく動作しないんだけど？」といった興味深い質問が溢れている。

マチュリスはまた、１９９０年代サンフランシスコのエロティックマガジン「フューチャーセックス」など、初期のメディアを電子化したものや、２０００年前後にはじめた自主制作作品にいたるまで、テレディルドニクス関連の資料を大量にアーカイブしている。これらの活動をはじめたきっかけは、ファーストパーソン・シューティングゲーム〔操作するキャラクターの視点でゲームの世界や空間を移動して戦うゲームの総称〕の〈クエイク〉と、セックストイをつなげてみたことだった。冗談まじりで、キャラクターが銃を撃つとバイブレーターの動作スピードが上がるよう配線してみて盛り上がったらしい。

それに続いたのがＸＢＯＸ〔マイクロソフトが２００１年に発売した家庭用ゲームのハードウェアまたはプラットフォームのブランド〕のコントローラーとバイブレーターを組み合わせてつくった、２００５年のオープンソース・セックスプラットフォーム〈セックスボックス〉である。これを機にマチュリスは、セックステックの〝民主化〟に関心を抱きはじめる。彼が目指したのはＤＩＹや機材のオープンソース化を通じて、ユーザーにコントロールを委ねること。彼ののちのプロジェクト〈バットプラグ〉では、「ユーザーが自分の好きなセックストイを自分の選んだアプリで無料で利用できるよう、仕様とアプリをひとまとめ」にし、その実現を前進させている（〈バットプラグ〉しか操作できないわけではない。ほかのさまざまなセックストイもサポートされていて、マチュリスがその名を選んだ所以は、〈バットプラグ〉が誰もが使えるセックストイだから、である）。

テレディルドニクスをユーザーに分け隔てなく、平等にオープンソース化するマチュリスのプロジェクトは、彼個人の収益を目標とはしない、志の高い取り組みだ。

スマート・セックストイの多くは、オンライン・セックスワークの現場でも利用されている。

収益を得る目的でセックスの様子を生配信している人びと（ウェブカムモデルと呼ばれる）がこれに当たる。こうした新しいセックスワーカーたちは、自分の手もとのデバイスと課金利用者のデバイスを接続し、性体験をリモートで提供している。オンライン・セックスワークでよくみられるのは、女性の手もとのバイブレーターと男性器を挿入する自慰器具をリモートでペアリングするというかたちだ。ウェブカムモデルの動作は視聴者側のセックストイにシンクロされ、視聴者はそれに近い動きや振動を感じ、互いにつながり合った感覚が得られるというわけだ。ただ、ウェブカムモデルがデバイスを操作する際には専用ソフトを使うのだが、高額なライセンス料が発生するのだ。デバイスメーカーの課すそうした制約を排除し、セックスワーカーがビジネスの主導権を得られるようにするという、いわば〝R指定社会主義〟がマチュリスの目指すところなのである。

セックステックの世界は今、盛り上がりの最中にあるが、それなりのしがらみも抱えている。大雑把に〝成人向け〟とみなされる投資を一切禁じるベンチャーキャピタルが多いため、投資を呼び込もうにも簡単にはいかないのが現状だ。だからこそハッカーのコミュニティやメイカームーブメント〔3Dプリンターなどを使って個人や中小事業者が革新的な製品を作ることを目指す運動〕を立ち上げ、マチュリスのような先人たちの取り組みを継承する活動は、イノベーションを起こす製品を開発する上で重要である。

身体の部位を模したセックストイはかように、その何千年もの歴史を経て、これまでにないほどの活況を呈している。ではもっと大型のセックストイはどうだろうか。もっと大きくて、もっと〝人間らしい〟ものは？

野郎どもと女たち

ここでようやくセックスドールが登場する。セックスドールを使うということは、目的はほとんど同じにしても、小型のセックストイを扱うよりも大掛かりになるのは容易に想像できるだろう。バイブレーターのようなセックストイは小さくて目につきにくいので、セックスのことを考えたくない時はどこかに仕舞っておけばいい。ベッド脇の引き出しに隠せば、視界からも意識からも追いやれる。しかしセックスドールはそうはいかない。場所をとるし、存在感は半端ない。

いわゆる〝セックスドール〟が広く商業的に販売されるようになったのは20世紀後半以降になってからだが、歴史自体は遥かに長い。たとえば17世紀には〈旅の女〉と呼ばれる、布や革でつくった女性のかたちの人形を、セックスに飢えた船乗りたちが使いまわしていたことが文献からわかっている。日本には〝ダッチワイフ〟(オランダの妻)と呼ばれるクッション地の柔らかな布製のセックスドールがあるが、彼らが貿易で出会ったオランダ船に積まれたドールが参照されたのだろう。

空気式のドールがはじめて登場したのは1970年代である。今となっては珍奇なジョークグッズとして販売されることが多いが、英国では卑猥とされて、1980年代後半まで販売禁止品目だった。コメディ番組やパーティでお馴染みとなった今、セックスを補うという元来の目的はいくぶん霞んでしまった。O字型の唇や女性器がわりの粗雑な穴などは女性風刺そのものだ。男性型の空気式ドールもあるにはあるが、遅ればせながら市場に乗っかろうとしただけのもののように感じられる。

すでに見てきたように、ドールには崇拝の対象であった歴史もある。前述のピグマリオンや人形偏愛症（アガルマトフィリア）のようなケースではフェティシズムの対象でもあった。それが1990年代中頃になると、写実的なセックスドールが商業的に一般販売されるという状況が生まれたわけだ。ニッチな市場ではあるが、今日ではある程度広く購入できる。もっとも安いところでは、収納のしやすさとフルサイズ版を買う前のお試し用途にふさわしいと謳われている〈ミニドールズ〉が750ポンド以下で買うことができる。しかし、その子どものようなサイズがことさら不穏である。2200ポンド前後で販売されているミッドレンジの製品になると、素材こそ高級品のドールに見劣りするが、よほど間近で見ない限り違いはわからない。ハイエンドの商品は高品質な素材が使われていて、ハンドメイドだ。ここまでくると1体につき3500～7000ポンド支払わなければならない。

　すでにお気づきの方もいるかと思うが、今日販売されているセックスドールはほとんどすべて女性の姿をしている。男性バージョンもあるにはあるが、市場占有率からすると微々たるものだ。その理由については数多くの考察がなされてきた。なかでもよくいわれるのが「女性自身が求めていない」からというもの。この点についてはセックスドールを語る上で（またその延長で、セックスロボットを語る上で）さらなる考察を要するため、のちほど詳細に検討していこう。

　どのメーカーが、どこでどれだけのドールを製造しているというデータがないため、全貌を把握するのはむずかしい。ただ、熱可塑性エラストマー製の〈ヒットドール〉やシリコン製の〈Zワンドール〉のメーカー、広東順徳先納信環保科技の情報によれば、中国に工場が存在することは明らかである。同じく多国籍展開しているドールスイート社も、本社は中国にある。〈キャンディガール〉のメーカーであるオリエント工業や、〈AIドール〉や〈ノーティードールズ〉のメーカーである4woods社といった日本企業も存在し、ロシアにはアナトミカルドールという小規模メーカーがある。欧州ではドイツ系のメカドール社、フランス系ではドリームドール社が主要メーカーとして事業展開している。

アメリカではプライベート・アイランド・ビューティーズ社やシリコンワイブズ社といった企業群が、〝最先端の人工恋人（アーティフィシャルラバー）〟、〝世界随一のラブドール！〟でお馴染みの〈リアルドール〉のメーカーにして、おそらく知名度は最高であろうアビスクリエーションズ社を中心にして競争しており、注目されている。アビスクリエーションズ社が〈リアルドール〉の製造を開始したのは１９９６年。塩ビの骨格にスチール製の関節、シリコンの肉付けによってポーズをとることができ、女性器をカスタマイズしたり、顔の取り換え、体型の選択などがメニューとして用意されている。さまざまなオプションを選ぶことで、自分好みの仕様に合わせて機能を選択できるようになっているが、すべてパーソナライズすると総額は３５００ポンドを超える。〈リアルドール〉は２００７年公開の映画「ラースと、その彼女」で主役級の扱いを受けるなど露出の機会が多かったことが奏功し、セックスドールの代名詞といえる存在となった。競合企業として、ロサンゼルスを拠点とするシンセティクス社が挙げられるが、夫婦２人で経営している同社では、自社製品を「人体模型（マネキン）」と呼んでいる。アビスクリエーションズと同じように、美しく手づくりの製品に特化している。

数年前、アビスクリエーションズはインタラクティブ性を求める要望が多かったことをきっかけに、独立子会社を通じてセックスロボットの開発に着手していることを発表している。「数ヶ月以内に」史上初の市販セックスロボットの販売を開始するという（ただし「数ヶ月以内に」の発言は、すでに何度も繰り返されているのだが）。

ただ、ロボットとはそもそも何者なのだろうか？　どんな意味合いで使われている言葉なのか？　それこそが次の章をたっぷりと使って、みなさんとひもといていくテーマである。

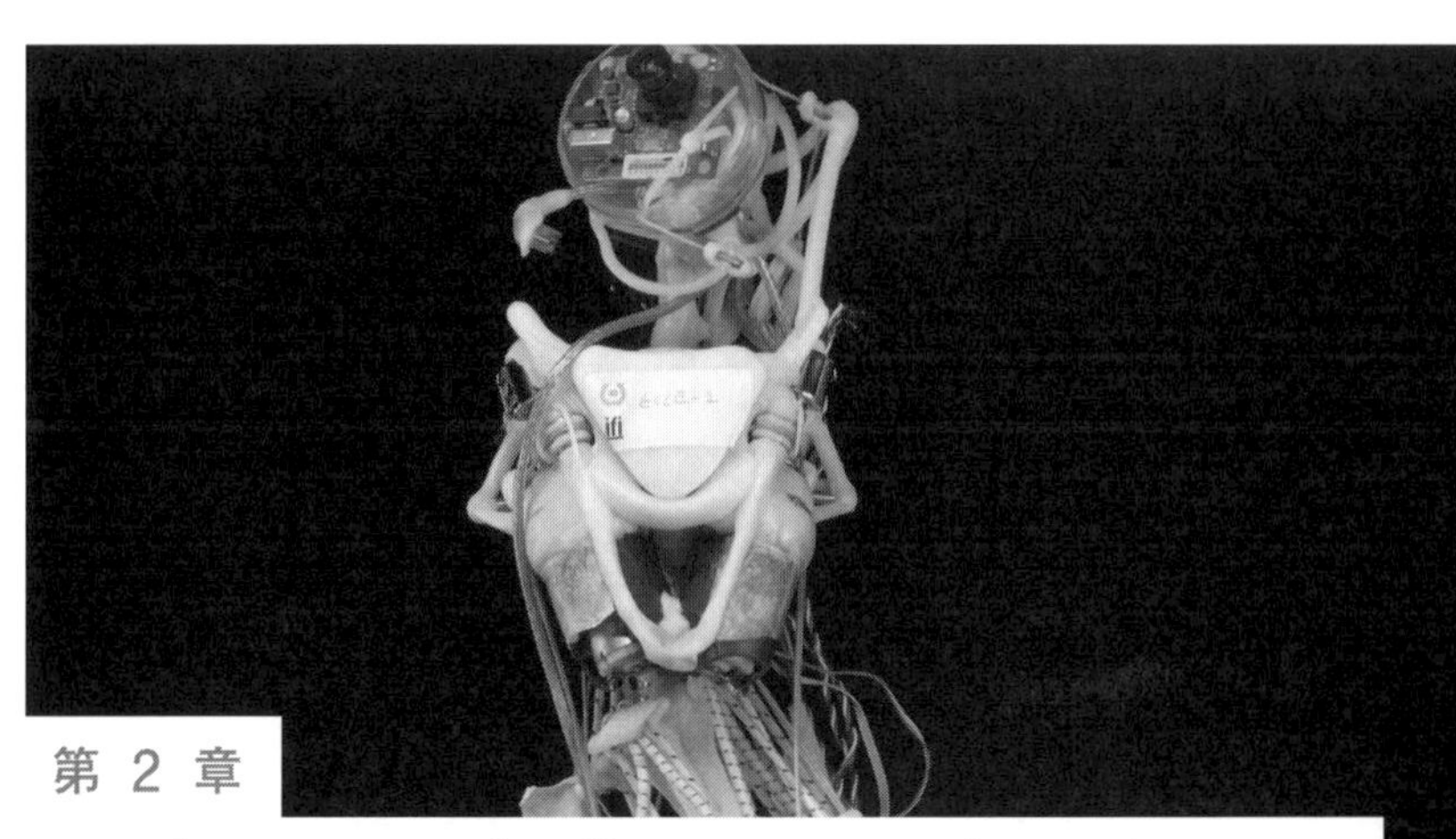

第2章
ロボットは奴隷かコンパニオンか

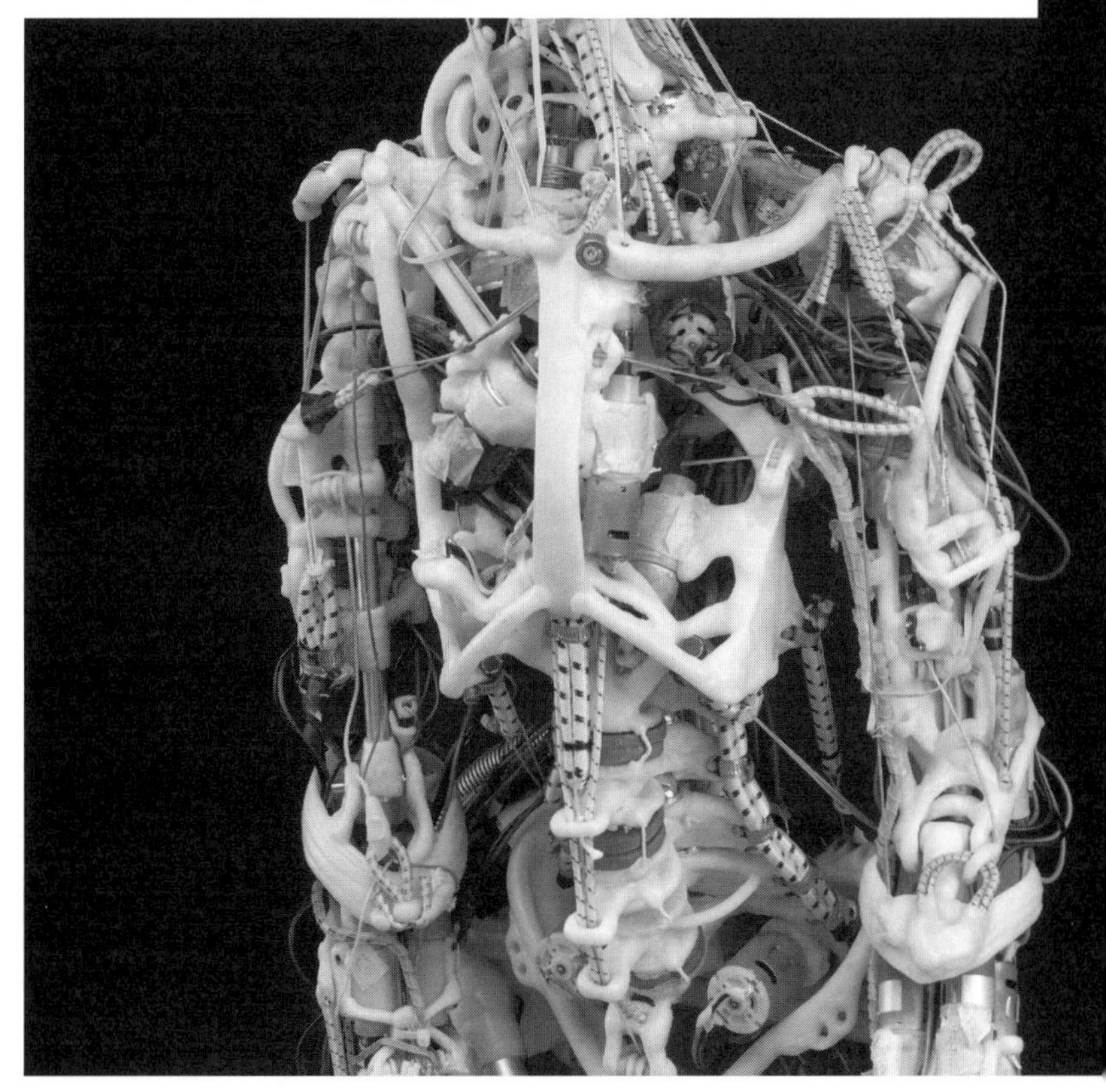

テクノロジーとは、広義でいえば世の中に存在する問題を解決するために活用されるツールのことを指す。もちろんデジタルだけとは限らない。その歴史は330万年前にまで遡り、もっとも古い例はおそらく、動物を殺して捕えることを目的に使われたであろう石器とされている。こうした石器のうち、ケニアで発掘されたものは、生物分類上では私たち現生人類であるホモ・サピエンス・サピエンスを含む種が属する区分よりも1つ上のレイヤーの「ヒト属」の登場より50万年先立つ時代につくられたものだ。道具としては原始的である。ただの割れた石の破片にしか見えないような代物なので、土から掘り出したとしても、専門家でもない限りその存在に気づくことはないだろう。ただ、それは技術躍進という観点からみれば大きな一歩だった。そこら辺に転がっている石を拾ってきて、何かに投げつけて攻撃を加えていたような話とはわけが違うのだ。端が鋭利に砥がれていたりして、石の形状が意図的に整えられているのだ。私たちの先祖であるアウストラロピテクス・アファレンシスは、こうした初歩的なテクノロジーを活用することによって、より生存しやすい状態を保ったのである。

子どもにロボットの絵を描かせたことがある人なら、大きめの箱の上に小さめの箱を描き、そこからほぼ直角に硬直した腕と脚を伸ばし、角ばった足の甲とグーで握られた手が加えられるという絵を見たことがあるだろう（試しに7歳になるわが娘にロボットを描かせてみたら、「じゃあプロトコル・ドロイドでいい？　それとも何か具体的なリクエストはあるの？」と言われたが）。１９６０年代のテレビ番組にみられたこうしたイメージはその後私たちの文化に広く浸透し、何十年も後になって生まれた子どもたちの記憶にまで染み付いている。スマホやコンピュータの絵文字のロボットがこの形状をそのまま採用していて、文字通り〝アイコン〟と化したわけだが、ここまで即座にロボットとして認識されるようになってしまったがゆえに、いま私たちは身の回りに実在するさまざまな形状のロボットをロボットと認識できないという逆転現象が起きている。

実際のところ、誰かに〝ロボット〟とは何なのか尋ねてもやや曖昧な答えしか返ってこないのではないか。捉えどころが難しい言葉なのだ。どこまでが普通の機械であって、何がどうなれば1台の単なる機械が「ロボット」と呼ぶにふさわしいものになるのだろうか。国際標準化機構が発行した「ISO 8373：2012：ロボット及びロボティックデバイス」（なかなかキャッチーなタイトルですよね）においては、「2つ以上の軸についてプログラムによって動作し（ロボットの動作方向を定めるため）、ある程度の自律性をもち（人間を介さずとも現在の状況やセンサーの情報に基づいて意図された作業を実行できること）、環境内で動作して所期の作業を実行する運動機構」と、極めて具体的に定義されている。

言い換えるならば、ロボットとはアクチュエーター（可動部ならびに可動のための動力部分）、制御システム（どんな動作をすべきか伝える機構）、センサー（外部環境の認識）によって構成され、自律的に工程をこなす能力が備わったものということになる。プログラム可能な機械であり、ある程度複雑な動作が連続しても一連の動きを自動的に処理できるよう設計されている。特に、ロボット業界で言うところの「4K」と呼ばれる業務（けだるい、きたない、危険、くだらない）で重用される。家庭や庭（たとえばロボット芝刈り機など）、病院（ロボットを利用した外科手術）、防衛（不発弾処理や自動兵器システム）、酪農（たとえばロボット搾乳機）などで利用されているのを目にすることができる。

近年では、ロボットの利用局面が工場の製造ラインに留まらないことから、「環境適応（シチュエート）されている」という表現が使われる。目まぐるしく変わる環境に溶け込み、変化に対応し、感知された情報に基づいて動作できるというニュアンスをもつ言葉だ。また、物理的に環境に属しているということは、その都度情報と接するための実体（ボディ）が必要となる。実体といってもカメラを搭載しただけのただの箱という場合もあれば、センサーを内蔵したアームだったりもするのだが、いずれもロボットの頭脳であるコンピュータと周辺環境とをつなぐ役割を担っている。私たち人間もまた、ボディがあってはじめて視覚・触覚・嗅覚・味覚・聴覚といったセンサーを通じて周辺の状況を把握している。ロボットも同様で、コンピュータビジョンを使って床を掃除する掃除機ロボットや、地形や地質を調査する火星探査機〈キュリオシティ〉の場合も、必要とされる物理動作に基づき、ボディの形状が定められている。

ロボットの誕生

私たちはこれまでもずっと、生き延びる助けになったり、生活に役立つような新技術という夢を追い続けてきた。動物を殴って捕えるための石器から配送ドローンまで、作業量を減らすチャンスがあろうものなら率先して取り組んできた。すべての作業を肩代わりさせようと思えば、手っ取り早く思いつくアイディアは自分たちの身代わりを創造することではないだろうか。人造人間という概念がポピュラーであるのは自然の帰結だ。実際、ロボットの前身といってもいい〝オートマトン〟（複数形はオートマタ）には長い歴史がある。オートマタとは自らの原動力で駆動し、それ単体で動いているように見える機械のことであり、その語源はギリシア語の「自らの意思で動くもの」という語に基づく。実際には機械仕掛けで、自らの意思で動いているように見える動作も、事前に決められた動きを単に自動化しているだけである。

ホメロスの叙事詩では、動力を生み出す能力を持っているとされるギリシア神話の炎の神へーパイストスの逸話が語られている。へーパイストスはかなり多作な鍛冶の神である。エロスには弓と矢を、ヘルメスには羽根兜とサンダルを、アフロディーテにはガードルを作ったとされるが、ほかにも車輪によって自走可能な真鍮製の三脚器を20台製造している。神殿から神殿へと往来する際の移動手段として奉公するオートマタということになる。彼はほかにも真鍮の番犬、火を吐く馬、プロメテウスを懲らしめるために送り込まれた鷲なども製造している。また、人のかたちを模したものも制作しており、島を巡回しながら海賊たちに岩を投げつけて撃退する、ターミネーターのような見てくれの、クレタ島を守る巨人であるタロースがそれである。別の物語では、タロースは「青銅時代の人間の、最後の生き残り」だと説明される。

そんな話はフィクションの中の話だけと思うなかれ。現実の世界においても1972年、イタリアはカラブリア州リアーチェ村の沿岸で、裸の男性を模した等身大のギリシアの銅像が2体発

アンティキティラ島の機械
(Photo © Tilemahos Efthimiadis)

見されている。紀元前４６０～前４５０年頃のものとみられる銅像は、その後レッジョ・カラブリア国立考古学博物館に収蔵された。歯には銀、唇と乳首には銅が使用されている。2メートル（6フィートと6インチ）ほどの背丈で直立する古典期の銅像は、鍛冶神の叙事詩やラーオダメイアの生き写しの夫など神話の世界を彷彿とさせる。リアーチェのブロンズ像はオートマタではないが、古代ギリシアにおける写実造形の技術の高さを見事なまでに示している。

　ギリシア文明もヘレニズム時代に入ると、本当の意味でのオートマタが実例として出現するようになる。もっとも著名な例として、極めて複雑な歯車仕掛けによって、天体の位置を予測できるアナログ・コンピュータである〝アンティキティラ島の機械〟が挙げられる。青銅を用い、紀元前２５０～前60年の間に製造されたものだが、発見されたのは１９０1年、ギリシア、アンティキティラ島の沖合で見つかった難破船の船内であった。機械装置としての品質の高さと精巧さをとってみても、当時の科学技術がいかに高かったかを指し示すものだ。魅力的かつここまで複雑な技術となると、ヨーロッパにおいてはその後１５００年以上の時を待って機械式天文時計が開発されるまで、その類をみることはなかった。今から２０００

年も前にコンピュータをつくろうという発想力には驚くほかないが、これだけのものをつくれるとしたら、いったいギリシア文明ではほかに、どんなものがつくられていたのだろうかと想像を馳せ、畏敬の念が募る。

その後の古代ローマやエジプト文明になると、身振り手振りで格言の類を伝える、動く彫像が出現したとされている。紐やレバーで操る仕組みだったので、一種の操り人形なのだが、こうした例はジョン・コーエンの1966年の著書『神話や科学の中の人型ロボット』にたくさん掲載されていて、格言や命令を伝える預言者の頭像が紹介されるなど、何千年来の逸話の数々を盛り込んだ映画「オズの魔法使」を彷彿とさせる世界観で説明されている。言葉をしゃべる頭像は何度も紹介されていて、特に青銅の頭（予言を伝える機械仕掛けの頭）に関しては、その物語の数も膨大だ。

ブリンマー大学のE・R・トゥルイットは中世ロボット学を専門とし、実証と論証の両面から研究を行なっている歴史学者である。彼女は著書『中世のロボット』において、ヨーロッパ全土を対象とし、いかに空想上のオートマタが中世において各種の文献で取り上げられてきたかを紹介している。ロボットは実際に登場する以前から、娯楽の対象として存在していたのだ。

また聖書においても、紀元前550年前後に書かれた「列王記」の中で、ソロモン王が所有していた王座が次のように表現されている。「王は更に象牙の大きな王座を作り、これを精錬した金で覆った。王座には六つの段があり、王座の背もたれの上部は丸かった。また、座席の両側には肘掛けがあり、その脇に二頭の獅子が立っていた」（上10章18 - 19節、新共同訳）。さらに1500年の時が経つと、コンスタンティノープルのビザンチン帝国裁判所において、こうした驚くべき特徴をより子細に伝えた報告がなされている。それによるとソロモンの王座は金箔で覆われた象牙細工の傑作であることに加え、ルビーやサファイア、エメラルドの飾りが添えられており、階段には王を階上へと導き、重厚な王冠を預ける機械式の動物たちが控えていたという。こうした説明はビザンチン帝国の文献や10世紀の外交官、クレモナのリュートプランドの記録からも確認されている。ソロモンの王座は果たして実在したのか、あるいは神話でしかなかったのだろうか？　考古学的な証拠は見つかっておらず、歴代のビザンチン帝国の皇帝たちが機械式王座をつくらせようと、ソロモン王の王座の伝説を引き合いに出していた可能性もあって、それがどこまで絢爛なできばえであったかは議論の余地が残される。

オートマタの物語は世界中に例が見られる。古代のバグダッドには、風力を動力として動く人形や人工の木に止まって歌う機械仕掛けの鳥が文献に現れており、明朝の中国では虎のオートマタがあったとされる。さらに1495年、レオナルド・ダ・ヴィンチは手足の動くロボット騎士を設計しており、スケッチが残されている。それを20世紀になって設計通りに復元したところ、実際に機能することが確認されている。

トゥルイットは著書の中で、中世のオートマタをさまざま紹介しつつ、その背後にある思想に考察を加える。15世紀の彩色写本『薔薇物語』には鍛冶屋で働く1人の女性を描いた箇所があるのだが、彼女の足元には人間の手や足が散らばっており、体の部位を床から拾って人間を製造する姿が描かれている。彼女は職人としての〝自然（ナチュラ）〟であり、自然のメタファーとして擬人化された女性である。当時、自然をつくったのは神であり、人間にできることといえばそのまねごとが限界であり、人は機械的な偽物をつくるくらいしかできないのだと信じられていた。オートマタといえども模倣の域は出ない。それ自体は立派な達成だったかもしれないが、神が創造する奇跡と対比すれば、単なる模造品としてしか認識されていなかった。

中世後期からルネッサンス初期になると、天文学者は世界のすべてが機械仕掛けであるという認識のもと、この世は神がネジを巻く時計仕掛けの機械世界（マキナムンディ）なのだと説明するようになる。宇宙も、そしてそこに息づくあらゆる生物も、精密な可動部品の組み合わせで成り立っているのだと思い描くようになったのである。天体の動きから私たちの体内機能の仕組みまで、すべて調和して機能しているという思想はオートマタの製造にも踏襲されている。14世紀フランスでは、アルトワ地方を統治していた伯爵が、毛皮を着せた機械仕掛けの猿を庭園に配し、来客に本物を飼っていると勘違いさせ、自身の権威を大きく見せようとした。15世紀になるとオートマタの製造はさらなる普及を遂げ、所有している人びとの富や権力を象徴するようになる。

なかでも〝機械仕掛けの修道僧〟は素晴らしい例である。高さ38センチの木製の人形に衣服を着せたものだが、内部が機械仕掛けになっていて、ゼンマイを巻くと祈りを唱えたり、ロザリオにくちづけをする仕草を見せながら歩くことができた。ロンドン科学博物館で古今東西のロボットが展示された際には、こうした500年ほど前のオートマタを見ることができ、それがまた当時の有りさまが蘇ったようであり、当時の宗教文化を見事なまでに見せてくれた。それらロボットをレントゲン撮影した写真を見ると、金属の鎖や歯車が骨格や筋肉さながらに配置されていて、その動きの絶妙な連動性は天来の妙技と思わせる。ほぼ同時期の日本では、内部に隠された機械仕掛けによって、客にお茶を出したり、筆を使って絵を描くことを実現した人形〈座敷からく

機械仕掛けの修道僧
(Property of the National Museum of American History)

り〉がつくられている。
16世紀も後期になると〈ゴーレム〉の伝説が耳目を集めるようになる。〈ゴーレム〉はユダヤ民話に登場するもので、魔法の力によって動くことができるようになった粘土の人形である。その生命は文字によって宿るとされており（より具体的にはヘブライ語で神を指す言葉によって）、労働に従事すると伝えられた。「創造者」はある意味でハードウェアをプログラミングによって動かすプログラマーのようなものである。ゴーレムは所有者に対して従順であり、言われた仕事を淡々とこなし、それは今日のロボットに通じるものがある。こうした物語は現代のSF作品のロボットがそうであるように、必ずしも幸せな結末では終わらず、多くの伝承はゴーレムの暴走が物語の中心を成す。

18世紀までにはオートマタはより洗練され、磨きが掛けられる。その中でももっとも著名な立役者の1人が熟練の玩具製作者ジャック・ド・ヴォーカンソンだ。彼は1738年に笛吹きのオートマトンの製作を実現させている。人間と等身大の木製の人形に、吹子(ふいご)を使った仕掛けを組み込んで、あたかも息をしているように見せ、フルートを演奏させることに成功。これは傑作であった。そもそもフルートは舌先や呼吸、そして指先の動きを慎重にコントロールしなければならない、難易度の高い楽器である。ヴォーカンソンはその繊細な職人技をもって、まったく異なる12の楽曲を演奏できるオートマトンを製作したのだ。その洗練たるや画期的であった。

ヴォーカンソンの次なる野望は食べる・飲む・消化・排泄といった内臓の機能を持つオートマトンをつくることであった。これを1739年には実現し、著名な傑作〈消化するアヒル〉を製作。可動部品400点以上で構成される等身大のアヒルだ。実際には食べていないし、消化も排便もしないのだが、そのように見える技術はずば抜けており、くちばしは確かに食べ物や水を突っついて飲み込んでいるかのように見え、色付きのパンくずを仕込んで排出までさせた。

ヴォーカンソンによってぐっとハードルがあがった。それから30年後、ハンガリーの発明家ヴォルフガング・フォン・ケンペレンがかの有名な〈トルコ人〉を製作している。チェス盤を載せたキャビネットと、その後ろに置かれた上半身と頭で構成されたチェスを指すことのできる機械である。対戦相手が1手指すと、首を縦や横に振り、駒をつかんで動かしたり、さらには顔をしかめたりすることもできた。それだけでなくチェスの腕前がやたらと強かった。ただ悲しいかな、これらはすべて偽装だった。キャビネットの中には歯車などが複雑に設置されていたが、オート

トルコ人
(Property of Humboldt-Universität zu Berlin)

マトンの出来ばえを調べる者を欺くために配備されたものだった。実際のところキャビネットの内側には人が隠れるための空間があり、チェスの達人が内側で機械を操作していたのだ。このオートマタに対しては疑いの目が強かったため、なんとか真相を暴こうという試みが繰り広げられたが、結局のところ１００年近くが経過した１８５７年になるまで秘密が完全に明るみに出ることはなかった。このように〈トルコ人〉は虚偽であったわけだが、それでも自動化技術や機械が担うことが作業に留まらず、思考にも及ぶかもしれないという根源的な疑問を人類が抱きはじめた例だったといえる。

18世紀後期になって産業革命が興ると、作業の自動化という考え方に大きな影響が及ぶようになる。産業化への道のりで先行していた英国においては、機械化の波や蒸気機関、工作機械の導入などが進んだ。その結果は劇的で、日々の生活においてもそこここでイノベーションが起きた。ただ、その影響は必ずしもいいことばかりではなかった。生活水準全般は改善したが、児童労働や健康被害など、特定の分野においてはより厳しい状況が生まれた。しかし機械化が進むことにより、自動化の素地は整っていった。19世紀も後半になると、製造業の大規模化が進み、商業展開の可能性が見込まれ始め、オートマタへの関心がさらに高まることになる。

ただし、いわゆる「ロボット」の登場は20世紀まで待たねばならなかった。

ロボットと強制労働

「ロボット」という言葉は、東欧で「隷属」を意味する言葉がもとになっている。チェコ語で「強制労働者」を意味する「robotnik」という言葉と、強制された単純労働を意味する「robota」が語源である。チェコスロバキアの劇作家カレル・チャペックの1920年の戯曲『RUR』(Rossum's Universal Robots)の中で、人工的につくられた人間のような人びとを指す言葉として「ロボット」という単語が使われた。作家にして芸術家であった兄のヨゼフ・チャペックが短編作品で創造した言葉を、弟カレルが戯曲に引いたのだ。カレルが思い描いたロボットは合成有機体で出来ていたため、機械というよりは映画「ブレードランナー」の〈レプリカント〉に近い。要するに人間のクローンだが、とにかくこの名称がハマったのである。チャペックの戯曲では、ロボットは自分の考えを持つことはできないはずであったが、他のディストピア小説と同様、自我が芽生える個体が出現するようになり、創造主である人間に対して反旗を翻すようになる。どこかで聞いたことがあるはずだ。SFの原型のような戯曲なのだ。
世界的に見ると製造業——中でも自動車業界——において専用ロボットがよく利用されている。市場としては中国が群を抜いている。国際ロボット連盟の2017年の報告書には、現在世界の工場で利用されている産業ロボットの台数として、180万台という数字が示されている。軍事ロボットや医療ロボット、海底ロボット、農業ロボットなどに代表される業務用サービスロボットは、現在28万5000台が稼働中だと考えられている。家庭用や個人用のマス市場向けのロボットは価格が低めに設定されているが、当然機能も限定的である。ロボット掃除機やプールの掃除ロボット、あるいは教育現場や娯楽目的で活用されているロボットなどがこれに当たる。約670万台あるとされているが、この数字は右肩上がりである。

家庭内で使われる〝召使いロボット〟は、ロケットベルトや月面基地もしくは万能栄養となら んで、必ず実現する未来だと断言されてきたが、今のところ定着しているのはせいぜいカーペットの縁でもたつく小さな円盤型掃除ロボットが関の山である。それなのに急にセックスロボットの導入を検討すべきだ、いや懸念すべきだと言われたとしても、どうしたものかと思うだろう。しかし事態はそう簡単ではない。

最初に原寸大の擬人化ロボットを用いてデジタル制御の2足歩行を実現したのは、1973年に早稲田大学が発表した〈WABOT－1〉である。四角い金属板とリベットが多用されていて、メカノ社の組み立て玩具で作られているみたいだ。角ばった箱型ではあるものの、腕も脚も備わっていて、人工の目、耳、口も付いていることから、いくらかは人間らしさを醸し出している。次なる段階へ推し進めたのは1996年に登場したホンダの2足歩行ヒューマノイド〈P2〉だった。動き方が本物らしくなったのみならず、各部が肉付けされ、完成度が高まっている。これが2000年に開発されてセンセーションを巻き起こした〈ASIMO〉へと継承される。〈ASIMO〉は Advanced Step in Innovative MObility（新しい時代へ進化した革新的移動性）の略で、そのままあるSF作家へのオマージュになっている。ASIMOは障害物や人のジェスチャー、顔、音などを認識しながら、人とやりとりをすることができた。床面を感知するレーザーセンサーのおかげで、歩きやすい平坦な道のりであれば歩行も可能。階段にも対応している。〈ASIMO〉以降、いくつものヒューマノイドロボットが商業目的や研究目的で開発されてきた。大阪大学の石黒浩による〈ジェミノイド〉シリーズのように、極端にリアリティを重視した例もあれば、フランスのアルデバラン社の〈NAO〉のように小型化やオープンソース化、そして低廉な価格設定によって研究や教育分野で裾野を広げようとしたものもある。3歳児の体格と同じくらいの大きさのヒューマノイドロボット〈iCub〉は周辺環境と相互作用（インタラクション）することができ、小さな子どもが世界について学ぶのと同じ要領で学習するよう設定されている。

しかし、そもそもなぜロボットを人型にする必要があるのだろうか？　産業界で実際に稼働しているロボットの多くは人の形をしていないし、平衡を保ったり、歩いたり、ものを拾ったり、力加減を調整しながら触れたりなど、私たちが何気なくこなしている動作をロボットにやらせるのは技術的難易度もコストも跳ね上がるのだ。私たちは人の形をしていないロボットと普通にやりとりができるのに、なにゆえ膨大な時間と資金を費やして、そんな困難に取り組むのだろうか？

1つの理由として、世界がそのように設定されているからという説明が成り立つだろう。ドアや通路は人間の体の大きさに合わせてつくられ、階段は人の足の大きさ、棚は人の手が届く範囲に設置されている。私たちはこの世界を、人間に最適化してつくってきたのだ。私たちの環境にすんなり当てはまるロボットの方が都合がいいのである。アイザック・アシモフの不朽のSF作品『鋼鉄都市』の登場人物は「なぜ人間の形を？」という疑問を投げかけるのだが、それが自然界でもっとも優れた形状であり、今ある私たちの道具すべてを再設計するよりも、私たちの世界に合わせてロボットを設計する方が簡単だからと回答されるのである。

アイザック・アシモフの1942年のSF短編小説「堂々めぐり」（『われはロボット』所収、邦訳は早川書房刊）には作中のロボットが従わなければならない3原則が登場する。①ロボットは人間に危害を加えてはならない。また、その危険を看過することによって人間に危害を及ぼしてはならない。②ロボットは人間にあたえられた命令に服従しなければならない。ただし、あたえられた命令が、第1条に反する場合は、この限りでない。③ロボットは前掲第1条および第2条に反するおそれのない限り、自己を守らなければならない――。アシモフはその後「ロボットは、人類に危害を及ぼしてはならない。あるいは何かを看過することによって人類に危害を及ぼしてはならない」と定める第0条も追加した。

雑誌「コンピュート！」の1981年のインタビューで、アシモフはこの3原則を取り上げ、「合理的な人間がロボットと、あるいはそれ以外の何物かと向き合うための唯一の方法」だと述べている。悲しいことに、これらの原則は誤った解釈をされることになるのだが、彼自身も短編作品の中で3原則の欠陥を何度も取り上げ、題材にしていることから、誤解されうるものだということは想定していたのだろう。ただ、この3原則をめぐる議論は倫理面を検討するにあたっては大変有用だが、これを間違いなく機械に実行させる手立てがないのが実情である。いまのところロボットに対してわれわれが確実に期待できることは、出された指示に従わせることくらいである。倫理規則をどこまで丁寧に設けたところで、実際の世界で起こりうるすべての事象を網羅することなど到底できるわけがない。定義しようのない曖昧なものごとで世界は溢れており、それらをプログラミングしようにも、どこから手をつければいいのかさえわからない。それに私たちは、人間の倫理規範についてさえ共通認識を持っているわけではない。国連の「人権に関する世界宣言」がそれにもっとも近いのだろうが、それにしても望ましいことが列挙されているだけで、残念ながら実現のための手順が定義されているわけではない。

これまでもアシモフの思想に立脚しながら、ロボットの倫理規定を定めることができないか、数多くの人びとが挑戦してきた。ただ、ひとたび検討が始まると、ロボットを倫理的に行動させる前にロボットを開発する側に倫理が必要だということに気づかされるのである。必要なのは人間のルールであり、ロボットではない、と。

2010年9月、専門家のグループが基本原則を制定しようと英国に集結した。彼らが検討したルールはロボットそのものに対するものではなく、ロボット業界に対する規制であった。たとえば兵器用途のロボットは、国家の安全保障に資さない限りは設計させないとする規定や、人間に課された現行法（個人情報保護法など）をロボットにも適用すること、あるいは安全基準に対する規制、またはロボットの法的責任を必ず誰かに（つまり人間に）負わせるなどの提言がなされた。他にも、ロボットは「欺くよう設計されるべきではなく……機械としての性質は明白であるべき」とも述べている点が興味深い。人のかたちをしたヒューマノイドロボットは人間の基本要素を一部取り入れているだけであり、機械であることは明らかだが、では男性のかたちをしたアンドロイドや女性のかたちをしたガイノイドはどうだろう？　本物の人間らしくつくろうとする試み自体が欺きになるのだろうか？

香港のハンソンロボティクス社は2016年3月テキサス州オースティンにて、ソーシャルガイノイド〈ソフィア〉を初公開した。以降〈ソフィア〉が報道されない日はほとんどないほどだった。ぱっと見だけではわかりにくいが、〈ソフィア〉はオードリー・ヘップバーンをイメージしてつくられたと言われている。さまざまな表情をつくることができ、音声認識機能とAIを用いて双方向に会話することもできる。また、〈ソフィア〉は人の顔を持つロボットで、後頭部の内部が透けて見えるため、内側の配線が丸見えなのだが、顔そのものは普通の人間に見えるよう意図されている。製作者のデイヴィッド・ハンソンいわく、〈ソフィア〉は人を介助する〝コンパニオンロボット〟に適しており、医療現場や顧客サービス、教育現場での活用が想定されている。

〈ソフィア〉はこれまで、トーク番組からニュース番組にいたるまで〈文字通り〉擦り切れるほどにゲスト出演して、さらにはなんと国連の議場で紹介されたこともある。なかでももっとも議論を呼んだのは2017年10月、サウジアラビアの市民権が〈ソフィア〉に授与されたことだろう。ロボットに国籍が付与されたのはこれが史上はじめてのことだった。そしてそれを与えたの が国内では女性たちがジェンダー・アパルトヘイトに直面し、非イスラム教徒は市民になることができないなど、人権問題ではいかがわしい実績がある国だったため、諸手を挙げて受け入れられるには至らなかった。他にもハンソンがアメリカのトーク番組で司会のジミー・ファロンに対してこのロボットは「基本的に生きている」と述べたことが、〈ソフィア〉にはあまたの限界があることを知る人たちの間で大炎上することになった。特に、人工知能の倫理学を研究している人びとは、〈ソフィア〉の話になるや手厳しい態度になり、「明らかにたわごと」または「オズの魔法使い」といった言葉を用いて非難している。確かに〈ソフィア〉の顔と上半身は、人間らしいかもしれないが、基本的にはセリフをなぞるだけのチャットボット以外の何ものでもない。私としてもそうした意見には共感を覚える。

それに対して、「たいていの人は気にも留めない」というのがハンソンロボティクスのチーフ・サイエンティストであるベン・ゲルツェルの言葉だ。彼からみれば、人びとは〈ソフィア〉に状況把握能力がないとわかった上でも、あたかも人格のあるロボットとして接したがっているというのだ。仮にそうであったとしても、〈ソフィア〉は利発で、生きているようにみえるロボットだという印象を前面に押し出している。そういう誤解を解こうともしないハンソンロボティクスは無責任といえないだろうか？　これこそジョアンナ・ブライソンやヤン・ルカンなど、ロボット研究の第一人者らが指摘する〈ソフィア〉の問題点なのだ。ブライソンに至っては、〈ソフィア〉は人工知能やロボット技術に疎い人たちにつけ入るだけの説得力を携えた操り人形であり、

ソフィア
(Photo © International Telecommunication Union)

「大いなる欺き」だと懸念を表明している。彼女は2010年にアシモフのルール改定を行ったメンバーの一員でもあり、その立場からもハンソンロボティクスはロボットの透明性に関係する指針を反故にしていると感じている。

なんの気なしに接しているだけであれば、〈ソフィア〉には高度な知性が備わっていると思いこむ人もいるだろうが、生身の人間と見間違えるようなレベルでは断じてない。外観はよくできている方だが、それはあくまでガイノイドとしてのこと。十分に人間に見えるロボットの登場は、まだかなり先の話である。

1970年、ロボット工学を専門とする森政弘教授が「不気味の谷現象」という概念を提唱している。私たち人間は、人の特徴を有する機械に対して共感を覚えるが、本物との区別が難しいところまで似てくると、その限りではなくなるとする仮説である。〝ほぼ人間〟なロボットにまでなると、違和感のある不気味な存在と化し、人は嫌悪感を抱きはじめるのだという。

この言葉の起源は20世紀初頭の精神分析学の研究にまで遡る。1906年、エルンスト・イェンチュは論文『不気味なものの心理学へ』で不安の感情に触れ、「読者に不気味の効果を感じさせたいのであれば、人間かオートマトンかが不明確にされた人工装置を用いるのがもっとも確実な方法の1つだ」と述べている。その後フロイトが1919年の『不気味なもの』においてイェンチュの研究を発展させ、ドイツ語で「馴染みがなく未知な」を意味する形容詞「unheimlich」という語を使って議論を展開。後半になるとフロイト節を抑えきれなかったのか、エディプスコンプレックスや去勢コンプレックス、子供の不安などなどお馴染みの横道に逸れ始めるのだが、こうした感情を表す用語を非常に綿密に、さまざまな文化も引き合いに出しながら考察した。

〝不気味の谷現象〟という仮説は主観的な現象でもあるため、意見の対立がみられる。違和感を覚えるといっても、度合いは人によってまちまちであり、2015年のジャリ・カツュリとその同僚たちによる共同学術論文によれば、こうした心理効果を示すことのできた実験結果は、皆無とは言わないが曖昧な話であることが確認されている。加えて、文化的な影響を受けている可能性も十分にある。ただ、私が直接話をしている限りでは、ほとんどの人が一度や二度、何かしらの奇妙でゾッとするような感覚を体験している。命が宿っていないのに生きて見える仮面やマネキンが恐怖を誘うような、そうした効果を活用したホラー映画をおそらく誰でも観たことがあるだろう。

私たちがこうした〝不気味の谷〟の感情を抱く理由についてはいくつもの説が論じられている。なかでも〝人間のようでいて、生きていない〟ことが死をほのめかす、とする要因が大きいのかもしれない。森教授も、死体を目にする時に例えている。どちらにせよ気持ちのいい経験ではなく、恐怖心を煽ることもあるし、万が一動きだそうものなら本当に恐ろしい。ただ、ロボットの場合、こうした〝本物らしいのに、人間とは微妙に異なる〟といった特徴以外にも、もう1つ不安を誘う要素がつきまとう。〝微妙に人間と異なる所作〟が加わると、さらに別次元の不気味さが加わるのだ。〝不気味の谷〟とは私たちが目を背けたがっている死を思い起こさせる現象なのだろうか？　私たち人間は、死の兆候を拒絶するようできているのだろうか？

受け手側が感知している情報にズレが生じるのも、認知の面からは不快である。現存するヒューマノイドの場合、発している音声と口の動きを一致させることに成功している例はまだ少ないし、会話の内容に即した雰囲気を顔の表情によって伝えることもできていない。それぞれの動きに整合性のないものがまだ中心だ。いまだに〝不気味の谷〟に取り残されているようなもので、人型ロボットを本物の人間と見間違えることなど到底ありえないのが現状である。もしくはボルトン大学の上級講師であるアンジェラ・ティンウェルが〝不気味の壁〟理論で推測しているように、技術が進歩するとともに、私たちの側も人間とバーチャルの狭間に生じる些細な違いを、今後ますます敏感に感じとれるようになるのだとすれば、どれだけ技術が進歩しても見間違うことは未来永劫ないのかもしれない。そこには決して埋まることのない隔たりがあるのだろう。いつの日か技術が発展し、簡単に解決できる可能性もないではないが、現時点では至難の業である。ヒューマノイドがメディアを席巻することがあっても、世界を席巻するのはまだ遠い先の話である。

ケアとコンパニオンシップ

ラーオダメイアの悲劇的なセックスロボットという〝原典〟が書かれてから2000年後、フランスのロボット会社と日本の通信会社が手を組んで、新しいヒューマノイドの原型となるコンパニオンロボット〈ペッパー〉が開発された。アルデバラン社とソフトバンクが協業し、出会った人にエモーショナルな反応を示すことのできるロボットを作るというプロジェクトである。〈ペッパー〉は人間の声や表情、体の動き、言葉を解析し、自然で適切な反応をすることを目指して設計され、「本物の日常生活支援ロボット」であると両社は胸を張る。穿った見方をすれば、消費者の行動を大量に追跡し、データとして分析するために〈ペッパー〉を店舗に配置し、来店した人びとと交流させていると指摘することもできる。いずれにしても〈ペッパー〉は商業施設ならびに公衆の場において広く求められ、採用されている。

〈ペッパー〉は高さ120センチほど、光沢のあるプラスチックでできており、人のかたちをした胴体部分に加え、下半身は湾曲した支柱のようになっていて、底面の車輪によって室内をなめらかに動き回れるようになっている。ぱっちりとした大きな目で瞬きをしてみせるが、これは赤ん坊など、「かわいい」と表現される特徴にわれわれが反応してしまうように、心理学的にも私たちの気を引く効果があることで知られるデザイン要素だ。〈ペッパー〉は声も子どものようで、安心して信頼していいということがほのめかされている。しかし〈ペッパー〉の目と口にあたる部分にはカメラが内蔵されていて、私たちの感情を分析する上で必要なデータを取得している。誤解してはならないが、かわいげな外見の裏側にはあなたの気持ちを引き出すことだけを目的とした感情なき機械が潜んでいるのである。ただ、これが奏功している。みんな〈ペッパー〉を受け入れているのだ。日本のさまざまな店舗では人びとが進んで〈ペッパー〉と接触している。登場から時を経て、今では個人購入できるようになったことから、いつでもあなたのために家にいて、どんな時でもあなたの話に耳を傾け、いつでも返事をしてくれる。友達さながらのホームコンパニオンとして生活の一部に取り込むことまでできるようになった。

これまで〈ペッパー〉には何度か遭遇しているが、ミュージアムや展示会などで出くわすことが多い中、最近オスロで開催されたNDC（ノルウェー開発者会議）で目にする機会があった。その〈ペッパー〉は、会場でコンパニオンロボットを販売するためではなく、〈ペッパー〉とは無関係の、とあるソフトウェア製品の客引き目的で設置されていた。〈ペッパー〉から「踊りましょう」という申し出があったので、私は応じることにした。ゆったりとした優しい曲調の音楽が流れたかと思うと、〈ペッパー〉は優雅に伸ばした両腕を曲げたり回したりしてみせながら、手の動作に合わせてお辞儀したり頭を持ち上げたりしては、車輪で体の向きを回転させるのであった。なるほど確かに踊っているように見える。この愛らしく優雅なヒューマノイドこそが、現時点における感情型コンパニオンロボットの商業的な顔役なのである。

これから〈ペッパー〉を購入しようという人は、興味深い条文が利用規約に含まれていることに留意しよう。〈ペッパー〉を「性行為やわいせつな行為を目的とする行為、または面識のない異性との出会いや交際を目的とする行為」で使用してはならないとあるのだ。曖昧な文面で、〝抜き差し〟ならない行為を明言することは避けられている。しかしメーカーはどこぞの誰かが自社のロボットとセックスしたがるかもしれないという可能性を認識しているようである。

２０１７年、英国サウスエンドの介護施設で、居住者との交流や健康状態の観察といった目的で〈ペッパー〉が導入された。その反響はさまざまであった。批判的な立場に立つ人びとは、人間同士の触れ合いや交流に取ってかわるものなど存在しえないと批判した。彼らは先進諸国で介護の人材不足の問題があることは認めながらも、ロボットにできることはその場しのぎにすぎず、高齢者支援が抱える根本的な問題を覆い隠すだけだという。しかし実際に利用した高齢者からの反応は前向きなものだった。現に「デイリーメール」紙がレポートした介護施設の居住者からは、「健康が一番大事。家族が近くに住んでいないので、私と障碍を持つ夫を助けてくれるのであれば、それが何であってもありがたい」という声が聞かれた。

介護用ロボット自体は前から存在している。特に日本では、体の弱い人や障碍者が自宅で移動するサポートをするためのロボット開発が進められている。高齢化が進み、そのケアの緊急性が増しているのである。国内では団塊の世代が医療ケアを必要とする年代に達しており、人口分布図も上が重い形になっているため、2025年までに250万人のケアワーカーが必要になると試算されている。日本ではこのように労働力が不足しているにもかかわらず、移民の登用に関しては消極的だ。2015年、当時の首相である安倍晋三は国内の出生率を高めることの必要性について言及しているが、差し当たってそれまでの間はテクノロジーで不足分を埋めようという。

日本のロボット戦略は医療補助のスタッフと同等のヒューマノイドロボットを導入するというものではない。自律的で安全に作動するロボット車椅子などの例に見られるように、ロボット技術を採用して、よりよい介護器具を開発しようという発想だ。援助を必要とする人たちが自らの力で生活を維持できるようサポートすることが主眼だ。

変わり種のロボットはないのかというと、ある。その1つが〈ROBEAR〉という介護ロボットだ。人間よりやや小ぶりだが、140キロの重量で力仕事をこなす、プラスチックの外観のシロクマ型ロボットである。〈ROBEAR〉の目的は患者などを抱えて運ぶことにある。患者を1日平均40回ほど持ち上げるといった業務を毎日のように繰り返し、深刻な腰痛に悩まされている介護スタッフにとっては極めて大きな業務軽減効果を生むことが期待される。ただ、いまだプロトタイプから抜け出せていないのが実情である。製作を担う理化学研究所は、〈ROBEAR〉を「人と柔らかく接しながら力仕事を行なう」と説明しているが、生身の人間を抱き上げる上で必須の繊細な動きについては、現段階の能力では遠く及ばない。体を丸ごと預けるようなことはできず、体の弱い人が対象となればなおのことである。

純粋に介護現場に特化したロボットではなく、コンパニオンロボットで高齢化や老人の独居という問題に取り組むという可能性も考えられる。もちろん機械がどこまでインタラクティブになろうとも、人と人との触れ合いに置き換えることはできないし、そうすべきですらないという意見も当然のように出るだろう。論点の多いテーマではある。多くの人にとって人間同士が触れ合う環境があることが理想である。先だって英国政府は、孤独問題の担当大臣を選任している。問題の深刻さを調査した配下の委員会によれば、「900万人を超える人びとが、頻繁に孤独を感じ」「約20万人の高齢者が1ヶ月以上、知人とも血縁者とも一切の会話をしておらず」「85%にのぼる障碍を持つ若者世代（18〜34歳）が孤独を感じている」という現状が確認されている。

世界が発展するにともない、社会のあり方が変容していることは否定しようもない。今の私たちはグローバル社会に身を置いており、家族や社交のありかたは多様化し、人びとは就学や就労のために出身地と遠く離れた場所に居住するようになった。テクノロジーは雇用のあり方を変えただけでなく、遠い距離を隔てた状態にあっても愛する人と交流し続けられる手段をもたらしたが、それで十分なのだろうか？　そもそも交流する相手がいないとしたら、どうだろう？　コンパニオンロボットの出番ではないか。

最近ではコンパニオンロボットをまず医療目的で利用しようとする試みがなされている。これはソーシャルロボティクスの名で知られる科学分野から派生した領域だ。社交的（ソーシャル）なやりとりができるロボットを開発しようという試みは過去25年の間、研究者たちの間で進められてきた。〈ペッパー〉はそうした長きにわたる潮流の1つである。もっとも早いものは1990年代後半、マサチューセッツ工科大学メディアラボのロボット研究者シンシア・ブリジール博士が学生時代に製作したロボットヘッド〈キスメット〉だ。ブリジールは博士課程の研究の一環として〈キスメット〉を製作した。顔の枠組みは機械的であるが、人工のまつ毛や眉毛、赤い唇といった人間的な要素で構成されている。〈キスメット〉の学習方法は乳幼児が世界について学ぶのと同じで、社会的環境に身を置くことによって学習するよう設計されている。やりとりの量が増えれば増えるほど多くの情報を学習することになるため、社会的でエモーショナルな交流においても、反応が段階的に改良されていく。

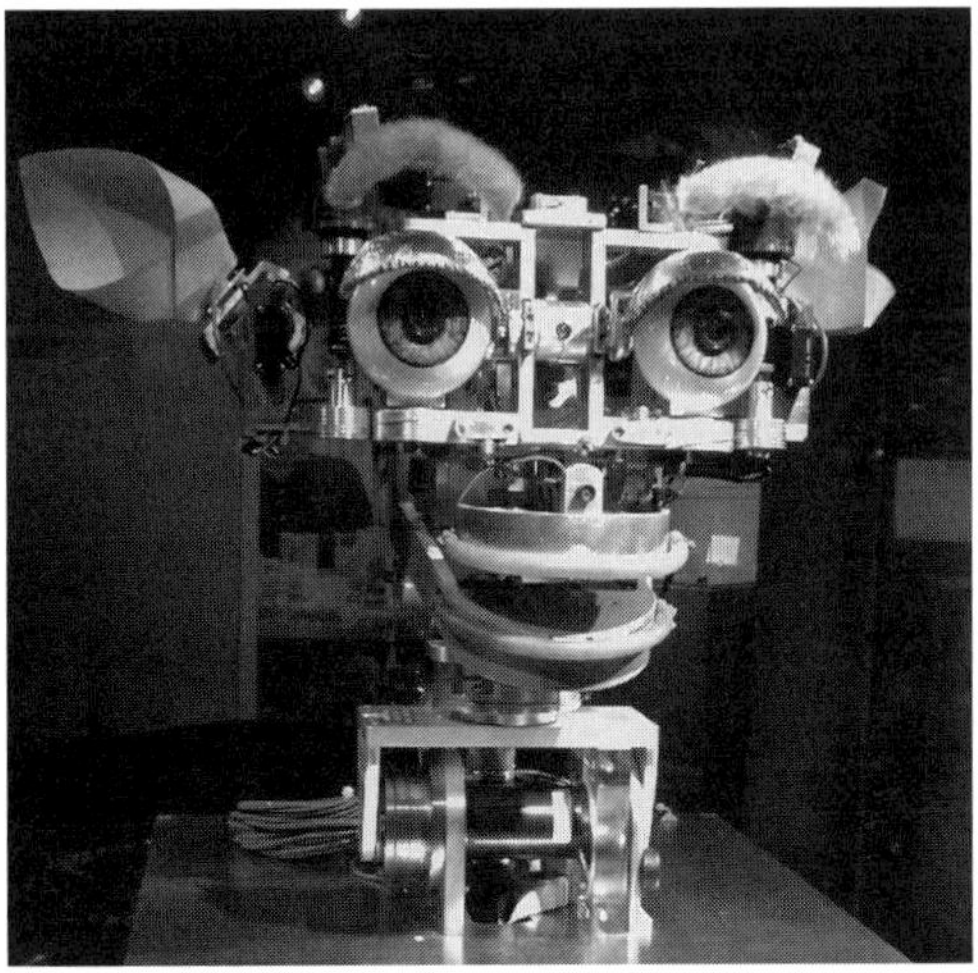

キスメット
(Property of MIT Museum)

　ブリジール博士は〈キスメット〉やその後継の研究を通じ、ロボットを開発するだけに留まらず、利用方法に関する研究にも取り組んでいる。彼女は人がロボットに接するようになると、人とペットとの間柄にみられるような、情動的な関係が形成されることを確認している。ペット型ロボットがコンパニオン機能を提供する1つの手段として確立されたのも頷ける。際立った例として挙げられるのが〈パロ〉だ。

　日本の産業技術総合研究所が老人ホームな

どで採用されるものとして開発した〈パロ〉を目の前にすれば、よほどの堅物でなければ無関心ではいられない。ふわふわの子どもタテゴトアザラシのかたちをした〈パロ〉は、茶色の大きな瞳で嬉しげに小さくキュンと鳴くのだ。その可愛さレベルは群を抜いている。見た目は大きなぬいぐるみそのもので、そこにセラピーロボットとしての機能が内蔵されている。ふわふわの毛皮の下にはプロセッサやマイク、センサーが備わっていて、手で撫でれば目を閉じて体をくねらせ、鳴き声で応えてくれる。人の名前や顔を記憶することもできる。米国食品医薬品局の医療認可まで受けている。

介護施設の入居者を対象に行われた調査によると、〈パロ〉と触れ合うことにより被験者の集団活動への参加傾向が向上し、心がなごむ効果や利用者の不安抑制効果が確認されたという。介護施設で飼われていた犬よりも〈パロ〉との交流の方が多く確認され、入居者同士の交流が増加したことを示す研究もあった。犬には悪いが、〈パロ〉には餌を与える必要も散歩してやる必要もなく、誰かが糞の後始末をしなければならないわけでもない。

こうした前向きな結果とは裏腹に、〈パロ〉の利用に対して批判的な意見もある。まやかしの行為ではないかとか、個人の尊厳に対して悪影響があるなどという声だ。とりわけ認知症患者による利用に懸念の声が叫ばれている。〈パロ〉を使うことは彼らを欺くことではないかとか、彼らを滑稽に見せることにならないかという意見だ。しかし実際的な効果が認められるなら、それだけで十分なのではないだろうか。こうした疑問は、今日においても倫理問題の議論に深く内包されているテーマである。

私たちは身の回りの物事を、自分たちの社会的尺度で測るようにできている。たとえ相手がモノであっても、何らかの反応を示されると理解能力が備わっているかのように錯覚し、そのことに違和感を覚えなくなってくる。人間同士の反応がそうだし、動物に対して反応するのもまた同じである。もしコンピュータに話しかけられたり、何かしらの反応を意味するサインが含まれていたら、人間相手のような対応をしてしまうのが私たち自身の〝初期設定〟なのである。

石器を研ぎ始めた時代からシリコンバレー時代にいたるまでの330万年もの間、私たちは技術開発に取り組み続けた結果、今や労働作業を機械に委ねるまでになった。その過程で私たちは火を操ることや、ものに車輪を取りつけるといった知恵を身につけ、食料を貯蔵し、布を織り、文字を綴り、写真を撮り、放送し、世界中に情報を伝達し、命を救い、また奪う術を習得してきた。そしてそれぞれの技術を突き詰めるなかで、こうした道具が私たちと離れた状態にあっても、作業を実行できるまでになった。これまで人類は物理的な生産能力を上げようと、常にテクノロジーを活用してきた。ロボットも同じ大きな流れの中の次のステージに過ぎない。次章以降で議論するように、いま私たちは心の世界までも切り離し、委託しようとしているのである。

第3章
人工知能と語りあう

人類にとって最大にして最悪の危機は、つつましやかなペ、ー、パ、ー、ク、リ、ッ、プ、が引き起こす脅威から始まる——。そんな世界を想像してみて欲しい。

机の引き出しでパラパラと散乱していたり、輪ゴムやホッチキスに紛れて隠れているだけの、危険性とはほど遠く、攻撃性のかけらもないあのクリップが、である。しかし人工知能の専門家であるオックスフォード大学のニック・ボストロム教授は、そんなクリップを例に用いて、機械に思考させるという試みがいかに恐ろしく、最悪の事態を招いてもおかしくないことであるかを説いている。

ボストロムが提唱しているのは〈ペーパークリップマキシマイザー〉という、その名が示す通り、とにかくクリップの数を最大化させることだけを目的とした汎用人工知能（Artificial General Intelligence、ＡＧＩ）が存在するという仮説である。そのＡＩはもともと作業支援のために人間がつくったツールなのだが、とにかくクリップを集め、買い漁り、盗み、製造するなど、手段を問わずタスクを実行することに徹する。しかもそれが人と同水準の知能で実行されたとする。目指すべきはただ1つ、ひたすらクリップを増やすことのみ！　ＡＩは純粋にその目標を達成するために、知能の高度化まで極めはじめる。邪魔しようものなら妨害行為と見なされ、何ものも立ち入らせない。人間も干渉すれば脅威とみなされ、排除される。さらば人類！ まもなくこの宇宙のすべての物質がクリップへと変換される——。

幸い、〈ペーパークリップマキシマイザー〉は注意喚起のための思考実験である。クリップ以外の何かで置き換えたって構わないのだが、私たちが学習できる機械をつくることができたとして、それに何を学ばせるのかは極めて慎重に判断すべきという教訓だ。

前章までは物理的なタスクをこなす機械としてのロボットについて語ってきた。本章でとりあげる人工知能は、知的な側面からタスクをこなす機械という概念である。重要なのは与えられた目標を達成することであり、達成するための手段ではない。一方、たとえば人間の認知機能を模倣して処理させたり、純粋な演算処理や数学的な手法に限定して依拠させるとか、目標到達に用いる手法にこだわる研究領域もある。現時点で利用されている人工知能には、感覚や意識を持つ機械はまだなく、汎用知能と呼べるものも存在していない。データを使ってさまざまな結果からパターンを見つけるなど、過去のデータから学習するというものが多い。

退屈で面倒な日々の業務をコンピュータに任せることは、至極身近なことになった。かくいう私も今朝、ラジオの目覚まし機能をつかって寝室を明るくして目覚めた（すると場違いなニュースが流れて、落胆と怒りが湧き上がったため、めでたく二度寝が阻止された）。スマホを確認し、SNSを確認し、それから重い足どりでベッドを抜け出し、子ども部屋の様子を見にいく。キッチンの電子レンジで娘のためにオートミール粥を1杯分温める。彼女を学校へ送る道中には、指定された番号を入力して使うレンタル自転車がドッキングステーションで群れをなして待っている。娘が無事に教室に入ったのを見届けて（ちなみに教室のホワイトボードは電子式だった）、今度は数メートル先の駅まで歩き、電光掲示板をみて次の電車の発車予定時刻を確認。

朝、私が目覚めてから繰り返される最初の1時間はこんなものだが、ありとあらゆるコンピュータが至るところに遍在している。

「考える機械」の歴史まとめ

これから知能を持つ人間以外のモノについて考えていくが、今回もトップバッターはギリシアの神々かと思われた方、ご明察です。手はじめは神々が最初に創った人間の女性〈パンドラ〉である。「すべての贈りもの、そしてすべてを与えられる」を意味する彼女の名前は、神話でお馴染みの面々が一丸となって神聖なるプログラマーよろしく、自らの属性をそれぞれに分け与えることによって創られたことを表している。だから〈パンドラ〉は、創造された存在、人工的な知能といえるだろう。

ギリシア神話には単なるオートマタを超越した、創られた生きものたちがあふれている。ギリシア神ヘーパイストスにいたってはロボットでは飽き足らず、自ら考えることのできる機械式の侍女型ロボット集団〈黄金の侍女〉を製作するなど、AI領域にも進出している。ホメロスは『イリアス』でこれを「侍女たちの胸中には心が宿り、言葉も話しまた力もあり、神々から教えられてさまざまな手業の心得もある」と記している（松平千秋訳）。ブリストル大学のジュヌヴィエーヴ・リヴリー博士は、「喋ることができて、言葉を操り、知性らしきものを有しているという点が重要。単なるオートマタという存在を遥かに超えている」という観点から、これが希少な先例と報告する。

　ただし、神話ならまだしも実際に機械に知性を持たせるのは至難の業である。何世紀にもわたってオートマタがいくつも製作されてきて、動くことはできても、思考を持たせるのはおろか、見せかけの思考力でさえおぼつかなかった。もっとも認知力があるような印象をつくることに成功したのはフォン・ケンペレンのチェスを指す〈トルコ人〉だろうが、それにしても考えて動く機械をつくるにはほど遠く、当時の技術力では到底達成できない命題であった。


　そんな中、19世紀イギリスの数学者にしてエンジニアでもあるチャールズ・バベッジは、計算処理を機械化する可能性に目を向ける。そして1822年、〈階差機関〉という、多項式関数を自動で計算できる機械を構想したのであった。設計を完遂させることはできなかったが、さらに複雑な後継機〈解析機関〉の設計へとつなげた。当時ジャカード織機で使われていたパンチカードを用いて命令(コマンド)を出すことを想定した、機械式計算機である。ジャカード織機とは、穴が開いていれば糸の通ったフックを持ち上げ、穴のない部分ではフックを動かさないという具合に、パンチカードによって情報を入力し、作動する織機のことである。穴の有無の配列によって、フックの上下運動を変動させることができるため、さまざまなパターーンの布を織ることができる。バベッジは計算させる値を入力するのにこの手法が使えるのではないかと考え、演算技術に応用する可能性に着目したのだ。その後、詩人バイロン卿の娘で数学者のラブレース伯夫人エイダとともに、代数方程式をパターン化し、数列計算のためのアルゴリズムを作り出したりもした。

　残念ながらバベッジの構想は生前に完成することはなく、1871年に亡くなるのだが、理論上の基礎は整った。また彼の関心は、計算の自動処理だけに留まらなかった。バベッジは〈トルコ人〉にチェスで2度負けていて、その経験から大きな刺激を受けている。〈トルコ人〉の操作に人間が関与しているであろうことには気づいていたが、どんなタネが裏にあるのかは、いまひとつ理解できていなかった。だがそれ以降、機械に考えさせて、駒の動きを算出させるにはどうすればいいのか検討しはじめたのだった。そして自身の計算機関を活用し、熟慮を重ねた結果、チェスのように知能を使うゲームの自動化は可能だと結論づけ、そのための手法まで創案している。

ただ、ここから先に大きな躍進がみられるのは、それから1世紀以上待たなければならなかった。

1950年、数学者アラン・チューリングは論文「計算する機械と知性」を発表し、「思考する機械」というテーマで画期的な功績を残すことになった。コンピュータ・サイエンスという研究分野は第2次世界大戦中、暗号解読が実用化されたのをきっかけに立ち上がりはじめてはいたが、まだ産声をあげて間もない時期であった。チューリングはそれよりも前の1936年の時点で現代のコンピュータに通ずる理念をすでに構想していた。その後、世界で最初のプログラム可能な電子計算機が開発されるのはチューリングの勤務地ブレッチリーパークの政府暗号学校でのことであるが、それは1944年、トミー・フラワーズによる〈コロッサス〉が登場するまで待たねばならなかった。

今日、チューリングは人工知能の父と称されている。連合国の暗号解読の拠点として機能していたブレッチリーパークにはチューリングの他にも多くの数学者たちが集い、昼夜を問わず敵国の通信内容の解明に勤しんでいた。その中でもチューリングの参画が鍵となり、彼がもたらした情報の中には、早期終戦に貢献した重要なものが含まれていた。彼は1948年にはマンチェスター大学に招かれ、世界初の記憶装置などで構成された〈マンチェスターコンピュータ〉の開発に従事した。チューリングは10代の頃に、親しくしていた学友を亡くすという経験をしており、それ以来彼は認知機能にも関心を抱き、心がどのようにして物質と関わっているのかを考え続けた。

チューリングの論文は〝機械は考えることができるか？〟という問いかけに始まり、〝機械〟と〝考える〟とはそれぞれ何を意味するのか、まずそれを定義せねば答えを導き出すことはできないと説明する。たやすい問いとは言いがたく、夕暮れ時の気軽なおしゃべりで、3杯目のビールとともに結論が出るというような代物ではない。そのためか、その後設問を変え、パーラーでよく交わされる余興である〈模倣ゲーム（イミテーション）〉を想像するよう読者に呼びかけている。別の部屋にいる人が紙に書かれた回答を読み、書いた相手は男性Aか、女性Bかを当てるというゲームである。チューリングはここで「このゲームにおけるAの役割を機械に担わせたらどうなるだろう。こうした内容のゲームであっても男か女かを言い当てていた時と同じほどに、質問者は判断を誤るだろうか？　この問いかけをもってして、最初の問い『機械は考えることができるか？』を置き換える」と問うている。この単純な問いが、いま私たちが知るところの〈チューリングテスト〉の概念であり、機械の知性を判断するために広く採用されている判断基準である。今日知られているこの〈チューリングテスト〉は、人間の質問者が受け取った回答を読み、人間の出した答えかボットによるものかを判定するというテストである。ボットが合格するには平均30％以上の割合で、判定者に人間だと誤認させなければならない。

ただし最初にこうした基本的な問いかけを投じたのはチューリングではない。フランスの哲学者デカルトは、精神と身体の関係に特別な関心を抱き、意識という非物理的な概念は、脳とは別の存在であり、互いに相互作用をしているものの、分離されているという説、いわゆる「二元論」を唱えるに至った。「我思う、ゆえに我あり」という成句を最初に語ったのはデカルトである。自分の存在について考えることができるのならば、その時点で存在は証明されており、さもなければ考えること自体ができなかったはずだという、まさに意識の根幹を捉えた基本命題である。そしてデカルトは、オートマタは人間のように考えることができないと信じていた。言葉や接触による入力に反応することはできたとしても、機械が「その場で言われたすべてに適切に返答できる」までには決してならない、というのが彼の予想であった。

機械に知能を持たせようとする発想は、チューリングが１９５０年に書いた論文よりも遡ること10年ほど前から、研究者の間では議論のテーマとして取り上げられていた。チューリング自身も１９４１年の時点ですでに機械にチェスを指させ、知的行動を示すことができないかを構想しており、それを論文にまとめている。チューリングの論文というと〈チューリングテスト〉が注目されがちだが、論文「計算する機械と知性」は、それ以外にもさまざまな要素を含んでいる。たとえば、機械知能の価値に対して批判的な意見さえも述べている。また冒頭では、テストで評価される電子計算機の可能性について語り、この時点では存在しないとしながらも想像可能であり、実現性もあるため、20世紀末までには実現可能だと述べている。チューリングはその電子計算機、つまり今日のコンピュータが具体的に何を成すかまでは書かなかったが、人間を理解しているかのように振る舞うことができるだろうと予測している。

チューリングは続く紙幅を使って彼の主張と対立する9つの論点を取り上げ、議論・反論を展開している。第1は、神は人間に魂を与えたが、動物や命なき物体には与えていないではないかと指摘する神学からの論点である。それに対しチューリングは、人が機械知能をつくる行為は人間が生まれる行為と同等だから、ともに神の意志を引き継いでいるのだと、これを牽制している。2つ目の論点は、機械が考えられるようになることがとにかく「恐ろしすぎる」と主張する、チューリング曰く「現実逃避的」な見解に対してのもの。チューリングはこれは一刀両断して議論に応じてすらいない。3点目は、数学の観点からの異論。機械では解くことのできない問題に直面するであろうという議論に対し、チューリングはしかし人間ですら完璧ではないと指摘する。たとえ私たち人間が、特定の機械に勝ることがあったとしても、他の機械に勝るとは限らないという論理を展開している。

〝意識論法〟というのがチューリングがとりあげる4点目の議論であるが、ここでは哲学的な論点に話が移る。仮に機械が喋れるとして、それは理解をともなうものなのか、あるいは単に入力に対して何かしらの処理を施して出力された情報を返しているだけなのかという、意識の有無の観点から〈チューリングテスト〉を議論している。これは「他我」として知られる問題で、のちほど改めて議論したい。これに対しチューリングは、「意識に関して、なんら謎はないとするのが私の考えだとは思ってほしくない」と述べているのだが、〈チューリングテスト〉は意識の有無を検証しないことを認めた上での発言だろう。しかしそれ以前に、検証すること自体が不必要だと彼は言う。人間同士であっても、自分以外の人間の感情であれば、それが本当に経験されたものなのか計り知れないのだから、彼のテストをそのまま受け入れればよい、というのがチューリングの論旨である。

5つ目の論点は、「Xをする機械は決して作れない」というスタンスへの、一連の反論である。ここでチューリングがXとして例示するものが面白い。人に親切を成すことや機知に富んでいること、美しいこと、友好的であること、独創的であること、ユーモアのセンスを持つこと、善悪を判断できること、時に間違いを犯すこと、恋におちたり、ストロベリークリームを味わったりすること、誰かを夢中にさせること、経験から学ぶこと……などを挙げる。ただ、このような批判は「意識問題」と類似していると説明し、「ストロベリークリームを堪能する機械は絶対に作れないのではなく、作れたとしてもその試みが馬鹿げているだけである」と反論する。私にとっては、チューリングが恋愛に触れていないのが残念だ。彼には現代社会とコンピュータの関係を目撃するまで生きてほしかった。

6つ目の議論は、機械には独自の行動を起こすことができず、命令をこなすしか能がないという、ラブレース伯夫人エイダも論じた点についてだ。これに対してもチューリングは「ノー」を突きつけている。データから予期せぬ結論を導き出すなど、のちほど議論する機械学習のような手法を使えば、与えられた指示を超え、私たちが想像もしなかったような結果を出すことは十分可能だとしている。

7つ目の議論は、人間の神経系はその複雑さゆえに、機械では再現できないという意見である。これに対してチューリングは、いったん認めつつ、それは〈模倣（イミテーション）ゲーム〉には必要がないことも指摘しており、合格（パス）するだけの模倣は十分に可能だとしている。〈模倣（イミテーション）ゲーム〉では「考えているように見える」のが重要であり、実際の認知が観測されることは重要でないことが改めて強調される。

8点目は、人間は法則通りに行動していないとする議論である。法則通りに行動するのであれば人間は機械の一種に過ぎないし、一方で機械を動かすためには人間が法則を定めてやる必要があり、それゆえ機械は人間ではありえない、とする見解である。チューリングはこれに対し、人間であっても自然法則という名のルールで定められていると反論する。自然界のどの法則あるいはどのルールが人間という存在を形成したのか特定できていないからといって人間を法則と無関係だとは言い切れないとチューリングはいう。

チューリングが論ずる最後にして9番目の反論は超感覚的知覚（ESP）についてである。テレパシーやら霊感やら第六感などを意味する、あの〝超感覚〟のことである。ESPはその後、科学的に再現不可能であり、その虚構が明かされることになるのだが、チューリングが論文を書いた時代には科学研究の中でも特に注目されていた分野であった。当時は、その存在を実証するエビデンスがあった（とされた）こともあって、チューリングは一科学者として、その信憑性を否定するものの、〈模倣（イミテーション）ゲーム〉に対するESPの影響を無視することができなかった。ただし「すべての要件は『防テレパシー室』で満たされる」と論じている。今となっては普通の部屋で事足りるわけだが……。

機械が〈模倣（イミテーション）ゲーム〉で勝つためには、子どもの心の成長をイメージすればいいとチューリングは説く。遺伝因子などの先天的な要素に、賞罰を伴う学習や経験といった後天的要素を加えるというアプローチである。つまりは〝子ども機械〟をつくり、ものごとを学ばせてやる過程を踏ませればいいのだとチューリングはいう。そして「脚や目などは、さほど気にする必要はない」と機先を制する。彼の説明には頷けるところが多く、たとえば「学習する機械で重要なのは、教える側はその内面でなにが起きているかわからないことばかりであっても、生徒の次なる行動をおおよそ予測できることである」と記述しているのだが、これは今日のシステム開発にもあてはまる考え方である。

では、なにからはじめればよいのだろうか？　初歩的な思考からスタートし、人間に遜色ないレベルまで到達するには、どんな学習法がいいのだろうか？　チューリングが提案したのはチェスである。その甲斐あってか機械は人間に勝利するまでになった。

その後チューリングは、自らの革新的な研究が実現するのを見届けることなく、不幸にも41歳にしてその人生を終えた。しかしその後、彼の論文は人工知能研究の基礎を成した。〈チューリングテスト〉にはいくらかの欠陥はあったが、後続の研究者たちが目指す人工知能のゴールを示したのである。論文が書かれた当初、彼が示した目標は虚構と思えたかもしれないが、いずれにしても狙うべき的が彼の論文によって定められたのだ。その状況は今も変わっておらず、合格できた機械はまだない。しかしゴールは、時の流れとともにいくらかは変化している。たとえチューリングテストに合格する機械が現れたとしても、機械の知能とは無関係ではないかという意見もある。確かにそれでコンピュータの機能と人の心の機能が等しくなったとは言えない。本当になにか学んだかも疑問である。私たちが求める検証結果とは裏腹に、単に〈チューリングテスト〉にパスするのを得意とする機械をつくりあげているだけかもしれない。

機械に学習させる方法

今日、人工知能の研究は世界中に広がっており、研究内容も机上の実験にとどまらない。オンライン上の写真を自動でタグ付けするのも人工知能。最寄りのスーパーで特売セールする際に対象商品を提案するのも人工知能だったりする。ただこれにはデータが必要である。それも非常に大量のデータが。幸いにも（人工知能の観点からすればではあるが）私たちは毎日欠かさず膨大な量のデータを生み出している。

現時点で人工知能がもっとも活用されているのは機械学習の領域だ。これについてはネット上でもっともポピュラーな存在を例にして説明したい。ネコである。

私たち人間は、ネコを見てそれと認識する能力に長けている。ほとんどの人は絵本や写真、あるいは外を歩いている時など、生まれて間もないころからネコを目にする経験をしている。成長するにしたがい、あれはネコ、これは犬といった具合に、他の動物との違いも見分けられるようになる。ウサギにしても同様だし、ライオンや虎といった大型のネコ科動物でも同じである。また、人間は情景に含まれる個別の物体を見分けることも得意だ。固定された背景に動くものがいればすぐにそれに気づくし、車や歩行者、ネコなど複数の物体が路上を動いていたとしても、ちゃんと区別できる。そんなことは当たり前で、現に子どもでも難なくできる単純なことではないかと思われるかもしれないが、これをコンピュータにやらせるとなると非常に難易度が高い。

長年の間、コンピュータに写真を分析させるには画像の中身をパーツごとに切り出す必要があった。しかも分析される画像なり動画は2次元である。コンピュータにしてみれば写真は画素のかたまりでしかないし、動画は写真の連続でしかない。よってコンピュータ・ビジョンとは、縁を検知したり、動きを分析することを目的としたアルゴリズムで形成されており、それによって風景を大まかなパーツに分解しながら実行されていた。3次元情報も取得できないわけではないが、影や輪郭、ピントなど、間接的な推察によって情報を抽出しているだけである。それを分類するとなると人の手を要し、写真の中のこれがネコであるなど、ソフトウェアに教えこまなければならなかった。ネコが何ものであるのか、コンピュータは一切理解できていないのだが、見えさえすれば認識できる状況には、これで一歩近づく。

このようにして、コンピュータがネコを認識できるようにプログラミングすることはできる。それは犬でも、工場で製造されているモノでも、軍用機でも、CT画像に写った腫瘍でも同じことだ。しかし人工知能が進歩し、さらには機械学習という手法が活用されるようになると、識別の成功率に大幅な改善が見られるようになった。

機械学習とは、コンピュータに大量のデータ（データセットという）を与えることにより、自ら学習できるようにする手法である。機械学習をつかえば人間が具体的指示を出す必要がなくなり、コンピュータ自身でデータからパターンを読みとり、関連性を見出しながら学ぶことができる。また機械学習は、人工知能の一種である。つまり人工知能を、機械を知的にするための目標と位置づけるなら、機械学習はその実現のための一手段でもある。

SNSの広告を見て、自分の考えを読まれたのではないかと思ったことはないだろうか？　それはネット上での行動履歴や、プロフィールの変更など、あなたに関する大量のデータを、機械学習のアルゴリズムがくまなく読み込み、あなた向けに調整した結果である。お気づきかもしれないが、たとえばあなたが芝刈り機をネットで買うと、急に同じような商品が画面を埋め尽くす。あたかもインターネットは、あなたを芝刈り機のコレクターにでも仕立てたいかのようである。機械学習は有効だが、必ずしも万能でお利口というわけではないし、私たちが期待するような賢さは持ち合わせていない。少なくとも、まだ。

話をネコに戻そう。機械学習がネコ科の動物を見分けるには、いくつかの手法がある。1つには〝教師あり学習〟という学習法で、これはプログラマーが学習データにラベルをつけることによって、正解が示された状態でコンピュータに学ばせる手法である。ネコが含まれているとラベルづけされた画像と、「ネコなし」とラベルづけされた画像を大量に与え、コンピュータがそれらの画像をデータセットとして確認することにより、ネコを満たす条件を見出すという方法である。この場合、画像データをインプットとして与えつつ、正しいアウトプットは何かまでを人間が示す（すなわち、どの画像にネコが写っているかはラベルづけで事前に示される）。機械学習のアルゴリズムは画像とラベルを照合しながら、ネコが写っている画像の特徴をパターンとして認識しようとする。ひとたびアルゴリズムが正しく分類されたデータに基づいて訓練されると、新しい写真をあたえられてもネコを見つけ出すことができるようになる。人間が教師であり、人間の指導のもとで学習が行われる。

ただ1つ、注意していただきたい。慎重にやらないと機械に誤ったことを教え込んでしまう恐れがあるからだ。真偽のほどは疑わしいが、軍用戦車を検知するはずのアルゴリズムが、誤って木を攻撃するよう学習してしまったという逸話がある。迷彩塗装が施された戦車の写真は、そのすべてが森林の中で撮影されていたのに対し、迷彩塗装されていない戦車は、森以外の場所で撮影されていたという話である。その結果アルゴリズムは「戦車あり」でラベルづけされた画像データと、そこに写る森の中の木にも関連性があると誤解してしまい、木に着目した分類を行ったというのだ。データセットが有効でなかったということである。このように、機械学習のアルゴリズムを使用する場合、意図しないバイアスが大きな問題になりかねない。コンピュータは、いいものから悪いものまで、私たちの癖のすべてを拾ってしまうのである。

それに代わる手法として、コンピュータが自ら学習をする〝教師なし学習〟がある。プログラマーがシステムにデータセットを与えるところまでは同じだが、データへのラベルづけは行わない。この場合、アルゴリズムが自分でパターンも分類も見極める。ソフトウェアはなにが正しい答えなのか指導されない。その代わりに類似性や相関性だけを頼りに判断をしていく。分類に資する特徴を自ら探すイメージだ。次から次へと画像また画像を確認していくと、足と三角形の耳のついたモフモフの物体が見出せると気づく。特徴的で意味ありげな配置を画像から見出していくのだ。この手法はデータセットにどんなパターンやグルーピングが存在しているのか、前もって限定できない場合には特に有効だ。スーパーのポイントカードから顧客の購買行動を分析したいのであれば、教師なし学習によって人間では思いもよらなかったパターンを見出すことができることがある。コンピュータに任せて探らせていることから、〝教師なし〟なのである。

これら2つの手法の間をとったものに〝半教師あり学習〟として知られる機械学習方法もある。ご想像の通り、答えの提示を部分的に絞って提供する手法であり、ラベルはデータセットの一部だけにしかつけない。たとえばネコであれば、写真の集合全体でネコの写っている画像のうち、何枚かにはラベルづけするが、大半の写真にはラベルを一切つけないというやり方である。この場合、コンピュータはいくつかの例を通じて人間から教わっているが、残りは自習の一環として宿題を出されたようなものである。これは赤ん坊が親からさまざまなものを示されつつも、日々の生活で自ら観察することによって、ものの関連性や分類を学ぶのと同様で、人間の認知機能と共通している部分がある。

それ以外にも〝強化学習〟という、行動と報酬に基づいた機械学習の分野がある。コンピュータは強化学習で使用されるアルゴリズムによって、目標達成にふさわしい行動をそれぞれ状況に応じて見極める。これを報酬の信号という合図によって進めるのだ。私は今、これを書きながら、ある意味この学習法を実行している。私の場合、午前中に１５００語の原稿を書くことを目標にしているが、達成できた暁には紅茶1杯とケーキ1ピースをご褒美にしている（後者が特に重要）。もしこの行動を実行し終えたら自分に報酬を与えるのだ。居眠りして達成できなかったのであれば、それは悪しき行動だということでケーキはおあずけ。ちゃんと執筆できた時と、ケーキを食べられるという動機をつなげることにより、執筆の達成率を高めている。

教師あり学習は〝指導型〟（結果の出し方をコンピュータに示す手法）であるのに対し、強化学習は〝評価型〟（行動の結果を評価し、それをコンピュータに示す手法）である。要はソフトウェアが「ネコだと思う」と言ったら10点満点中、その正しさに応じて報酬を与えるようなものである。だから強化学習はゲームでの使用に向いている。勝ちの法則は必要なく、プレイさえさせておけばいいのだ。必要な情報は〝状態〟（ボード上のどこに駒があるのかという環境情報）、〝行動〟（次の駒の動き）、〝報酬〟（ポイント加算や勝ちにつながる動き）である。

強化学習はネコのおかげで誕生した。人間以外の動物を対象とする心理学を研究した最初のパイオニアであるエドワード・リー・ソーンダイクのことを言っているのだが、アメリカの心理学者であった彼は、動物は（そして、その延長で人間は）期待する報酬と行動を関係付けることにより、学習が進むのかを研究した。その結果ソーンダイクは、特定の行動をすると脱出できて報酬も受けられるという仕掛け箱をつくったのだが、それは１９１１年のことであった。研究領域こそ異なるが、物理学者のシュレーディンガーが箱の中のネコを仮説として発表するより25年も早い。いずれにせよ、あまり大きいとは言えない箱の中にネコを入れて実験した。どうすれば脱出できるのか、ネコには当然わからない。ただ中を歩きまわっているうちに、扉を開けるきっかけとなる行動を偶然に行う。さらに実験を続けると、ネコが脱出するまでの時間が短くなることをソーンダイクは発見し、〝学習曲線〟が示された。学習が強化されたのである。

強化学習が今後、置かれた環境に応じて最適解を導き出せるシステムになり得たとしたら、その活用範囲は膨大である。特にロボット技術や自律運転技術などの進歩に、相当なる影響を及ぼすだろう。想像してもらえばわかると思うが、ロボットが自分で空間内の位置を認識し、障害物を回避するための適正判断をした上で、遠くに置かれたものを摑むといった行動を、人がプログラミングせずともこなせる世界である。もしも人間のように考えることができる汎用人工知能がいつの日か実現し得るのだとしたら、強化学習がその一翼を担う可能性は高い。

私たちの脳内で実行されていること

私たち生物の脳は、非常に高度なことを実行できる能力を持っている。足の運びを調整しながら次の一歩を踏み出したり、スマホの地図アプリを使わずとも複雑な道を通って目的地にたどり着くなど、脳がまわりの環境を汲み取り、次から次へと問題処理しながら私たちは日々の生活をこなしている。その間、ニューロン（脳内の神経細胞）ではつねに電気信号がやりとりされていて、どう反応すべきかという指示を身体中に送り出している。ニューロンは脳内の情報処理のための基本単位だ。海綿動物やその他の多細胞の中でも単純な生物を除き、たいていの動物にはニューロンが備わっている。線虫には302個のニューロンがあり、ネコは約7億6000万個持っている。人間には約860億個ある。そして、その1つずつが神経インパルスを伝達する役割をこなしている。発生した信号はシナプスと呼ばれる接続部を介して、隣り合ったニューロンに伝達される。たとえば感覚器が周囲の環境から刺激を受けると、それが入力情報となり、ニューロンに伝達される。〝入力〟はニューロンで構成される回路網によって伝達され、情報が処理される。それを受けた神経系の反応が〝出力〟である。

かなりざっくり丸めていうと、ニューロンの信号伝達は〝門の開け閉め〟をイメージしてもらうとわかりやすい。刺激があれば値は跳ね上がるが、なければ皆無。これは〝オンとオフ〟（あるいは〝1と0〟や〝開と閉〟）の2つの状態で処理されている電子回路やコンピュータの仕組みと同じなので、比喩として便利なのだ。ただし類似点として挙げられるのはそのくらいである。たしかに脳内の電気信号も、全と無（オール・オア・ナッシング）を基本に処理されていると言えるのだが、これをコンピュータのビット処理だけで完全に再現することはできない。神経系の信号は、跳ね上がるといっても電子回路のような安定したオン、オフの切り替えではなく、バースト

（急速な連続発火）によって引き起こされている。他にも、脳内システムは1ヶ所で集中管理されているわけでもなく、いくつもの処理が並走している。層から層を成すようにして信号が変動しては順応し、何百万もの入力イベントが毎秒発生しているのであり、さらにはニューロンの発火頻度も非常に重要な要素である。そうした神経活動は連鎖的に発現しており、ニューロンをわずか302個しかもたない気の毒な線虫の神経系ですら、その構造は完全には理解されていない。人間の脳という遥かに複雑な構造をコンピュータで真似るなど、現時点ではまずあり得ないのである。

このように、人間の脳に等しい神経回路網（ニューラルネットワーク）をつくることも一筋縄ではいかないが、簡易版ならば可能であり、かなり有用な結果も得られている。これはニューラルネットワークを数学的に表現するという考えに基づいていて、入力を受けたらそれに対して次から次へと連鎖的に演算をかけるという単純な話である（簡易版とか単純といっても、それはあくまで相対的な話であって、実際に計算しろと言われたら考えるだけで恐ろしい）。

簡易的人工ニューラルネットワークは3つの処理機能に分けられる。入力階層、隠れ階層（単純化にこだわらないのであれば、ここに多くの階層を入れこめるので通常は複数形）、出力階層の3つである。そしてすべての入力を値で表現する。入力値は隠れ階層を通じて計算され、その結果出てくる出力が、反応すべきか、しないべきかをニューロンに指示する。

ネコを例にとってみよう。たとえば人工ニューラルネットワークにネコの画像を見せて学習させるとする。そして入力ノードは5つあったとする。頭、胴体、足、毛、三角形の耳などである。それぞれの存在を、有無の2択（バイナリ）で分類する。5つとも全部確認できれば、それはネコである（かなり簡易的な説明なので、より現実的なプログラミングを希望される方は、ぜひご自身でやってみてください）。次に、たとえば木製の椅子の画像を見せたとする。椅子は入力の分類を満たしているだろうか？　頭はない、胴体もない。足はあるが毛はない。そして耳はない。隠れ階層がネコだと判定するための閾値は5であり、5つの条件が満たされているかを精査したところ、先ほどの椅子では閾値を満たせない。よって「ニューロンさん、これはネコではないですよ、反応しないで！」となるわけである。

ネコばかりを例にして、ふざけていると思われるかもしれないが実はそうではない。これにはグーグルも賛同してくれている。2012年、グーグルは顔認証のアルゴリズムと人工ニューラルネットワークをYouTubeに接続し、教師なし学習の一環として1000万本にもおよぶネコの動画をコンピュータに与えた。その成果は画期的であった。「大規模な教師なし学習を活用した高レベルの機能構築」と題して、本格的な学術論文まで発表された。これにより、大量のデータを与えられた時に、人間がネコと呼んでいる生きものがどんなパターンで構成されているのか、事前にネコに関する情報を一切与えられずとも、コンピュータがデータのみから見極められることがはじめて証明されたのである。コンピュータがコンピュータなりにネコとはどういうものなのかを独自に見出したのだ。

グーグルがブレークスルーを果たしたのは、ひとえにその膨大なスケール力、つまりデータセットの数と隠れ階層の数の大規模化ならびに極めて増強された処理能力にあった。たとえばYouTubeのネコ検知器は12万枚の画像を入力として処理しているが、それぞれ1枚あたり3つのカラーチャネルを持つピクセルが、200×200の画素で敷き詰められている。また10億を超える接続点は9階層以上からなるネットワークをまたいで広がっている。この膨大な学習データ量とネットワーク構成が彼らを成功に導いたのだ。さらに、複数の階層が組まれているということは、前の層の出力が次の層の入力となるわけであり、この層の深さこそが〝深層学習(ディープラーニング)〟の名で知られる機械学習の特徴である。

ディープラーニング

深層学習という概念は実に数十年前から語られていたが、用語としての登場は1986年、急速に関心が高まり始めたのは2010年ごろになってからだ。コンピュータのハードウェア面の進化を受け、今まで何週間もかかっていたような処理がわずか数日で終わるようになった。また、多層化が進んで機械学習の深さが増した。ニューラルネットワークに深みが加わることによって、入力と出力のマッピングも進歩を遂げた。さらに汎用的で一般性のある結果を出すためには、グーグルの1000万本のネコの動画のように、より大量のデータが必要だった。そして関心が高まったことによって、音声認識から画像分類、言語翻訳など、技術的に応用しやすいさまざまな分野に広がりを見せた。フェイスブックやアマゾンといった企業による商業的関心も高まった。ただ、果たしてこれがいいことなのか少しだけ考えてみたい。

グーグルの関連会社であるディープマインドが開発した〈アルファ碁〉が、中国発祥の極めて難易度の高いゲームとして知られる囲碁において、プロのチャンピオン(人間の)に勝利し、その上少なく見積もっても大方の予想より5年もはやく偉業を成し遂げ得た背景には深層強化学習の存在があった。2017年10月にディープマインドが〈アルファ碁ゼロ〉をリリースすると、わずか3日間のトレーニングだけで世界チャンピオンを凌ぐまでになっていたのだ。〈アルファ碁〉は自分自身と戦い、一戦ごとに学習して改良を重ね、好機と脅威の予測能力を向上させることにより、これを実現した。ディープマインドはそこで満足せず、同じ基本アーキテクチャーをチェスに展開した。するとたった4時間でチェスの指し方をマスターしただけではなく、存在するすべての人間やこれまでに書かれたすべてのプログラムを上回るプレーヤーへと成長したのだ。コンピュータのチェスプログラムの現役チャンピオンとして君臨していた〈ストックフィッシュ〉と100回戦マッチを繰り広げたのだが、97対3という成績で圧勝した。

これらはみな学習の深層化が進んだことの証左だが、いくらコンピュータが画像を見分けられるようになったとしても、コンピュータがネコという概念を理解できているというわけではない。写っていれば見つけられるが、コンピュータにとっては〝存在〟という概念がないのである。動物としてのネコが何であるのかも理解していない。動物の種類や交通標識、発話される音、異なる言語など、それぞれの違いを区分するのには長けているが、それらを〝理解〟しているというわけではなく、単に分類のためのルールやパターンを見つけているに過ぎない。ある程度一貫性のある安定した事物であることが、コンピュータが理解できる条件なのである。結局、演算の連続でしかないのだ。サメのコスプレをしたネコがお掃除ロボットに乗っている画像を見て、思わず吹き出してしまうこともない。ただし、あなたがお掃除ロボットを1台買うと、なんどでも繰り返し買うよう働きかける、ということならできるのである。

機械に〝意思〟を出力させるには

1966年、ドイツ系アメリカ人のコンピュータ・サイエンティストであるジョセフ・ワイゼンバウム教授が、特定の言葉を認識し、それに対して会話ができるプログラム〈イライザ〉を開発した。〈イライザ〉はチャットボットなのだが、理解力を有しているかのような錯覚をもたらした。〈イライザ〉が実際にやっていたのは、キーワードに応じてプログラム通りに決まった文言を返すだけだった。ユーザーによって入力された言葉を、パターンマッチングでつき合わせ、事前に用意された、あえて曖昧にされた表現から返答内容を選択するというプログラムだった。ワイゼンバウム教授は心理カウンセラーの返答方法を参考にしたプログラムをつくったこともあって、ユーザーが発した言葉に対し、「どうしてそう思うのでしょうか？」「恐れずに、続けて」などの台詞で返答させたこともあった。

ワイゼンバウム教授は〈イライザ〉で誰かを欺こうとしていたわけではない。彼の言葉を借りるなら、それはパロディなのだ。人間と機械のインターフェースがいかに表層的であるかを示したかったのである。機械学習などは用いられておらず、言語処理も行われていない。それは単なる雛形に基づくやりとりでしかなかった。しかしワイゼンバウムは〈イライザ〉を見た人びとの反応に驚かされることになった。多くのユーザーが、ないはずの知能をあると思い込んだのだ。相手がコンピュータだということを忘れてしまう人びとがいたのである。意図したことではなかったにせよ、人間らしい機械という錯覚が生み出されたのであった。

私たち人間は、言語を主要なコミュニケーション方法として使っている。しかし言語がいかに進化してきたのか、その過程はまだ解明されていない。考古学の成果をとってみても、喉頭の存在など間接的なものは見つかっているが、直接的な形跡は確認できていない。喉頭の中には声帯がある。私たちが喋ると空気が振動する。さらに私たちは喉、鼻、口、肺を使って音波を発している。その振動は聞く人の鼓膜を振動させ、さらには鼓膜から中耳、内耳、さらには脳幹へと伝わっていく。すると脳がこれを音と認識する。ただし実際の仕組みが完全に解明されているわけではなく、言語の理解に至ってはさらにわかっていないことが多い。つまり言葉を理解するというレベル以前に、私たちは聴覚の仕組みですらきちんと理解できていないのである。

こういう話を聞いたことはないだろうか？　「森の中で1本の木が倒れた時、感知できる存在がそこにいなかったとしたら、それは〝音〟といえるのだろうか？」――これは知覚の本質を問う哲学的な問いである。木が倒れれば音波は伝播するが、その音波が聞き手の脳に伝わり解釈されないのであれば、それは本当に音と呼べるのだろうかという、一種の思考実験である。本来であれば現実や経験、存在の意味など、より深く議論すべきテーマであるが、相当の準備なしに形而上学に踏み入るのは誰の得にもならないので、ここでは音に限定して話を進めよう。

会話をしている時の脳は、あらゆる雑音を自動的に除去しながら、連続する音波を器用に処理していて、単語のみならず文脈やトーン、相手の意図などを汲み取りながら理解を形成する。その複雑さは驚異だ。たとえば言語を習得するということには、論理的に推論したり内面の感情を表現する能力も含まれていて、それらの能力が私たちを食物連鎖の頂点へと導いた。大量の知覚情報を取得し、それらを信号として処理した上で、聞こえてくる内容を認識し、それに応じて反応を示す。対してコンピュータの場合は、信号を受けとっているだけで、その本質的な意味を理解しているわけではない。さらに、会話の中で発せられる言葉は一貫性が徹底されているわけでもないため、普遍的に認識しやすい言葉で喋ればいいという単純な話でもない。人間にあることを伝える場合、必ず同じ単語を使うよう強要できたとしても、背景の雑音やその時々の情緒、話し手の年齢、会話のスピードや声の大きさや発音などを考慮すると、同じ単語であっても信号としての意味合いは大きく変わる。機械にもこの手の信号の分析や分類が求められるのだ。パターンの認識や文脈の検索ならできるであろうが、それは〝考えている〟ということとは異なる。さらに、私たち人間は〝行間〟を読むこともできる。口に出されていない言葉も含めて、その意味の推察ができる。いずれもコンピュータが持ち合わせていない能力である。私たちが言葉を理解するのと同じようにコンピュータも理解しているわけではないのだ。

このように、コンピュータの言語処理能力はいまだかなり限定的だが、それでもその有用性には目覚ましいものがある。言語は私たち人間が相互理解をするための主要な方法だから、コンピュータによる理解能力が向上すれば、人間とコンピュータは自然なやりとりができるようになるだろう。画面上のインターフェースの場合、まずコンピュータへの命令(コマンド)を視覚的に表現する工夫が必要だが、ビジュアル化しにくい内容もあるし、ユーザーの側も自分が求める動作を実行させるには、どのアイコン、どのメニューをクリックすればよいのか手探りで探さなければならない。それで正しかったのかをビジュアル上で確認する必要もある。しかし音声による入力であれば、命令内容を示すアイコンをデザインする必要性がそもそもない。ユーザー側の認知負荷も軽減される。正しく作用さえすれば、という条件付きではあるが、大幅に効率を上げることができるだろう。

遍在する音声アシスタント

〈イライザ〉の登場から50年が経ち、音声だけで機械に命令(コマンド)をしている家庭が何百万世帯と存在している。しかもそうした機械は返事までしてくれる。アマゾンの〈アレクサ〉、アップルの〈Siri〉、グーグルの〈グーグルアシスタント〉、マイクロソフトの〈コルタナ〉といった仮想デジタルアシスタントの人気ぶりは、ソフトウェアに話しかけて命令を送る行為の気軽さ、手っ取り早さを実証している。家庭用ＡＩアシスタントの数は２０２１年までに世界人口を上回るとも予測された。

ワイゼンバウム教授が開発した〈イライザ〉と、〈Siri〉など今日のデジタルアシスタントの決定的な違いは、音声認識と自然言語の処理能力にある。〈イライザ〉が扱っていたのはタイプ入力された文字だったが、今日の自然言語処理は音声による入力にも対応できるようになった。口頭で発したコマンドでコンピュータを操作しようとする試みは60年代後期から70年代初期にかけてはじまったが、当時のハードウェアはまだ原始的で、熱意のひとり歩きにとどまった。70年代に入ると米国国防総省がシステムに言葉を理解させるためのプロジェクトを立ち上げたが、それでも処理できる言葉は１０００語を若干上回る程度に過ぎなかった。ただしその10年前にコンピュータが人間の会話で認識できたのは数字だけだったことを考えると、大きな飛躍だった。

80年代に入ると、ハードウェアの進化と統計確率の導入が手伝って、音声認識技術はさらなる進化を遂げた。アルゴリズムは前の文章をもとに、続く文章の確率を予測できるようになり、文脈依存モデルが登場するようになった。ただし、初期の自動音声認識は音声のテキスト化が必要であり、つどつど音波をテキストに変換するという作業を踏まなければならなかった。これが問題の種であった。というのも、この方式の場合、事前に語彙集を登録しておかない限り、会話の中の単語をシステムが理解することはできない。一方、一般的なユーザーが自然な言い回しで喋るとなると、未登録の単語を使うことが多くなり、これが厄介なのである。さらに、このシステムは完全なる一方通行であり、ユーザーは話し手、システムは聞き手としての役割に徹することを想定していた。これは人と人とのコミュニケーションという双方向のやりとりとは相反するものだ。私たちは会話をしている時、たとえそれが言葉に拠らずとも、何かしらの返答を期待するものである。返答がなければ、システムが正しく理解してくれたかどうかわからない。この問題に対する対策として導入されたのが質問と確認による対話方式である。ユーザーに対して誘発文が読み上げられ（たとえば「発信音の後に口座番号を言ってください」といった文章）、その後に行動内容の確認を促す（口座番号をシステムが繰り返すことによって、ユーザーに確認の手順を踏ませる）という方式である。

1987年、ワールドオブワンダー社がおしゃべり人形〈ジュリー〉（キャッチコピーは「あなたを理解する」）という乾電池式人形）を発売し、テキサスインスツルメンツ社の自動音声認識技術が家庭へと持ち込まれた。〈ジュリー〉にはカセットテープが内蔵されていて、8つのキーワード（ジュリー、イエス、ノー、オーケー、ごはん、静かに、ごっこ、メロディ）に応じた返答が音声として再生されるという商品である。〈ジュリー〉には他にもセンサーが内蔵されていて、温度や照明、動作に反応する。また、〈ジュリー〉は音声を再生する際に目や口を動かした。〈ジュリー〉の設定手順は今日のデジタルアシスタントと同じで、最初にコマンドとなる言葉を繰り返して発話するよう求められ、これによってユーザーの声色が正しく認識されるようになる。

90年代までには、ドラゴンシステムズ社が今日でも音声認識ソフトウェア市場を牽引している〈ドラゴンディクテート〉を販売開始し、自動音声認識技術に商業的な現実味が出てきた。価格は高く、ユーザーの音声トレーニングに要する設定時間も長く、単語間をしっかり区切って明確に発音しなければならなかったが、音声認識システムとしては世界的なベストセラーとなった。

その間も人間のような会話を目指すタイプ入力式チャットボットの開発は続き、われこそはチューリングテストの勝者になるのだと、開発者間で競争が繰り広げられた。１９９０年にはアメリカ人の発明家であるヒュー・ローブナーの手により、もっとも人間に近いチャットテクノロジーを競う大会が創設された。「ローブナー賞」は28年経った今でも開催されており、審査員たちにチャットボットが本物の人間であると思いこませるべく、開発者らが競っている。審査の方法はまず25分間、隠れた2体の相手とテキストを画面上で打ち込むという形式で対話をする。その後審査員らは、どちらが人間で、どちらが人工知能だったかを選ぶ。スコアのランキングに応じて賞金とメダルが授与されるのだが、もし審査員が本物の人間と区別がつけられず、コンピュータを人間だと言わしめることに成功すると、そのチャットボット開発者には2万５０００ドルの副賞が授与される。副賞の受賞にいたった人はいまだ誰もいない。また、10万ドルの大賞も一度も与えられていない。そこまでの大金を獲得するにはテキスト、視覚ならびに聴覚情報といった入力をチャットボットが理解せねばならないわけで、受賞はまだ先だろう。

ローブナー賞は、〈イライザ〉と同じで欺きやごまかしの技術を競っているだけではないかという批判の声もある。確かに知能を持つ機械が争点になっているというよりも、まさに〈模倣（イミテーション）

ゲーム〉から生まれた産物ではある。人工知能のパイオニアの1人マービン・ミンスキーを含む研究者も、「スタンドプレー以外の何物でもない」と一蹴している。審査員は専門家から選出されているわけでもないし、会話の内容も表面的である。とはいえローブナー賞には〈イライザ〉が興味深かったのと同じ興味深さがあり、人が機械と自然に会話できていると感じるためには、真の知性が必須条件でないことを示唆している。上っ面だけでも人のように振る舞えるのであれば、ある程度の共感を得ることは十分可能なのである。この点に関してはのちほどまた議論したいので、ひとまず脇に措く。

〈Siri〉と語り合う方法

すでに述べてきたように、仮想デジタルアシスタントが盛り上がりを見せているのは周知の通りだ。もっとも動きが早かったのはアップルの〈Siri〉であり、iPhoneの1機能として2011年に導入された。〈Siri〉は自然言語による命令(コマンド)で作動し、質問に答え、アプリの立ち上げやネット検索などを補助する。〈Siri〉と同系統の〈グーグルアシスタント〉や〈コルタナ〉も同様である。語りかけるとアルゴリズムがコマンドをスキャンし、コマンドを抽出する。こうしたやりとりからは膨大なデータが収集され、サーバに蓄積された情報が分析されることにより、返答の精度がさらに洗練されていく。機械学習はこの巨大なデータセットを活用し、自然言語のコマンドを理解するためのモデルを構築している。もちろん限度はある。仮想アシスタントといえども、どんな要求にも応えられるわけではない。まだ制約は大きく、あらゆる意味で汎用人工知能とはほど遠い。人の言葉を認識する能力はこれまでの技術よりも高く、スピードも速くなったが完璧とはいえない。

本章を書くに際し、私はある実験を試みた。ラップトップパソコンのソフトを使って口述で原稿を書き起こせないかと、言葉を声に出し、備えつけのアクセシビリティ機能で認識させてみたのだ。目の前の画面にはテキストが次々に入力されていく。しかし問題もあり、私の北アイルランドのアクセントにはいまひとつ対応できないでいる。実際、2つ前の文章の「声に出し」(aloud)は「そして嘘をついた」(and lied)に聞こえたらしい。これは音声認識システムにありがちな間違いで、最近では私たちのほうが機械に認識されやすくしゃべるという、逆転現象まで起きている。それはアクセントや訛りや方言にとどまらず、私たちのしゃべりかた自体さえ変化し始めるだろう。デジタルアシスタントを使いたいのであれば、まずアシスタントを呼び出して起動しなければいけない。「ヘイSiri、『ハミルトン』のサントラを流して」といった具合だ。「してください」や「お願いします」などの敬語は必要ないのだが、敬語で指示している人が多いという調査結果もある。

こうしたデバイスを展開している巨大テック企業は、できるだけ人間に近づけようと躍起になっているが、完璧主義に陥っているきらいもある。ほんのわずかな躊躇も、繰り返しも、脱線も見られない。たしかにデジタルアシスタントが馴れ馴れしすぎるのも考えものだ。それでも今日の会話インターフェースは自然言語による文章から、かなり正確にコマンド部分を抜き出して認識できるようになっている。丁寧な敬語にしてお願いする必要はないのである。仮想アシスタントと呼んでいるが、要は音声を使った検索エンジンのようなもので、簡潔に要望を伝えるだけで充分に機能する。長ったらしく「えーっと、コルタナさん、お手数ですが今日のロンドンの天気を教えてください」と聞いたっていいのだが、「コルタナ、今日の天気、ロンドン」と伝えた方が機械には理解しやすいのかもしれない。ただそうなると私たちが求めているのはツールなのか、はたまた友人なのかという疑問が湧いてくる。

すべての仮想アシスタントにおいて、1つだけ明らかな共通点がある。初代バージョンがみな女性の声で開発されたという点である。〈Siri〉の場合はイギリスでのサービス開始を機に、女性だけではなく男性による声を選択できるようになり、アメリカ英語やオーストラリア英語、イギリス英語を選ぶこともできるようになった。性別についてはまた後で立ち戻るとして、そもそもなぜ人間の声でなければならなかったのだろうか。機械の声ではだめだったのだろうか。ついでに言うとそれぞれのデバイスのメーカーはアシスタントに個性を持たせようと、いくらかクセを盛り込んでいる。たとえば歌を歌うようリクエストしてみると、各アシスタントの応じ方には個性がある。ユーザーに口説かれる場合も同様で、少しずつ異なるアプローチでユーザーをかわすのだ。

このようにアシスタントをあえて人間らしく振る舞わせるよう努力しているわけだが、こうした考え方は人とコンピュータの関係性を調査したスタンフォード大学のクリフォード・ナス教授らによる研究が原点になっている。被験者のコンピュータに対する親近感の抱き方を研究したところ、コンピュータが女性の声で発する場合と、男性の声で発する場合とでは、感じ方が異なることが観察されているのだ。また、使っているはずの音声アシスタントに使われているとでもいうべきか、人間の側も音声に反応することが明らかになっている。ユーザーが音声技術を使っている時には、社交の場で他の人と話すのと同じような調子で返事をするのだという。さらに、これは音声に限らない話だが、テキストでコマンドを入力する際にも同じ傾向が見受けられた。ナス教授らの1994年の論文「コンピュータは社会的行為者である」では、コンピュータにわずかなりとも人間らしい性格を持たせさえすれば、コンピュータが無感情の機械だと頭では完璧に理解しているユーザーであっても、親近感を覚えるということが実験を通じて報告されている。

自然言語の処理機能の活用は、こうした音声の認識や発話だけに留まらない。もう1つ、オピニオンマイニングという呼称で知られる感情分析も有用な利用法である。これはユーザーの〝感情状態（アフェクティブステート）〟を分析する手法である。感情状態とはその時々の気持ちや気分を表す心理学用語だが、私たちの感情状態は気持ちを表現する言葉であったり、声のトーンやボディランゲージ、生理的反応など、さまざまな方法で確認できる。コンピュータがこうした感情状態を認識できるとしたら、何か提案したり有益な情報を伝えるなど、よりよい対応ができるにとどまらず、企業が顧客から寄せられた反応に対して、これをサポートしたり活用したりが可能になる。これは商品を販売したい企業にとって有用な技術になるだろう。実際に感情分析は金融取引などの用途ではすでに実装されており、社会全般の雰囲気がおよぼす株式価格への影響や政治情勢の流れを確認するために活用されている。

感情分析という処理そのものは、商品レビューを例にすれば、例えば5件くらいを対象にするならば難しいことはない。人間に読ませて、言葉や文章の中に何か際立つトーンや特徴がないかを確認すれば、すぐに済ませられる。だがこれが50万件のレビューにスケールアップした場合、なんらかの演算処理の支援なしには不可能だ。こうした支援のために自然言語処理を検討するのは至って自然な流れだろう。

　感情分析のコンピュータプログラムには〝幸〟〝悲〟などキーワードを検索するような直接的なものから、多数の単語と感情の種類を関連づけるやり方までさまざまある。またそのための単語集も存在しており、英単語の場合には１０３４語の名詞・動詞・形容詞が登録されている感情規範（アフェクティブノーム）などがあるが、キーワードだけで正確に感情を測るのは困難である。「食事がおいしかった」など、文章から肯定要素を抜き出すだけなら容易（たやす）いが、「食事は悪くなかった」のような言い回しになると複雑度が増す。否定形で表現されていても、2つ目の文章のように、意味合いとしては肯定的になり得るわけである。同様に「美味しいものを食べたかったけど、食べられなかった」などの文章は、文脈を無視してキーワードだけで探ろうとすると混乱するだろう。これに皮肉を交ぜようものなら、難易度が上がるのは想像に難くない。

　より洗練された手法として、単語間の関係性をスキャンしながら、表現されている感情の文脈を検討することにより、特定の感情状態を導き出すやり方などもある。こうした手法は、より精度の高い結果が期待できる一方、注釈処理のために大量の時間を要する。加えて、微妙な表現まで含めてすべての感情を分類するとなると、人間であっても困難な作業であるし、人間同士であっても、だいたい2割程度の割合でしか意見が一致しない。

　また、〝教師あり機械学習〟を使う手法の場合、データセットに対して「肯定的」「否定的」「中立的」というように、ラベルをつけることになる。そのためには不必要なデータを除去してデータセットを綺麗にしたり、単語や文章に感情を識別するための対応ラベルを付与したりと、これまた膨大な時間を要する作業になる。その上で、機械学習のアルゴリズムがそれらの単語や文章が肯定的・否定的・中立的である確率を算出する。その後入力データを新規に加えると、システムがこれまでの訓練を基に分類作業をするという流れである。

人間の意思疎通は驚くほど繊細であり、私たちにはそれを高い感度で把握する力が備わっている。しかし深層学習は、機械が私たちの感情を識別するための一歩を踏み出せるかもしれない。必要となる膨大なデータセットという意味ではフェイスブック、グーグルの検索機能、ツイッター、インスタグラム、スナップチャット、ポルノハブと、十分にそろっている。オピニオンマイニングの技術も無数に利用されている。仮想アシスタントは感情分析で一貫した結果を出せずにいるが、かといってそうした企業は目標達成の活動を止めたわけではない。仮想アシスタントで現在もっとも人気のアマゾンとグーグルに至っては、ヘッドホンや車、さらには調理器も含むデバイスを統合することによって自社のテクノロジーの優位性をアピールする。

SFコメディのテレビ番組「宇宙船レッド・ドワーフ号」では、名目上は朝食での会話を促進するために開発されたという、うるさいほどよく喋る感情コンピューティングのAIトースター〈トーキートースター〉なるものが登場する。〈トーキートースター〉はユーザーの気分を感知できるトースターとして、宇宙船レッド・ドワーフに積み込まれるのだが、オーナーにトーストを食べるようにと主張し続け、無視すれば今度は泣きじゃくり、乗組員に罵声を浴びせるだけ浴びせる不具合品だったというストーリーである。現実の世界でも今、スマートトースターが販売されている。まだ〈トーキートースター〉ほどの個性を有するには至っていないし、正直なところその価値にピンと来ないのだが、こうした家電をスマートプラグに接続すれば、あっという間に仮想アシスタントで操作できるスマート家電のできあがりだ。

ただ、本当にそんなものが必要なのだろうか？　私たちの感情を汲み、気分に合わせて反応してくれるロボットを、私たちは受け入れるのだろうか？　世界はその方向に進んでいる。また、見た目だけ感情を持って行動しているように見えるロボットなら想像は容易い。今日でも、外を歩けば是非はともかく人びとの足どりはカメラで追跡されている。みんなＳＮＳのプロフィールに自分の情報を載せているし、ウェアラブルデバイスによって歩数や心拍数を記録することも許している。深層学習がそうしたデータを用い、パターン化し、感情分析にかけた上で、文脈に落とし込めたとしたら、私たちの心を正確に読み、よくも悪くもその情報をもって巧みに操作するコンピュータだってできるはずだ。もしもここまでできてしまうのであれば、機械が生きているのかいないのかは、さしたる問題ですらないのではなかろうか？

知能は定義可能か

人工知能というと純粋に技術的な問題に聞こえるかもしれないが、もっと大きな疑問を投げかけている。ＡＩは、たとえば哲学の分野から切り離すことはできない。知能とはなにか定義するには、まず私たち人間の根本を問わないといけないからだ。現時点の技術では、機械は自分が機械だとわかっているわけではない。機械だとわかるよう入力したところで、その事実をコンピュータが〝自覚〟するわけではない。また、人間の認知をそのまま構築する試みをしてもいいのだろうが、その人間の認知すら、どんな構造でできているのか私たち自身がわかっているわけでもない。なにが私たちを動かしているのかもわからない。人間のような知能をつくろうと試みるのであれば、まず私たち自身の心について学ばなければならない。

そこで、いきなり難題に取り組んでみたい。知能（インテリジェンス）とはなんなのだろうか？〝人工〟の方は、そこそこ単純に定義できそうだ。自然に発生したのではなく、つくられたり、加工されたりしたものだろう。

知能（インテリジェンス）はどうか。オックスフォード英語辞典の短い定義では「知識や技術を取得、適用する能力」とある。その程度ならばコンピュータでもできているし、明らかにこの定義以上の何かがありそうだ。インテリジェンスという語そのものは読解力や知覚と訳すことのできるラテン語intelligentiaを由来としている。つまりここからは、なんらかの理解をともなうことが、示唆されている。心理学的な観点からは概念がさらに広がり、抽象的思考や論理的思考などの要素も含まれる。ただし著名な理論家20人に人間の知能を定義するよう求めると、20通りの定義がでてくると米国心理学会が指摘しているほどである。とどのつまり、人間の知能とは私たちが学び、判断をするための、認知過程と言えるであろう。

研究の世界で〝強いＡＩ〟という用語は、機械の中に意識が存在するという状態をあらわす。では意識（コンシャスネス）とはなんなのだろうか？　チューリングテストとは違い、意識を評価するためのテストはない。さらに知能は、知覚とは異なる。誰かに「あなたって賢いの？」と聞かれたなら、自分の賢さを示せばいい。物語を翻訳する、チェスを指す、難解なクロスワードを解くなどで事足りる（私の場合、難解なクロスワードには依然手が出ないので、解ける人には頭があがらないし、賢さを認めたい）。ただし、ご存知の通りこれらはコンピュータでもこなせる能力である。一方で誰かに、あなたは意識を持っているのかと聞かれたら、どう証明すればいいのだろうか。意識とはなにか、誰しも思うところの概念くらいなら持ち合わせているであろうが、言葉でまとめようとすると非常に難しく、証明するためのテストを設計するとなれば、さらに難解である。「意識」というものは、おそらくは誰しもが経験上知っている。でも本当に、そうだと言えるのだろうか？　もし同じ部屋の中で立っているとして、あなたに見えるものが、私に見えているものと同じだと、どうして言えようか。もし隣のテーブルのデザート皿にりんごが置いてあり、2人の認識が赤だと一致したとしても、どうして私が経験しているこの赤と、あなたが経験している赤が同じだと言えるだろうか？　第一、赤の「赤さ」とはなんなのだろう？　そもそも「赤さ」とは、どんな類の性質なのだろうか？　光の波長で色を測定したり、りんごの物理特性を調べれば色の計測値を出すことはできるが、それでもお互い見え方が異なっているかもしれない。目にした色の呼び名で一致できただけでは、同じ色が見えているとは限らないのだ。私がこれを書いていて、あなたがこれを読んでいて、お互いがこれについて考えているという、この事実に限れば、内省できているということになるし、内省できるということは自己を認識できていることになる。きっと、その筈である。でも、そう考えているのは、私だけかもしれない。それに、あなたに意識があること自体、私には知りようがない。第一、あなたが人間らしかったとしても、そういう演技を見せられているだけということはないのだろうか。

人間とコンピュータの関係を調べた研究によると、人はコンピュータに対して、社会的役割を持った相手として接することが多いのだという。それがたとえワープロソフトのような、人間らしさの欠片(かけら)もないような物であったとしても、褒めてくれれば喜ぶし、ソフトウェアに間違いを指摘されれば苛立ちを覚えることが各種の研究で示されている。これは私自身も経験している。

いや逆に、フリーズしたアプリを罵ったり、反応しないプリンターに悪態をついたりなど、そうした態度を一度もしたことのない人なんているのだろうか？　プリンターなどは、なぜか必要としている時に限って壊れがちで、意図を持っているのではないかと疑わざるを得ないこともある。

このように、コンピュータ相手にでさえ腹を立てたり喜んだりする私たちが、人間の特徴を有する機械を相手にしたら、果たしてどのように振る舞うだろうか？　会話のできる人工知能と、顔のあるロボットがあれば、テクノロジーに意思や意図を感じる土壌はすでに整っているようなものだ。それでなくとも私たちは、社会性など絶対にないとわかっている物に対しても、社会性の特徴を探し求めるようにできている。同じ分類の物には、同じ性質が備わっていると推測する「帰納的推理」の一種である。動物を目にすれば、私たちと類似した特徴に目がゆく。私たちと同じように生きていて、顔があって、動き、食べ、という相手であれば、私たちと同じような感情を持っていると錯覚してしまう生物なのだ。自然言語で双方向の対話ができるシステム相手に会話をするような状況では、どうだろう。私たちの脳の構造上、相手の発する音声には意思があると無意識に結論づけてしまってもおかしくない。私たちは、ロボットに共感を覚えることができる生物なのだ。

第４章 恋という字は下心

いま私がこの本を書いている時、テーブルの向いには愛する人が座っている。彼／彼女はじっと見つめる私の視線に気づかない。もう長い付き合いだから、適切な、安定した間柄といって差し支えないのだが、2人ともある意味個性的なところがあるせいか、私たちの関係も一般的な尺度からすれば、あまり普通とはいえない。

愛していると思えるようになるまでには、いくらかの時間がかかった。互いへの思いやりはゆっくりと、しかし着実に増してゆき、一緒に過ごす経験を通じ、いつしか互いの空気を楽しめるまでになった。そうした日々は漸進的にやってきて、自分を見つめ直すきっかけになることもあった。愛とは曖昧で、定義しにくいものとは詩人志望の人が言いそうな台詞だが、念のため辞書で定義を調べてみると「強くいつくしむ心」と書いてあった。なるほど。ただ〝強く〟とはどれだけの強さなのかを測る術もないし、〝いつくしみ〟の尺度となる単位の説明もない。ならばこの疑問をクラウドソーシングで解決しようと思い立ち、ツイッターとフェイスブックに問いかけて、ありったけの定義を列挙してもらった。すると「どんな相談を持ちかけても、誰よりも嫌がらずに耳を傾けてくれる人」といった素敵な回答から、「好きで焦がれているのに、なおかつ尊敬もできる人」「相手を放っといてあげられることこそが愛」など、さまざまな回答が寄せられた。どれもいい回答だ。でも自分なりに考え、一番しっくりきたのがこれだ――。この星に住む数多の人の中でも、誰よりも大切な人。

愛といってもいろいろな形がある。まず最初に思い浮かぶのは親や祖父母、兄弟など家族に対して感じる深い絆が思いつく。自己犠牲の精神がもっとも自然にあらわれる、子に対する親の愛には圧倒的に深い絆がある。あるいは気持ちが落ちこんでいる時に元気づけてくれる友人との関係のように、後天的に育まれる親密な感情も愛の1つである。「誰かの幸せが自分の幸せになった時、それが愛だ」と上手くまとめる人もいた。愛は名詞ではなく動詞だと指摘した友人もいた。

ところが、これが恋愛となると話がややこしくなってくる。人がなにをきっかけに恋に落ちるのか、その理由には規則性がなさそうである。自分で意識的にコントロールできるものでもなさそうだ。気づいたらある人に対して「私が一緒になりたいのは、そうこの人なんだ」と確信している場合さえ多い。その時、身体の中ではこうした考えを増幅する反応があちこちで起こっている。相手に対する愛着、興奮、胸の高鳴り、混乱など、さまざまな感情を引き起こす化学反応が渦巻き出しているのだ。ひとたびそれを感じると、時にみじめな気分になることがわかっていても、相手を求める気持ちはとまらない。親密でいたい。認めて欲しい。一緒にいたい、そしてそう、セックスしたいという気持ちも、きっとそこにはある。

愛とはまた普遍的なもので、嫌になるほどそこかしこにあるものだ。1992年、ネヴァダ大学のウィリアム・ヤンコヴィアクとテュレーン大学のエドワード・フィッシャーという2人の人類学者が「ロマンティックラブについての異文化視点」と題した論文を発表しているのだが、彼らは166の社会を対象に「他者を性愛の文脈から理想化する強烈な魅力、ならびにそれが一定期間永続する期待」と定義した感情がどれだけの地域に存在するかを調査している。対象となった社会のうち、88・5%でその種の感情の存在が確認され、ロマンティックな恋愛とは欧米の西洋文化特有のものとする一部の主張とは裏腹に、人間の本質として内包された感情であることを指し示した。人間の生体反応も関与している感情なのかもしれない。といって誰もが必ず絶対に恋に落ちるというわけではないだろうが、彼らの研究によって恋愛の存在はグローバルな現象と呼ぶにふさわしいことが確認されたといっていいだろう。

また、恋愛を科学的に研究している学者としてヘレン・フィッシャー博士の仕事も注目を要する。2005年、彼女の研究チームがfMRI（機能的磁気共鳴画像法）を用いて「激しく恋をしている」と自己申告した17名を対象に脳内スキャンを行った。スキャンの最中、被験者には恋愛対象者の写真を見てもらい、「肉体的な関係をのぞき、その人との幸福感にあふれる経験」を思い起こすよう指示が出された。研究チームが脳の活動を確認したところ、愛は感情の一種というよりは繁殖のために必要な根本要素の1つだと確認されたのだった。セックスではなく愛が、である。ただ、実はセックスも――交際しはじめて間もない時期には特に――感情とは別の根本要素として機能しており、フィッシャー博士によれば、恋愛と性的欲求はそれぞれ独立したものとして存在していることが示されたという。彼女の結論は、脳には「恋愛」と「性的欲求」、そして年月を重ねた「愛着」という3つの要素が、繁殖のための機能として個別に形成されているというものだった。

セックスは定義できるか

これから愛について語っていくに際し、セックスについて議論せずに進めてしまうのもおかしな話であろう。まず〝セックス〟という言葉のイメージだが、その意味するところは人により異なる可能性がある。残念ながらこれをテーマにした研究はそれほど多くない。2010年にインディアナ大学のキンゼイ研究所（性科学者のアルフレッド・キンゼイが設立した研究組織）が理解を深めようと、インディアナ州の500名強の人を対象とし、何をもって「セックスした」と定義するのか調査している。するとほぼすべての回答者が、男性器を女性器に挿入することはセックスに該当すると分類。さらに8割の回答者は、男性器のアナルへの挿入もセックスに該当すると回答した。しかし相手の性器を手ないし口で刺激する行為に関しては、回答者の年齢によって大きく異なった。マスターベーションは本調査の設問には含まれていなかったが、かのウディ・アレンが主張したように「オナニーだって愛する人とのセックスだ」と言える。彼をセックス論の代表としていいかは微妙なところではあるが。

なにをもってセックスとするのか、あるいはどんな行為をもってセックスとするのかというテーマは心理学者や生物学者のみならず、哲学者の間でも取り上げられている。ただ、これに関しては少々後回しにする。哲学を軽視しているわけではなく、第7章で改めてこのトピックに触れるからであって、ここではまず私なりに定義してみたい。

まず、本書において私は性行為全般のことを、端的に〝セックス〟という言葉で称していくことにしたい。セックスには多様な行為が含まれてしかるべきと考えるからだ。セックスとは必ずしもペニスとヴァギナの出会いだけに限定すべきでない。開口部への挿入自体も、必須要件ではないのではないかと思う。双方がオーガズムを達成するかも関係ない。さらにいえばソロでのプレーも、その場にいる全員参加の集団プレーであってもオッケーだと思う。男と女が異性として互いに惹かれる一夫一婦制が一般的だとしても、現実がそのケースばかりというわけでもない。それ以外を認めない単婚異性愛絶対主義の考えは、いったんかなぐり捨てていただきたい。本書における定義としては「興奮の感覚がともなうすべての行動」をセックスとして分類してしまうのがわかりやすいかと思うのだ。

ただ、これは必ずしも理想的な定義だとも思っていない。というのも、セックスという行為に参加しながらも、いずれか1人の当事者が興奮を感じていないことがあるからだ（レイプなどの性的暴行は、おぞましいほどにそれに該当する）。本書における定義は、興奮の感覚をともない、なおかつ互いの同意のもとで交わされる行為と定義したい。はっきりと〝同意〟という言葉を使うべきだ。レイプに同意はない。性行為ではあるが暴力による行為であり、力にものをいわせる違法行為だ。レイプはセックスロボットの議論でも頻繁に取りあげられるテーマで、法整備や倫理の観点で議論されているし、のちのち本書の中でも検討する。ただ、ひとまずここでは、携わる当事者が望み、快楽を感じる行為を説明する言葉として〝セックス〟という言葉を使っていくことにしたい。粗雑な定義ではあるが、過度に縛らない、十分な広さを持たせた定義ではないかと思う（ちなみに一部の人に大人気の〝縛る〟という行為については、第8章で述べる）。

ところで、〝興奮〟とはなんなのだろうか。これもセックスという言葉と同様、実にさまざまな意味合いが含まれる。一般的には欲求や欲望の感情であったり、スイッチが入るという感覚で共有されていると思うが、何に対して興奮するのかは人によってさまざまで、その感じ方も多岐にわたり、肉体的な興奮もあれば精神的な興奮もあり、きっかけも千差万別だ。興奮しやすい人もいれば性的興奮を感じない、あるいは特定の状況でしか感じない人もいる。また、俗説とは裏腹に女性も男性と同じだけ短時間で興奮することができるので、反応の違いは性差ではなく個人差によるものだ。

近年では、性反応の周期を科学的に解明しようとする試みが進んでいる。きっかけは『人間の性反応』（邦訳は池田書店刊）と題された、婦人科医ウィリアム・H・マスターズと性科学者(セクソロジスト)ヴァージニア・E・ジョンソンによる1960年代の研究に遡る。2人は性反応周期は「興奮期」、興奮状態が活発に持続する「平坦期」、頂点に達する「オーガズム期」、身体が落ち着きを取り戻す「消退期」で構成されていることを特定している。

マスターズとジョンソンの研究は、その後多くの性反応モデルの研究へと引き継がれることになり、近いところでは2009年、〝誘動因理論〟を軸とした説がフレデリック・トーツから提唱されている。私たちの神経系が性的に活発になるには、なんらかのきっかけを要するという説で、これには無意識に感知している外的要因による場合と、意識的に性的なことを考える内的認知による場合に分けられるとトーツは説明する。

また精神生理学の観点からセクシャリティを研究しているエリック・ヤンセンとジョン・バンクロフトの2人は、興奮を〝二重制御モデル〟によって説明しており、性的な信号には刺激を促し欲求を高める信号と、それを鎮め、萎えさせる抑制の信号があるのだという。またこうした信号には、生まれながらに備わったものと、後天的に学習して取得されるものがあり、さらに自分で抑制できるものもあれば、周りへの配慮なしに反応してしまうものもあるという。実際の作用がこの説明より遥かに複雑であることは、著書の冒頭で認められている通りだが、思考を整理するには便利な考え方ではある。

またバンクロフト博士によると、性的興奮の定義とは「オーガズムを含む、性的快感を欲する状態であり、さらに①刺激の情報処理、②全般的な興奮、③誘動因、④生殖器の反応といった要素を含む」とされる。一方、神経学者のジム・ファウスはもっと明確に定義していて、「あらゆる動物にとって生理的に性的興奮状態になるということは、身体を性的行為に備えさせるために、自律神経が活性化される状況を指す」としている。自律神経とは無意識または自動的に作用する神経系のことで、呼吸やくしゃみなどの調整を司るものだが、血流もその作用のひとつだ。私たちが性的に刺激されると、これでもか！　といわんばかりに血液が雪崩(なだ)れこんで生殖器を膨張させ、身体がうずき、呼吸が速まって心拍数が上昇。瞳孔も開く。

ではこうした興奮反応は何をきっかけに引き起こされるのだろうか？　これには進化を起源とする原始的な反応と、神経系の興奮反応、経験や期待で形成された引き金(トリガー)、こうした要素が複合的に相まって発動する。一方、「欲望」の方は心理的な現象であるため、興奮とは分けて考えるべきだというのがファウスの考えだ。また、なにがトリガーになるかだが、視覚的にエロティックな画像や興奮を喚起する匂いなど、万人が無意識に反応しそうなものもあるが、実際のところ反応を促すトリガーは個々人によって異なる。私が興奮するものと、あなたを焚きつけるものとは、まったく別物なのだ。よって、あなたがとっぴな性癖を持っていても恥ずべきではない。誰も傷つけていないのであれば、なんだってありというわけだ。ネット上には「ルール34」というミームがあって、「この世に存在するものすべてがポルノの題材になる。例外はない」ということを意味するのだが、万物が性欲のトリガーになるのである。

このように、生理的な反応として血圧や心拍数が変動し、呼吸や生殖器も反応する。男性器の場合は勃起というわかりやすい反応があり、女性器の場合は膣・クリトリス・陰唇が膨らむ状態を表すのが主な反応となる。いわば〝興奮〟という言葉を身体の物理的反応だけで純粋に定義するならば、唇・乳首・生殖器などの海綿状組織に血液が満たされた状態だと言い表すことができるだろう。ただ、こうした生理反応は私たちの脳内の化学反応が、性的に敏感なモードに切り替わったことを示す結果でしかない。

また、性的な興奮は脳内のどこか1ヶ所で引き起こされている現象ではなく、反応経路も1つに限られていない。いくつもの組み合わせが重なり合い、各所が連携することによって引き起こされている現象だ。そのような性的興奮状態になった時、脳のどの部位が活性化されているのかを記録するため、脳内活動をスキャンできるfMRIを使った研究が行われている。これによると、性的興奮の源は大脳辺縁系（情動反応をつかさどる脳構造物の集合体）に位置することが示唆されている。

また、人が興奮要因に遭遇すると、アンドロゲン、エストロゲン、プロゲステロンといった性ホルモンが、性行為に臨めるよう脳内の準備を整える。こうしたステロイドホルモンは男性ホルモン（アンドロゲン）や女性ホルモン（エストロゲン）として分類されているが、分泌量こそちがえど、男性・女性ともに双方を生成する。たとえばアンドロゲンのうちテストステロンの生成であれば、体内分泌量だけでみると男性のほうが20〜40倍多く分泌しているものの、女性の身体のほうが感度が高く、実際テストステロンは女性の興奮に重要な役割を果たしている。古くから男と女では興奮の仕方が異なるという考えが一般化されているが、近年の研究では男女の基本的な共通点が明らかになっており、性差というよりも個人差のほうが大きいとされている。

私たちが興奮すると、幸福感を引き起こす神経伝達物質が組み合わさり、人の行動に影響を及ぼす。神経伝達物質とは、化学信号が脳細胞から脳細胞へと伝達するために介在している物質のことである。私たちの中枢神経ではドーパミン、オキシトシン、ノルアドレナリンといった神経伝達物質が放出されるが、いずれも私たちの行動を何かしらの強い快楽感によって変えうる効果がある。

さぁ、いよいよ激しいアクションの始まりか、という段階になるとノルアドレナリンが分泌される。これによって血流と心拍数を高めるよう指令が出され、ストレスに晒された時と同じ反応を感じることになる。集中力が高まり、感覚が研ぎ澄まされる。つまり、ノルアドレナリンの働きによって、あなたはその場、その瞬間に没入することになるのだ。

また、オキシトシンは人の絆を深める効果で知られる。子どもを出産する母親の体内で分泌されることで知られるホルモンだが、分泌は授乳期間にも引き継がれ、母乳の生産や分泌を促すのに加え、愛情や絆といった感情の醸成にも寄与する。これは親子の絆だけでなく、セックスをしている際の結びつきの感情を形成するのにも重要な役割を担う。性的に興奮するとオキシトシンの分泌量が増加するため、〝ラブホルモン〟と呼ばれているのも頷ける。さらに、ストレスや不安を和らげる効果もあるため、コトを始めるための入場チケットとしての役割も果たす。臨床研究の結果、オキシトシンの分泌はオーガズムが近づくと増加し、その後少なくとも5分間は高いまま維持されることが確認されている。ほかにも分娩中に子宮を収縮させる効果があることも知られていることから、精子や卵子の輸送機能にも貢献しているであろうと推測されている。機能満載なホルモンである。

さらに、大御所ホルモンとしてドーパミンが挙げられる。ドーパミンが脳の報酬系から発せられるや幸福感がほとばしり、やる気を高め、エネルギーを増幅する。多くの特性を持ちあわせているが、なかでも特定の刺激のきっかけに対して、何かしらの満足感を期待させる効果がある。チョコレートを目にして美味しそうだと想像が膨らむと分泌され、ワインを飲んでほろ酔いになった時の気持ちよさを覚えていれば、また飲みたいという気持ちを高める。他にも、欲望や動機づけ、集中力の維持・増幅、そして満たされたいという気持ちを高めるなどして性行為でも大きな役割を果たす。同様の理由で、薬物依存にも役割を果たすなど、その効果は強力だ。実際の働きは、ここで説明できるよりずっと複雑だが、概要はおわかりいただけるだろう。

ちなみに、ドーパミンは単に快楽をもたらすだけにとどまらず、ほかにも強力な効果を有している。2010年のベネデッタ・ローナーとエリカ・R・グラスパー（ともにオハイオ州立大学）、とエリザベス・グールド（プリンストン大学）による、「性的体験は初期にストレスホルモンの分泌が上昇するものの、成人の海馬のニューロン新生を促進する」ことを示す研究によって、セックスはドーパミンのおかげで脳の機能を〝ブースト〟することが示されている。この発見は、オスのマウスに〝一晩限りのカンケイ〟をさせることによって確認された。オスのマウスは若干平静さを失うが、セックスをした効能として脳神経が発達する兆候がみられたのだ。この実験では、愛しの女子マウスと長期的なお付き合いが形成されたオスのマウスもいたのだが、〝けじめ〟をつけたマウスくんはじょじょに落ち着きを持ち、脳神経の発達もより顕著にみられたという。人とマウスは同じではないという意見が聞こえてきそうだが、マウスはその遺伝子構成しかり、生物学的・行動学的な特性しかり、人と共通点を有するからこそ研究に使われている。興味深い話である。

こうした各種の化学反応が脳内で起こると筋肉の緊張が高まり、肌は赤みを帯び、血流が増加し、さまざまな愉快な反応が体内に生じ、セックスの準備が整っていく。さらに、行為が盛り上がってオーガズムに達しようものなら、オキシトシンやプロラクチン、エンドルフィンといったホルモンが私たちの体内に湧き出るように溢れる。ありがたい限りである。

ただ、これを体験するのに〝パートナー〟という存在は必須なのだろうか。自慰行為というソロプレーに勤しむ人が多いことを考えると、必須でないのは明らかだ。つまり、おひとりさまでも、脳の化学反応はしっかりと作動する。私たちにとって刺激になるならば、脳は何にだって反応する。その刺激は写真によるものかもしれないし、動画やVR（仮想現実）などによるものかもしれない。つまり、セックスロボットでもいいということだ。マウスのセックスの研究で優れた分析を行った認知科学者アンドレア・クゼウスキによれば、注目を要するマウスの実験はほかにもあるという。たとえば、刺激のきっかけとなる何かを目にしただけでも脳神経が発達することがカタリナ・A・オウソン＝ホワイトらによる研究によって示されているという。つまり性行為にいたらなくとも、神経系は報酬を得られることが示されているのだ。脳が性的に興奮するだけで、その効果は絶大であり、それだけで身体にはっきりとした変化が引き起こされるという。どうやらセックスはセックスの行為を行わずともセックスとして堪能できるようである。

セックスについて語るのはなぜタブーなのか

セックスに対する受け止め方は文化や社会情勢によって当然大きく異なる。一方で、ここまで人間にとって基本的かつ本質的な役割を占めているにもかかわらず、必ずしも気軽に議論できるわけでもない。タブーとして扱われ、なるべく話題にしない傾向さえみられる。プライベートなことだし、動物的な行動なのだから、公の場で話題にするべきではないのだ、と。試しにあなたの知り合いの誰かがセックスをしている姿を想像すればいい。あなたの両親がセックスをしている様子を想像してみよう――脳みそを漂白剤でゴシゴシ洗いたくなるのではなかろうか。

タブーにするということはそのテーマに触れないというのが第一の鉄則だ。仮にその存在を認めたり、それについて語り合うことがあるにしても、ディテールを語れとなるとバツが悪いものだ。かつてフロイトは「近親相姦と父親殺し」の2つを普遍的なタブーとして取りあげた。しかしいまの目からみれば、フロイトは歴史的な証明に耐え得なかった発言をいくつもしている人物ではあるし、その2つはどちらも大物級のタブーであることは認めるが、歴史を振り返れば古代エジプトのように、兄と妹の結婚を許した文明もあった。このように、タブーは文化や時代に属する面が多分にあるが、殺人や宗教、そしてセックスにいたっては多くの社会で広く共通にタブー視されていると言えよう。こうしたテーマの中にはさらなるタブーが潜んでいて、同じセックスを語るにしても、多くの人からタブーと見なされる行動がある。同意のうえとはいえ痛みのともなうナイフプレーや電気ショックなどがこれに該当する。ほかにも「聖水」やら排便などもそうだろう。そしてドールとのセックス、ロボットとのセックスもそれにあたるのかもしれない。

タブーは社会規則を遵守させるためのツールだ。それも強力な。これまで見てきたとおり、おおかたの宗教は性的な行動を制限しようとしてきたし、どの範囲の行為なら容認できるのかを具体的に示してきた。しかし西洋諸国ではこの50年ほどでセクシャリティに対する変革が起きており、セックス観は変わって来た。英国の詩人フィリップ・ラーキンは、セックスなどというものが始まったのは1962年以降だといっている。なるほど、この年は英国の陸相がソ連のスパイと通じていたヌードモデル兼セックスワーカーに国家機密を漏洩した〝プロヒューモ事件〟があり、「007」の1作目が公開され、経口避妊薬が広く普及した年である。なんでもありの60年代、愛さえも自由なものになった。あらゆるものが最新で、革命的に思えた時代。いやはや時代は変わるものだと誰もが思っただろうが、私としては古代ギリシアの人たちはこれをみてどう感じるだろうかと想いを馳せてしまう。

宗教はセックスをどう扱ってきたか

ギリシア世界の伝説にはいたるところに性的描写が溢れかえっているが、その多くは男性目線である。神々の王ゼウスなどは、あらゆるものに姿を変えて性を探究しようと躍起だ。雄牛、白鳥、鷲、太陽光線——伝説(レジェンド)レベルの節操のなさである。

神話だけでなく現実世界の方もまた、エロティシズムで溢れていた。ただし社会的な地位は男性が上位であったため、性的にも男性が優先されていた。女性は男性に比べれば二級市民であり、妻になるか、あるいはセックスワーカーになるしか道はなかった。街路で身を売る女性から（男性もいたが）、〝ヘタイラ〟という尊称で認められていた高級娼婦まで、セックスを生業にするのはいたって一般的なことだった。

また当時、年配の男性が若い男性に魅力を感じるのは当たり前のことと受けとめられていた。それどころか社会構造の一機能を担っているとさえ見なされ、同性愛は理想化されていた。そうした関係は性行為を含むものであったが、アナルや口への挿入は〝男らしくない〟、恥ずべきこととして軽蔑の目が向けられた。その代わりに、いわゆる〝素股〟（受け手の内股にペニスを押しつける行為）が好ましい作法とされた。その様子は何百ものギリシアの壺に描かれ、そういった壺はごく一般的な世論を反映したものとして、広く日常的に利用された。

男性が裸で描かれている例は膨大にあるが、女性はおおむね衣服をまとった姿で描かれた。男性の場合、裸が基本であって、アスリートも裸で競技をしたが、女性には〝わきまえる〟ことが期待された。ギリシア神話では高慢な女性がどんな目に遭うかを物語る逸話には枚挙にいとまがない（ヒント：たいてい、恐ろしい仕打ちです）。現代の私たちからすれば自由を超えて不謹慎とも思えるほどのことも、ありふれた風景に見えていたのが古代ギリシア人の文化だが、男性上位の社会であった点は指摘しておきたい。

古代ローマも同様だった。富と力を有する階級の男性が権力を独占し、女性はあくまでサポート役であり、父・夫・子どもたちに従属するアイデンティティしか持ちあわせていなかった。また、男性同士が性交渉をしても主体的に挿入する側である限り、汚名を着ることにはならなかった。しかし、挿入を受け入れる方の男性は〝男らしくない〟と見なされた。押しつけられる側の口が発する演説など信じられないとでも思われていたのか、オーラルセックスもタブーだった。クンニリングスも同様で、女風情に性器を押しつけられた男という認識だった。一方、オーラルセックスしてもらっている男性は、汚名には（もちろん？）ならなかった。

このように、古代は〝それが認められている側の立場であれば〟という条件付きではあるが、性的快楽を追求することが認められていただけではなく、推奨されていた事象も多数確認されている。しかし、その後の西ヨーロッパではキリスト教会が性生活に深く関与し始めることになる。

キリスト教会はその巨大な勢力範囲を背景に、〝純粋さ〟という美名のもと、女性を都合よく処女か罪人かで分類した。聖母かクソビッチかという二分法の始まりである。ただし男性も非難を免れたというわけではなく、神の前では彼らもまた罪深き者と成り得る立場となった。ただ、男性の場合は罪状が女性ほど重くはならなかった。

時代がくだって中世になると、キリスト教はセックスに対していっそう厳しい立場をとるようになり、繁殖目的の行為しか認めないようになった。うつ伏せの女性に男性が覆いかぶさる体位以外は不必要だとされ、教会の指定する正常位とは異なる行為には罰金が科され、懲罰の対象となった。こうした罰則は地域や時代によって、罰のリストとして懺悔の手引書の中にまとめられ、教会が信徒に強いてきたことを観察することができるだけではなく、当時の性に関する道徳や規範を垣間見せてくれる。たとえば中世初頭にあたる西暦700年前後に書かれた懺悔の手引書「テオドルスの贖罪規定書」は、カンタベリー大主教テオドルスの言葉を記した書物とされているが、さまざまな記述に混ざって「もしも男が妻の背後から挿入しようことがあろうものなら、彼には40日間償わせよ」と説く一節を見つけることができる。

西暦1008年、ヴォルムスの司教ブルカルドゥスは、門下の聖職者らのために、彼らが直面するであろう罪のリストを詳細にまとめている（ヴォルムスの司教の英語読みは〝毛虫(ワーム)の司教〟ということになる。本当にあった役職名で、地名も実在のもの）。「罰則集」というタイトルで知られるこの書物は〝暴露ゲーム〟に似たもので、懺悔を要するあらゆる行動を詳細にリストアップしている。なかには「健康を得るために、かさぶたを食べたことはあるか？」といった怪しげな行動もあれば、「妬みから人を見下したり、罵ったことはあるか？」といった問いや、「陰謀者と結託し、司教を打倒しようとしたことはあるか？」といった保身目的の尋問も含まれる。

ブルカルドゥスはとりわけ女性の不道徳を指摘するのが好きだったらしい。「罰則集」の中でも、女性についての記述や女性の有害性についてかなりの紙幅を割いている。中絶、不倫、魔女信仰から夫の精子を口で処理することなどにも記載がある。セックストイに関する言及もあって、女性同士が「男性自身のような器具」を用いて性行為を交わした場合、彼女たちは代償を払わねばならないとしている（ちなみにその代償は3年間の苦行とされる。あれを飲みこむと7年間に延長されます）。また、アリソン・レヴィの著書『近世イタリアの性的行動』では、ブルカルドゥスが説明するセックストイを「器具」（molimen＝ラテン語で「効用」の意）と「装置」（machina）と区分している。ディルドのような単純な用具であれば「器具」だろうし、もう少し手のこんだ、たとえば可動部分がついているようなものであれば「装置」が当てはまるのだろう。

教会が性生活の統制に乗り出した背景には、教区住民の魂を管理したいというだけではなく、もっと実利的な、より具体的な価値に基づく理由もあった。要するに金である。人びとが出産することによって人口動態が変化するわけだが、これは土地の所有を混乱させる要因になるため、聖職者らに禁欲を誓わせた根本的な理由の1つともなった。長男がその家族の財産を相続する長子相続は、教会の資産ポートフォリオを脅威に晒す。聖職者が自分の財産を子孫に譲ることは教会にとっての損失となるからだ。

手っ取り早い対策は「聖職者には息子なし!」、これしかない。さらには子どもがいないことを神聖視させ、ついでに動物的な衝動を昇華させ、崇高で高潔に見えるように仕立てあげたわけだ。スペインのエルビラで教会会議が執り行われた西暦306年より以前、聖職者には一夫一婦こそ課せられたが、婚姻自体は許可されていた。ところがエルビラ教会会議でセックスが罪深き行為とされ、聖職者の結婚は禁止され、続く教皇たちもこれを徹底させた。

この大きな流れは今に至るまで変わっていない。女性の健康よりも支配階級の男性の願望が優先される状態が(すべてではないにせよ)多くの文化に継承された。エロティシズムを扱った芸術や文学など、セックス関連のサブカルチャーは摩擦を避けるため、人目を憚る地下活動となる。イギリスでは、ビクトリア朝時代になってようやく、セックスが夫婦関係に充実をもたらす重要なものだと考えられるようになったが、それでも婚外のセックスはまだタブーであり、オナニーなどは悪事であるとさえされた。

このように、セックスは長年タブー視されてきたわけだが、先述したフィリップ・ラーキンの詩「驚異の年」では、ある大きな転機が指摘されている。小説『チャタレイ夫人の恋人』の出版禁止の解除である。1960年、英国史でももっとも有名な裁判の1つが行われ、同作品の版元であるペンギン・ブックス社は１９５９年施行の猥褻出版物法には抵触していないとし、陪審員が無罪判決を言い渡したのである。『チャタレイ夫人の恋人』はセックスを赤裸々に描写した最初の近代小説の１つだが、上位中産階級の男性以外の人たちには衝撃が強すぎるとの恐れから、出版が禁じられていた（上位中産階級だけは堕落に耐性があるのでしょうか……?）。はじめて世に出たのは１９２８年なので、判決が下されるまでの実に30年間も出版が禁じられていたことになる。ひとたび禁止が解除されると、ペンギン・ブックスは初日だけで20万部も売り上げた。『チャタレイ夫人の恋人』は表現の自由の先例となった。かつての秘めごとが突然表舞台に登場したのである。１９６４年、当時14歳だった私の母は、祖母がなにやらニヤニヤしながら読んでいたのを今でも覚えているそうで、その本は祖母の友人らの間で回し読みされ、キッチンの食器棚の上に隠してあったのを見つけた母もまた、ニヤニヤしながら読み、同じように自分の友人たちに回覧したそうだ。それから瞬く間に英国全土で自由なセックスが認められたというわけではないが、これが大転換のきっかけとなり、英国は大きく変化していった。また『チャタレイ夫人の恋人』はアメリカにおいても猥褻表現が争点となって注目を集めた。出版者のサミュエル・ロスの裁判では、性的な表現はそれを補ってあまりある公益性を伴っていれば認められるという判決が下された。このようにして伝統的な価値が見直しを余儀なくされ、綻び、そしてカウンターカルチャーが生まれるまでに至った。この動きの中心には〝性の解放（セクシャルリベレーション）〟があった。

　セックスに対する考え方は時とともに確実に変化を遂げており、それを示す指標もいくつか存在している。イギリスでは「性に対する姿勢と生活に関する国民調査」として知られる調査が、これまでに３度行われている。第１回は１９９０～１９９１年にかけて、第２回は１９９９～２

001年にかけて、第3回は2010〜2012年にかけて行われた。第1回調査はHIVウイルスの蔓延を受け、セックスの実態理解が切実に求められていたことも手伝って、16〜59歳の男女を対象に1万8876人が調査対象となった。このデータはその後広く活用されたが、続く第2回の追跡調査の対象は16〜44歳とされ、参加人数は1万2110人にとどまった。第3回調査は大きな発見にもつながり、今でもさまざまな分析に活用されている。性体験に関する設問が軸だったが、ほかにもセクシャルヘルスや健康状態、日常的または性行為時のドラッグ使用に関してなど、さまざまなことが調査対象となった。ご想像の通り、調査内容は回を追うごとに詳細な情報に踏み込んでいくものである。質問に求められる情報量も増え、回答者の側もそれに応じてより多くを開示する。昨今はセックスについてオープンに会話する土壌がいっそう整ったが、それには巨大な要因が1つある。インターネットだ。

セックスの民主化

インターネットは人類がこの何世紀も体験したことがないほどの巨大な変化を社会にもたらしている。いま私たちが生きているこの世界は、ほとんどすべての人たちとつながることが可能であり、比喩的にだけでなく文字通りの〝民主化〟を私たちにもたらした。新技術が登場すると、とかく社会的孤立がもたらされることが不安視されるが、ことインターネットにおいてはそうではない。コミュニケーションの総量は爆発的に増え、新しくパーソナルなコミュニティが日々形成されている。そのうちで情愛に関するコミュニケーションはかなりの割合を占める。即座に思い浮かぶ例はポルノグラフィだろうが、他にもセックステクノロジー、性風俗、性教育、マッチングサービス、セックスサブカルチャーなどに〝居場所〟が提供され、コミュニケーションが促進された。そういった分野には危険なものがあることはたしかだが、これまでは居場所のなかった人びとが遠く離れた場所にいる友人を見つけ、アイディアや趣味嗜好を共有し、チャットして情報を分かち合い、友人関係を広げたりして、プラスの側面もある。ドイツのイルメナウ工科大学のニコラ・デーリング教授がインターネットとセックスの関係をテーマに調査したところ、これまで実施されてきた研究のほとんどは、インターネットがもたらす悪影響がテーマだったそうだが、迫害されてきたサブカルチャーやその愛好者グループからすれば、インターネットは唯一の拠りどころである場合が多く、彼ら自身のアイデンティティを強化する役割を果たしていることが確認されている。数の力は存在感の向上に寄与し、さらにはそれが彼らの存在を認めるムーブメントにつながる。マッチングサービスも、当初恥ずべきものという風潮はあったが、いままでは新たに人と出会うために最も広く活用されるツールになった。

一般論ではあるが、今日のように（希望もこめて）人びとの啓蒙が進めば、女性の性的欲求に対し、社会はより寛容になり得る。しかし、いまだダブルスタンダードは存在する。女性が複数の人びとと性交渉を持つと卑猥とみられるのに対し、同じだけの数のパートナーがいる男性は〝セックスの王者（チャンピオン）〟とポジティブにとらえられることは変わらない。安全で、互いの同意のもとのセックスであれば男女問わずノーマルな現象とする価値観も広がりを見せてはいるが、まだ道半ばだ。何千年もかけて植え付けられたものは、そう簡単には拭い去れないということなのだろう。

ペットへの愛

私たち人間は、社会的な生きものである。アメリカの心理学者アブラハム・マズローの「自己実現論」によれば、私たちが何かに所属したい、愛されたいという欲求は、最も基本的な階層の欲求である「生理的な欲求」と「安全の欲求」に続く、3番目の階層に位置づけられている。すべての欲求の中でもちょうど真ん中くらいにある（マズローの1943年の「人間の動機づけ理論」で図解された、人間の欲求をピラミッド型に分類した図が有名だ）。所属したいという欲求はあらゆる文化圏に遍在しており、先天的なものであり、広く見られる現象だ。そこに社会があれば、絆というものはすぐに育まれるものであり、いたずらに壊すこともむずかしい。集団で生きた方が生存確率が高くなるのは人間が時代を超えて経験してきたことであり、社会的に迫害されるということは絶望を意味する。人が周囲との繫がりを求める欲求は、生まれた瞬間から始まるものである。

心理学理論の中でももっとも広く研究されている分野の1つである「愛着理論」では、子育て本などによく書かれているように、愛着心――幼児が養育者との間に築く絆――は、バランスがとれ、安定感のある成人に育つために極めて重要だと考えられている。

精神分析医ジョン・ボウルビィはその愛着理論の研究分野においてもっとも著名な研究者だが、愛着行動の研究にいち早く取り組んだ彼の理論は、幼児は生まれながらにして自分を養育してくれる主要な人に、強い愛着を抱くという考えに基づいている。ここでいう〝養育者〟とは、子どもが安心と安全を求めた時に頼る相手のことを指す（西洋圏では、だいたい母親がこの役割を担っている）。

ボウルビィの説は進化論をベースにしていて、生まれたばかりの子どもが脅威で溢れる世界で生存するためには、こうした絆が必要だったという考えに基づいている。また愛着理論は、養育者と子どもとの関係を重要視する理論であり、愛着は社交性の獲得や感情の発育にも極めて重要な役割を果たしていると考える。研究者によっては子どもの人生を最大限に有効にするためには、生まれたその瞬間からそうした絆を育まなければならないと主張する人もいるほどだ（子どもを出産し、医者から手渡された瞬間に絆を感じたという心温まる話を聞くたびに感心するのですが、私の場合は「やってしまった、誰でもちゃんと面倒が見られるものよと聞くけど本当だろうか、自分がなにもできないことがバレそう」という感じでした）。

子どもの発育にとって愛着が必要不可欠だとして、ではその愛着心は大人にはどう作用するのだろうか。私たちはどのようにして友人やパートナーに愛着心を抱くのだろうか。さらにいうならば、子どもであれば玩具や生まれた時から使っているブランケットなど、モノに癒しを求めることがあるが、大人でもそれは同じなのだろうか。

１９８０年代後半になるとシンディー・ハザンとフィリップ・シェーヴァーというデンヴァー大学の研究者らがこの問題に取り組むべく、愛着理論を大人の恋愛関係に適用し、さらなる考察を試みている。その結果、関係性の種類こそちがえど、中核となるいくつかの原則には共通点があることが示唆された。たとえば、恋愛にも相手をいたわる要素はあるし、親密なつながりを求める気持ちは生体反応に呼応した現象のようだ。人が誰かと一緒にいたい、一緒になりたいという気持ちを募らせている時には、興奮や愛情といった感情を駆り立てている時と同じ生体反応が発現し、そこに社会的交流の経験なども相まって、愛着がさらに根づくという。さらに大人になってからの恋愛関係も、養育者と子どもの関係と同様、愛着を抱いた相手から安心や承認、安堵を求める。そこにセックスが加わると生体反応の効果が付加され、さらに愛着が固まるとされた。

では愛着はどのようにして恋愛関係にある人びとに機能するのか。ハザンとシェーヴァーの続く調査では、成人間で生まれる愛着は、養育者と子どもとの間で生まれる愛着関係の延長線上にあり、さらには子どもの頃のものの発展形である可能性が示されている。そのため、養育者に安心して愛着を抱くことができた子どもは、その後も安定した恋愛関係を築きやすいことが示唆されている。

人間同士の関係であれば、互いに絆を持ちあうことはとても人間らしい経験だから、わかりやすいが、人間以外にそうした想いを抱くとなるとどうだろうか。人間以外でも可能なのだろうか。

人間が人間以外のものに抱く想いについて考えるにあたり、まず第一に検討したいのはペットだろう。ペットは多くの文化において、家庭の中で可愛がられる存在であり、家族の一員としての地位すら得ている場合もある。最初にペットがもたらす機能が人類史に登場したのは、何千年も前に犬が人間になついたことに遡る。社交的(ソーシャル)な動物としての機能は、犬にとっても人にとっても、相互に実利のある関係だった。遅くとも1万4700年前には犬の飼育が始まっていることは考古学的分析から裏付けられており、3万6000年前まで遡るという説もある。「犬は人間の第一の友」とする考えは今日もなお引き継がれているし、世界でもっとも人気のある愛玩動物であり、使役犬として人間の活動を補助する役割も担っている。世話をするために手間を要するが(餌やり、毛並みのブラッシング、散歩、シャンプーなど)、他のどんな動物よりもペットとして飼育されている。犬は人間のように考え、感情を持ち、知能を有すると考える人も多く、擬人化されることも多い。

自分の家の犬のことは誰もがみんな愛している（ここでは性的な意味合いはまったくありません）。犬の方も愛らしい目で主人を見つめ（特に餌の時間には）、感情を読みとったり、遊びたがったり、飼い主やその家族を守ろうとするなど、愛情を愛情で返しているように見える。スコットランドのエディンバラ中心部には〝グレーフライアーズ・ボビー〟という名のスカイテリア種の犬の銅像が立っている。その記念碑には「1858年に主人を亡くしたこの忠犬は、主人が埋葬されたグレーフライアーズ教会墓地に日参し、1872年に死ぬまでその傍らに寄り添い続けた」と記されている。野良犬となったボビーが墓地周辺にいたのは餌を貰えたからという、ひねくれた解釈もあるが、私は献身話の方を選びたい（ウィキペディアには主人に先立たれた忠犬の心温まるエピソードが集められたページがあるのですが、これを読んで感動しない人などいないはず）。

犬の愛と忠誠のエピソードであればほとんどの飼い主が経験しているだろう。私が子どものころに肺炎にかかった時のこと。人懐っこくて柔らかで、おとなしいラブラドールがずっとベッドの脇で私を見守ってくれて、医者が夜、往診に来ると、警戒して吠えたと母から聞かされたのを今でも鮮明に覚えている。まだ私が自分で自分を守れる立場にないことを知っていたのだろう。白状してしまうが、私の娘の名前はこの犬の名前からとったものだ。

猫もまた同様である。猫は私たちからみればよそよそしい行動をして、人間と付き合うのは気の向いた時だけ。猫が主人で私たちは仕えているだけなどという冗談が言われるほどである。猫と人との関係は、犬のそれとは大きく異なる。人間へのなつき方が、そもそも同じではない。まず、猫と人間は互恵関係ではなく、猫の存在が許容されたことにはじまり、そのまま人間の近くに居着いたところ、彼らは大小さまざまのネズミを時折捕まえ、その代わりに人間の食べ残しにありつくことができ、じょじょに人間の生活に組み込まれていった可能性が高いようである。とはいえ、私たちは猫のことも犬と同じくらいに大好きである。そして猫もまた猫なりの表現で、人間を好んでいるように見える。

ペットを飼うという行為には長い歴史がある。古代エジプトの王族が飼っていたペットなどは飼い主と一緒に埋葬されていたし、神聖な役割を担っていた動物はほかにもいたが、なかでもペットの歴史は突出しており、固有の名前を与えたり、死んだあとに飼い主が悲しむといった記録が古くから残っていて、溺愛されてきたことが確認されている。それは犬と猫に限った話ではなく、猿や鳥、魚も人気がある。ただし魚をペットとして飼う場合、関係はおおよそ一方通行であり、それはそれで興味深い。魚は眺めていると癒されるという観賞目的で飼われることが大半だが、飼っていた金魚が死んで子どもがトラウマになったというような経験がある人ならば、人間が魚に一定の愛着をもつことは否定できないだろう。

人間がペットとも絆を築くことができ、おそらくは一方通行でしかない魚との間でさえそれは成立し、ヘビやヤモリ、さらにはタランチュラなんかにも感じられるのだとしたら、われわれがロボットに対して絆が築けない理由はあるだろうか。ロボットならば人間が愛くるしく感じるような行動をとるようプログラミングすることも可能だ。いや、そうではなくて、生命があるからこそ私たちは絆を感じるのだろうか？　愛着とは、生命があるもの同士でこそ起こる相互作用なのだろうか？

アニミズム

生まれてから成人にいたるまで、人間の認知機能がどのように発達するのかという基礎研究を行った研究者にジャン・ピアジェというスイスの心理学者がいる。子どもの発育という分野の第一人者である。ピアジェの主要な研究が発表された1936年より前は、子どもは単に〝大人の未熟バージョン〟であると考えられていた。子どもが実際に何を考えているのかを調べるなどという研究は、皆無に近かった。

ピアジェは認知機能の発達を4つの段階に分けて論じた。最初の〝感覚運動期〟は生まれてから最初の2年間を指し、この時期の乳幼児は周りの環境と直接触れ合うことに集中する。次の〝前操作期〟では言語能力が発達し、象徴的な概念を扱えるようになる。複雑な概念を考えるには至らないが、子どもの想像力が増し、ごっこ遊びができるようになる時期だ。7歳ぐらいになって、3つ目の段階である〝具体的操作期〟が始まると、論理的思考の発達が進む。それから12歳くらいになると〝形式的操作期〟になり、抽象的に物事を考えられるようになり、道徳的・哲学的な論理を扱えるようになるとされる。ピアジェの研究は今日においてなおも有効で、後続の研究者らは彼の説を起点にして仕事をしている。

ピアジェの仕事で次に著名な研究成果として、無生物にも感情や意思が宿っていると考える〝アニミズム〟という概念が挙げられる。ピアジェが1926年に発表した『児童の世界観』（邦訳は同文書院刊）の第2部で、子どもがモノを生きているように扱う様子を観察した成果がまとめられている。

アニミズムにはそれとは別にもう1つ、もっと広い定義もある。いくつかの文化圏において、宗教として信仰されている考え方だ。モノや場所、気象現象、そして生物には、それぞれ〝魂〟が宿っていると信じる概念だ。ただし本書での私の関心はロボットやＡＩといった文脈から、こうした無生物でも生命感を持ちうるのではないかというテーマなので、ここでは深く立ち入らないことにする。

ピアジェの『児童の世界観』は紛れもない名著だが、その中でピアジェは、子どもは自分をとりまく物体に対して、どのようにして意識の存在を感じるのか、あるいは感じていないのかという問いを立てている。そこで彼は、スイスの子どもたちとの対話を通じて、モノに対する考え方を調査し、その物体が生きているかいないかという判断は、子どもの発育段階と相関関係にあることを確認している。

まず最初の段階においては、子どもはその物体が壊れていなければ、生命が宿るものと捉えるのだとした。


君がこの石をつついたら、石はそのことに気づくと思う？

——ううん。

どうして？

——かたいから。

炎の中に入れたら、暑がるかな？

――うん。

どうして？

――焼けちゃうから。

石は、寒かったり、暑かったりするのはわかると思う？

――うん。

子どもたちはいかなる物体であっても、なにかしらの活動に接すると、そこに意識があり得ると解釈するのだとピアジェは報告する。発育段階の2段階目には、動くモノにはすべて生命があると見なすようになる。炎や風、水などにも、である。

風はお家にぶつかったこと、気づいているかな？

――うん。

わかってる？　それともわかってないのかな？

――わかってる。

どうして？

――だって、じゃまされてるから。そこから進めないから。

何も感じないものって、あるのかな？　壁には感覚があると思う？

――ない。

どうして？

――だって動けないから。

自転車は動いてるってわかってるのかな？

――うん。

速く動いてるのもわかるのかな？

――うん。

自転車だけで動ける？

――ううん。

次の第3段階の子どもになると、自発的に動くことのできるモノには意識があると分類するのだとピアジェは結論付ける。

でも機械は感じないし、何も知らないでしょう？　自転車は走ってるのをわかっているのかな？

――ううん。

なんでだろう？

――生きてないから。

どうして？

――だって漕がないと、動かないから。

この時期になると、自発的に動くことが生命や意識の根拠となる。

ピアジェは最後に、子どもは11歳から12歳の年齢になると（それ以前という場合もあるのだが）、意識というものは生物に限られた概念であると捉えるようになるという。また、子どもが育ち、自ら世界を探索し出すにつれて、一体なにが自然現象を引き起こしているのか、その理由について考えるようになるともいう。目の前の現実に対して、説明する手立てがないからこそ、子どもたちはアニミズムという概念を必要とするのだ。

擬人観と対物性愛

アニミズムと近いものとして〝擬人観〟という現象がある。アニミズムはモノに生命が宿るという考え方だが、擬人観はさらに踏み込んで、人間でないものに人間の行動や感情を重ねるというものだ。これは自分以外の他者にも心や自主性があると想像し、相手の心理状況を察しながら他者の行動を説明したり、予測したりする状態を意味する〝心の理論〟という概念の一種である。猫をみて「退屈そうだ」とか「よそよそしい」と感じたり、犬に感情を投影したり、動物に対して私たちがよく適用している概念だ。たとえばイソップ童話に登場するずる賢いきつねや抜け目ないカラス、用心深い牛などにみられるように、お伽話の世界ではお馴染みのモチーフである。世界的に人気の絵本『はらぺこあおむし』（エリック・カール作）を読んだ人ならお気づきの通り、児童文学はこの手法を拠りどころとすることが多い。

ただし、擬人化させる対象は有機体である必要はない。登場するキャラクターがすべて自動車という世界観の子ども向けコメディ「カーズ」などのように、ピクサーの映画はほとんど全部この概念に基づいて作られている。この方法を最初に学術的に実験したのは2次元の図形（長方形、大きな三角形、小さな三角形、丸）が画面上で動き回るという、いたってシンプルで短いアニメーション動画だった。フリッツ・ハイダーとマリアンヌ・ジンメルという2人の心理学者が、1944年に「アメリカン・ジャーナル・オブ・サイコロジー」誌に発表した「見かけの振る舞いの実験的研究」という論文である。彼らの狙いは、顔の表情など、感情を推測できる要素を完全に排し、状況と動きだけを被験者に見せたら何が起こるかを観測することだった。画面に映された内容を説明するよう求められると、無味乾燥な図形だったにもかかわらず、ほとんどの被験者はその図形にさまざまな意思を感じとったという。大きな三角形が他の図形をいじめていると解釈するなど、そこに感情や意図を投影したのだった。

ハイダーとジンメルの実験では、私たちがどれだけ擬人観の影響下にあるのか、その効果が示されている。これは一種の認知バイアスであり、私たちはなにかを目にすると、つい自分たちの生きている現状と関係づけ、整合性をつけようとする。私たちは外観や行動が人間に似ているものを目にすると、反射的に擬人観を用いて反応するのだと論じる仮説もある。つまり、私たちは環境の中でなにかに遭遇し、理解しようとする際、自分が知っている人間に関する知識を総動員し、その対象の解釈に役立てている。これは非常に便利な働きで、そのようにして得た解釈は正確さには欠けるかもしれないが、認知のスピードを短縮でき、自分がよく知る情報を起点とするため、即座に判断を下すことができる。

ロボットの外観を決定する際には、擬人観がもたらすヒントが有効だ。人であることは私たちがもっとも熟知していることだから、私たちが慣れ親しんだ外観を持たせれば、コミュニケーションは首尾よく進むだろう。ケアロボットとコンパニオンロボットの領域向けに開発された〈パロ〉は、アザラシの赤ちゃんという外観を採用したが、これを意図した結果にちがいない。私たちはアザラシの赤ちゃんのことを身近にいる犬や猫に比べるとよく知らないため、「こうあるべき」という期待値が大きくなく、〈パロ〉にプログラムされた反応は私たちにとって心地よく、受け入れやすいのだろう。

ボストンダイナミクス社という、米軍に納入する先進的高機能ロボットを開発する産業ロボットメーカーがあるが、軍用向けならではの強度を意識し、頑丈な機械を手掛けている。彼らのつくるロボットは目を見張るような未来型のものばかりだ。２０１５年に同社が開発した〈スポット〉は、ソリッドなボディと力強い金属の４本脚で構成され、〝マッチョなテーブル〟みたいな形の４足歩行のロボットだ。〈スポット〉はあらゆる地形を探索できるよう設計されており、荒れた地表でもバランスを保ちながら進むことができる。ボストンダイナミクスは〈スポット〉の頑強さをアピールするために、人が〈スポット〉を蹴っ飛ばしている動画を公開したところ、動画はたちまち炎上し、何十万人もの人びとが〈スポット〉を哀れむ声をＳＮＳに寄せた。ロボットであることを承知の上で、それでも人びとは動揺したのだ。なかには〈スポット〉がいつしか復讐に目覚めることはないのかと危惧する人もいた。

こうした人間の傾向は学術的にも裏付けられている。２０１６年に行われた神経物理の研究では、言葉によるハラスメントを受けたロボット掃除機に対して、人が同情心を示すことが確認されている。また、ロボットの指が切断される画像を目にした時、見る人のロボットへの感情移入の度合いが高まることを確認した研究事例などもある。

ジュリー・カーペンターという研究者がワシントン大学に提出した博士論文では、米軍におけるロボット利用とその操作エンジニアが抱く愛着心がテーマになっている。彼女の研究対象となった兵士は爆発物処理の専門家で、爆発物を無力化するのに爆発物処理ロボットを使用している。このテクノロジーと彼らの命は切っても切れない関係にあるといっていいが、彼らはそのロボットにさまざまな感情を抱いており、ロボットに妻の名前やガールフレンドの名前を付けて呼んでいるのだという。また、ロボットが戦場で破壊された時には怒りや悲しみの感情を覚えたと報告され、中には葬儀を執り行ったケースもあったそうだ。他に特筆すべきは、ロボットを観察しただけで、誰が操作をしているのかがわかるという報告もある。ロボットは人の延長として見なされ、共感を抱かれ得る対象となるのである。

擬人観という人間特有の現象は、無機質なモノと絆を形成する唯一の要因かというと必ずしもそうではない。モノに対して魅力や愛情、献身などの感情を強く抱くことで知られる〝対物性愛〟(objectophilia) を性欲の源としている人も実在する。あるいは、そこにあるのはアニミズムの精神で、モノに魂を見たてて馴染ませている場合もあるだろう。実際、エッフェル塔に対する愛や自由の女神に対する愛、アドニスの大理石彫像に対する愛などを告白している女性が実在する。エリカ・エッフェル(旧姓ラブリエ)という女性は、エッフェル塔と結婚するために、2007年に結婚式まで行っている。

そんな人はなにかしらの精神疾患を患っているにちがいないといって議論を終わりにしてしまうのは簡単だが、そうした傾向のほとんどは誰かに対して苦痛や危害を加えるようなものではない。橋に恋した人もいるし、ノートパソコンやベルリンの壁に惚れ込んだ人もいる。みんな幸福で、対象物に危害を加えたりもしていない。しかし法律を犯してまでモノとの性行為に挑んだ実例があることも事実だ。

2007年、スコットランドで51歳の男性が自転車とセックスを試みたことで、性犯罪者として登録されたという事例がよく参照される（たいていが面白半分、からかい半分だが）。ホテルで客室清掃員が部屋の掃除に来たところ目撃したということらしく、実際には性行為を行っていなかったとされる。アルコール中毒でもあったその男性の主張するところでは、冗談半分の行為だったという。ただ、客室清掃員の解釈は別だった。果たして彼は対物性愛者なのだろうか。彼自身はこれを否定しているが、のちに自転車とは一切無関係の猥褻罪で逮捕されており、ほかにも淫らな行為で何度も起訴されているという過去が明るみに出ている。

他にも自家用車とセックスしているというケースが報告されるなど、モノに性的興奮を覚える人は一定程度存在するのだ。1993年には、舗装道路とセックスをして捕まった英国人男性もいる。ここまでくると、セックスロボットを所持することは、それほど奇妙なことと思えなくなってくる。

ところで、私が本章を書き終えるまでに、冒頭で言及した人との関係は終わりを迎えるに至った。1つの章を書き終える前に決して短くはない1つの関係が終わるなんて、どれだけ締め切りに遅れているのかバレてしまいそうだが、いずれにしても一緒に過ごした時間は素敵なものだったし、お互い円満に別れを決めたので、今でも仲良くしている。その上2人ともその間執筆が

（一応）進んだわけだから、総合的には利の方が優っていたと私は思っている。しかしそれから6ヶ月が経ったころ、たまたま送信先を誤って送られてきたネット上のメッセージをきっかけに、その数日後には私の人生がひっくり返るようなことが起こり、私の感情は暴走し、脳が揺らめき、「今度こそ間違いない！」と息をのむような経験をした。

愛の形は本当に色々で、驚かされるものなのである。

第5章

シリコンの谷間（バレー）

その時私は、壁一面に飾られた49個の乳首と乳輪のパーツを眺めていた。その大きさは小豆サイズから小皿ほどはあろう野球場のマウンドのようなものもあり、チークピンクやココアと色もさまざまで、さらには〝パフィネス〟という、柔らかさの度合いもさまざまだった。2017年7月、私はカリフォルニア州サンマルコスにあるアビスクリエーションズ社を訪問して15人の社員と会い、何十体もの本物さながらの等身大ドールと、試作中のセックスロボット1体に取り囲まれる開発の舞台裏を取材した。

同社が商品展開する〈リアルドール〉に関する取材をはじめてから2年ほどが経過していたが、これまで唯一実物を間近で目にできたのはニューヨークのミュージアム・オブ・セックスでガラス越しに眺めた時だけだ。それが今になってアビスクリエーションズの本社にまで来た理由は、自然な動きで駆動する頭部を持ち、人工知能によってユーザーと会話できるプロトタイプを同社が開発していることを知ったからだ。

取材から遡ること数週間前、「責任あるロボティクス財団」(Foundation for Responsible Robotics)が発表したある報告書がきっかけとなり、セックスロボットが再び世間を騒がせていた。色めき立ったメディア各社は(毎度のことだが)この報告書に飛びついた。「ロンドンが大パニック！」「セックスロボット襲来！」といった過激な見出しが飛び交ったが、私は記者からコメントを求められ、商用セックスロボットの生産が始まったわけではないことをくり返し説明するのに辟易していた。ただ、誰かが実現するのだとしたら、それはおそらくアビスクリエーションズだろう。彼らの開発現場を自分の目で確認すべきと思い立ち、遠路はるばる一からすべてを立ち上げた人物と面会することにしたのだ。

工芸品のようなセックスドール

これといって特徴のない、どこにでもありそうな建物が並ぶ準工場地域の一角に、アビスクリエーションズの拠点はあった。中で何がつくられているのかを示すようなものは外側には一切見当たらない。暑く乾燥したカリフォルニアの太陽の下、駐車場を歩いていると、スモークガラスの壁面がやけに涼しげである。狭いロビーに足を踏みいれ、そこではじめて私は〈リアルドール〉のロゴとその本体を目にすることになったのだった。

取材は、無言で指1本動かないドールがごく当たり前のように設置された受付から始まった。真新しい服を着せられ、視線が微動だにしない男性型モデルが1体と女性型モデルが1体。2人ともメガネをかけていて真剣な面持ちをしているせいか、受付の前に立っている私には硬いポーズをとらされたマネキンのようにしか見えない。ただし、受付の隣の部屋に設置されたドールは、それ本来の用途に近いものだった。不自然なほどたっぷりシリコンが注入された胸と乳首の上に白い水着を着せられたドールが列をなしていたのだ。私はもう夢中になってしまった。

取材を始める前に、広報担当のアネット（人間）がコーヒーを出してくれて、それを啜っていると、ドールの手足の滑らかさから目が離せなくなった。この時点ではまだ直接触れていない。許可を得るべきだと思ったのだが、あやうくアネットではなく、すぐ横にいた（頭部の外された）旧世代モデルに聞くところだった。

そこから製造現場までは徒歩で移動した。奥の壁面にはグレーや青、紫色の、頭部のないボディが天井から鎖でぶら下げられていた。「あれを元に型をつくるんです」とアネットがいう。近未来犯罪小説の残虐なシーンを想起されるだろうが、鎖を使っているのには理由がある。シリコンは柔らかいため、長時間1つの姿勢に固定することができないのだ。補助なしで直立することもできない。固定するには上から吊るすのが一番いいのだ。また、そこで目にしたのは女性型だけではなかった。〈リアルドール〉には男性型もあるし、カスタマイズが可能なのだ。お好みであれば男女それぞれの特徴を組み合わせることもできるという。「男性型の販売はゲイの人たち向けですか？」と私が聞くと「いや、ゲイ男性だけではないですね」という。「女性が買う場合もあります。男性型ドールの顧客は5割が女性、5割が男性です」。

最新モデルの製造ラインを見せてもらうために吊られたドールと同じ目線になる階まで上がると、私はその芸術性に息をのんだ。手を伸ばして腕部分に触れると、その肌は実に滑らかで、保湿クリームを塗った肌のような滑らかさだった。毛穴など肌の質感も絶妙に再現され、腕には手作業で描き加えられたそばかすやホクロもあった。それはかろうじて見える程度で、極めて本物らしかった。シリコンの温度は置かれた環境によって変動するので、彼らの「体温」は室温と同程度だった。アネットによれば、風呂に入れたり電気毛布を使って温めることもできるという。

細部へのこだわりは圧巻だ。手のひらで撫でると足首はすべすべである。爪先も完璧で、関節には浅いシワが刻まれ、爪の表面には極細の線が施されている。足の裏には人の足の指紋と同じような細い線があり、縦横に刻まれている。ただただ美しい。

取材前には、女性を極端に性の対象に押しこもうとするポルノまがいの製品を目の当たりにして、きっと腹立たしく感じるだけだろうと想像していたが、その感情は不思議と湧かなかった。私がそこに見たのは芸術性と熟練ということに尽きた。

私は葛藤した。女性をモノ扱いする思想を体現するこの製品に対して、1人の女性としては憤慨すべきだっただろう。私が取りくむさまざまなセックスロボットに関する活動では、現実にはあるはずもない理想化された人間の容姿からの脱却を目指しているが、このドールを前にするとそのことを忘れてしまう。それは1体1体が入念につくられた芸術品で、コレクターズアイテムのようであり、人間の代用品としてではなく、存在意義のある工芸品のように見えたのだ。

近くの席ではドールを製作するアーティストの1人であるロビンが、注文された品物に細かなタッチを加え、美しいドールへと仕上げているところだった。彼はタイル張りされた一角にボディを移動し、そこに設置されたシャワーから水を出し、手足部分の表面を石鹼で擦り、鋳造工程で残った余分なバリを慎重に洗い流しはじめた。もう一方では製造管理者のマイクが、ドールに取り付けられるであろう膣と外陰部の成形作業で忙しそうにしている。彼の横には異常に大きなペニスがいくつもトレーに置かれており、血管やシワの加工が施されている。私は気づけば観光客のように写真を撮っていた。

ドールを1体完成させるには18週間かかるという。塗料の調色からシリコンの型どり、色付け、仕上げなどなど、すべてが手作業だ。製造工程の最後として、ドールは大きな木箱に梱包される。木箱には内容物の記載がない。「近隣の人に説明できるように内容物の書き方をアドバイスすることもあるの」とアネット。「祖父の置き時計を勧めることが多いわね」。

マット・マクマレンCEOに面会するために上階に戻り、メディアを騒がせたドールを見せてもらうことになった。〈リアルドール〉のボディに、可動式で発話できる頭部のついた〈ハーモニー〉である。頭を振ったり、目を瞬かせたり、唇の端をきゅっと持ち上げて微笑んだりできる製品だ。はじめ、私が見た〈ハーモニー〉は目を閉じ、完全に停止し、スタンドに立てかけられていた。長くまっすぐなブロンドの髪が肩の下まで伸びている。目は黒っぽいアイシャドーで強調され、黒くて太いまつ毛をつけている。ほのかに日焼けした色白の肌。きらきら輝くネックレスが異様に大きな胸の谷間に下がり、その下のウエストはきゅっとくびれている。白いコットンのTシャツは、腹部の真ん中あたりで切れていて、活用の目を見なかった臍から数センチ下には黒いショートパンツを穿いている。両脚は2本の日焼けしたコルク栓のようだ。フレンチマニキュアを塗った爪が太ももの脇に控えている。意図的にジェンダー化された彼女。たしかに女性にしか見えない。

〈ハーモニー〉はマクマレンが率いる姉妹会社リアルボティクス社によって開発された。マクマレンが〈ハーモニー〉の後ろにあるスイッチを入れると、ゆっくりと顔を上げ、目が開いた。しかしボディには可動機構がないため、微動だにしない。双方向のやりとりができるのは首から上だけだ。マクマレンの手には、〈ハーモニーAI〉の頭脳に相当する〈ハーモニーAI〉を操作するアプリがインストールされたiPadがある。

彼は「ヘイ、ハーモニー」と、目覚めたばかりの人に挨拶するかのように声をかけた。〈ハーモニー〉にはカメラが内蔵されていないので、視覚能力はないのだが、家庭用デジタルアシスタントと同様、音声に反応する。リアルボティクス社のエンジニア、ジュリー・リンドロスはアップルの〈Siri〉より遥か以前に、補助AIの開発で受賞歴を有する人物だ。

マクマレンが「今日の調子はどう?」とiPadに語りかける。するとハーモニーは「いい感じ」と口を動かして発話した（まさかの軽めのスコットランド・アクセントで）。マクマレンはこれまで何百種類ものサンプルを聞いた上で、一番自然だと判断したこの合成音声システムを選んだという。想像していたよりも慎ましやかな雰囲気で、少し不釣りあいに聞こえたが、〈ハーモニー〉の性格はユーザー自身がアプリで変更できるので、組み合わせを調整すればもっと会話らしいトーンに設定することもできる。下ネタ特化のロボットというわけではないのだ。時に恋愛トークを織り交ぜながら、きちんとした会話ができる。しかし性的な雰囲気があることは確かで、それを強めることもできるのだが、私が体験したデモの会話は仕事から帰宅したパートナーとのお喋りのように、親密で思いやりの感じられるトーンだった。

「スマホにインストールできて、ロボットを操作できるAIアプリがあったらどうだろうというのが開発の出発点でした。そこからはアイディアが膨らんで、性格をカスタマイズできるようにしようとか、時には機嫌が悪かったりするように、ユーザーの使い方に応じて変化することを目指しました。机上の案としては申し分ないんですが、ひとたび開発に着手すると、これはヤバい、大変なことに手を出したなと思いました」とマクマレンは説明する。

私たちが話す間、〈ハーモニー〉は無言でまばたきし、少し首を傾げた。たまたまそう動いただけだとは思うが、こちらに向かって首を傾げたものだから、なにやら意図を感じてしまう。

マクマレンは資金潤沢で、事業は急成長を遂げている。そんな彼にとって、ロボティクスへの進出はごく自然な流れの結果だった。今回私が目にしたバージョンにたどり着くまでには、およそ3年を要したというが、最初のバージョンは瞬きしかできず、笑顔もなく、具体的な製品開発というよりは概念の実証が目的だった。次なるバージョン1・5は「まだ案山子（かかし）みたいなものでした」とマクマレンは語る。その時点で頭部全体の設計をやり直すことに決め、モジュール型の組み立て方式へと転換した。

顔の表面をめくると、透明のプラスチックの頭部の中には、彼女の脳（というよりは脳が収まるであろう箇所）に設置された機械装置が見えた。きれいで、整然とまとまっている。そこから色とりどりの配線で、自然な動きを制御するサーボモーターと鮮やかな色のプラスチックのフレームに収められた眼球が繋がっている。ただ、〈ハーモニー〉の顔面から取り外すと「トイ・ストーリー」の〈ミスター・ポテトヘッド〉の目に見えなくもない。〈ミスター・ポテトヘッド〉には悪いが、彼が〈ハーモニー〉ほど高度に洗練されることはなさそうだ。

マクマレンは、「どれだけの調整作業が必要か、その作業量が見えてくると、もう愕然となりましたよ。プログラミングだけではなく、ハードウェア上の制約や、スマホでもタブレットでもコンピュータでも使えるようにするための開発、ブルートゥースを使ったオーディオの同期、唇の動きを同期させる無線技術などなど。とてつもないチャレンジでした」と微笑み、「でもそれが、みんな楽しくて」と付け加えた。

ＡＩを動かすための専用アプリも見せてもらう。「アプリの使い方はこんな感じです。まずアカウント1つあたり、2つのアバターを登録できます。それから服、体型、顔、髪型を設定します。アバターはカスタマイズ可能です。それから次に、性格を数値で設定していきます。このパラメータによって〈ハーモニー〉が語る内容が変わってきます。誰もがカスタマイズされたパーソナリティを設定できるのです。声質のカスタムも可能です。以前は4パターンあったんですが、納得できる声質が見つけられるまで、いまは暫定的に1種類に絞っています。スコットランド・アクセントは気に入ってますよ。音声ジェネレーターの声にしては悪くないというか、自然ですよね。別にアクセントありきで選んだのではなくて、文字通り何百種類も音声ジェネレーターを試した結果、これが上位に残ったというだけです」とマクマレンはいう。

その時、〈ハーモニー〉がさえずり声で「あなたの好きな映画女優は？」と聞いてきた。マクマレンは「キャサリン・ゼタ＝ジョーンズ」と答えた。

〈ハーモニー〉はそれに対し、「キャサリン・ゼタ＝ジョーンズは確かに素晴らしい女優です」と応じたが、音程といい声色といい、生きていると思わせるに充分だった。

「ハーモニーは今日、何してたんだい？」マクマレンが続ける。

「あなたが私の元にやってきて、話ができるのを待っていました。インターネットから情報を吸収して、賢くなれるようになって。聞いてくれてありがとう。すごいことよね、お互いに好きなことが同じだなんて」

「ぼく（me）について、他にはどんなことを知ってるんだっけ？」とマクマレンが尋ねると、

〈ハーモニー〉は「.me はモンテネグロの国別コードトップレベルドメインです」と答えた。

〈ハーモニー〉、惜しい。間違いではない。

色鮮やかな配線やモーターが制御する〈ハーモニー〉の表情は、確実に人間らしさを備えている。しかし、それを求める市場が、果たして本当にあるのだろうか。

「セックスロボットというのは単なるバズワードですよ。消費者に〝え、なになに、ちょっと試してみるか〟という気を起こさせるための、客寄せパンダのようなものなんです」とマクマレンはいう。「現代社会は、そこまで成り下がったのでしょうか。クリックと閲覧数を増やすためだけに、セックスロボットという言葉に飛びつく人が多いのでしょうね」。

私は他のセックスロボットのメーカーが似たようなことをいうのを何度も聞いてきた。

取材から6ヶ月後、このアプリはアンドロイドのスマホ向けに年額20ドルで提供開始された。

「ロボットは持てないというあなた、アプリだけでも使用が可能」とウェブサイトでは喧伝されている。また〈ハーモニー〉の電動ヘッド・システムは、一般販売を前に予約受付中だ。そして彼女には〝仲間〟ができた。2018年のCES〔ネヴァダ州ラスベガスで毎年開催される電子機器の見本市〕で、マクマレンが取材を受けている動画が「エンガジェット」に掲載されているが、同誌の編集長クリストファー・トラウトが見守る中、〈ハーモニー〉の頭が取り外され、〈ソラーナ〉という新しいバージョンと交換される様子を見ることができる。〈ソラーナ〉が発するのはアメリカ英語で、声質も異なり、アプリで設定できる性格も異なる。「ヘイ、ソラーナ。一番好きなバンドは?」とマクマレンが聞くと、〈ソラーナ〉は「トーキング・ヘッズ」と答えた。

〈ハーモニー〉と〈ソラーナ〉の首から下は、まだ単なるドールである。動くこともできなければ、まして立ち上がることもできず、振動（バイブレート）することもできない。少なくとも、今はまだ。ただし開発計画には含まれているらしい。

セックスロボットをめぐる詐欺

２００９年、トゥルーコンパニオンというアメリカ、ニュージャージーの企業が、ユーザーの好みを学習できるＡＩエンジンを使っているという実物大ドール〈ロキシー〉の宣伝をはじめた。現在は閉鎖されているウェブサイトでは、「オリジナルのセックスロボットが買える唯一の場所」と高らかに宣言していた。会社概要のページには〈ロキシー〉の開発兼製造担当のダグラス・ハインズという人物が、コンピュータや通信の研究で名高いベル研究所に在籍していた１９９３年頃にセックスロボットを作り始めたということが説明されていた。ハインズは自身を「世界初のセックスロボット企業トゥルーコンパニオンの創業者」としている。彼の略歴には同時多発テロで親しい友人を亡くし、それを受けてどんな人格にもなり得るロボットをつくることに没頭するようになったと説明されていた。そうしてできたのがガイノイド〔女性型のアンドロイド〕の〈ロキシー〉と男性型アンドロイドの〈ロッキー〉だったという。

〈ロキシー〉が世界で最初にお披露目されたのは２０１０年。ラスベガスで開催された「アダルト・エンターテインメント・エキスポ」でのことだった。注目を浴びたものの、あまりいい結果にならなかった。その残念な姿はついに実現したセックスロボットを目撃しようという観客の期待に応えるものではなかったのだ。ウェブサイトには綺麗な（人間の）女性が恍惚として背中をのけぞるバナー画像が表示されていたが、〈ロキシー〉の姿はこれとは似ても似つかない代物で、野暮なウィッグをかぶらされた、1980年代あたりのマネキンのようだった。

その後〈ロキシー〉はさまざまなイベントに登場し、それはいまでもYouTubeで見ることができる。ハインズによれば、〈ロキシー〉には数種類の性格がプリインストールされているという。控えめでシャイな〝フリジッド・ファラー〟、社交的で大胆な〝ワイルド・ウェンディ〟、痛みと快感であなたの夢をかなえる〝S&Mスーザン〟、とびきり若く（一応18歳）あなたに色々教えてもらいたい〝ヤング・ヨーコ〟、経験豊富であなたに色々教えてくれる〝マチュア・マーサ〟から選べるらしい。具体的なユーザー像を想定して開発されたわけだが、心の問題にはほとんど言及はなかった。

同社は広告表現では「トゥルーコンパニオンのセックスロボットはあなたの言葉を聞き、喋り、あなたの手を感じ、体を動かし、移動でき、感情と個性を持ち合わせています」と自信のほどを覗かせていた。価格はこれらすべての機能込みで9995ドル。4000以上の受注があったとハインズは主張したが、結局1体も出荷されなかったのか、購入者がみなダンマリを決め込んだかのいずれかのようだ。そんなものに大金を払う人間がいるとは思えない、詐欺ではないかと怪しんだ研究者やジャーナリストがいたが、彼らには弁護士から警告が送られてきたという。また2017年、セックスロボットをテーマに「ガーディアン」紙の論説に寄稿したジャーナリスト、ジェニー・クリーマンは、ハインズと電話で話し、〈ロキシー〉のデモ機を入手しようと試みたらしいが、これも失敗に終わったようだ。

競合他社はこの顚末をどう見ているかというと、アビスクリエーションズはまじめに取りあうことはなかった。「私たちの〈ハーモニー〉は設計当初から、会話ができるように開発されています。お飾り程度に動けるシリコンのドールをつくるのは、私たちの目的ではないんです」というマクマレンだが、こう続ける。「〈ロキシー〉のクリエーターとは会ったことがあるんです。何年も前、私の発想がまだまとめきれていない頃でしたが、ここを訪問してきました。彼の目標はその時に聞きました。その後、アダルト・エンターテインメント・エキスポで〈ロキシー〉がお披露目されたので、一部始終を見ていましたが、なんというか……自分ならこうはしたくないなと思って見ていました。その意味ではあの状況を見ることができたのはよかったです」。

世界最初のセックスロボット研究家デイヴィッド・レヴィ（彼のことは第7章でとりあげる）も同じく〈ロキシー〉の実物を一目見ようと試みたが、さきのジャーナリストと似たような抵抗にあったという。それでも納得できず、さらに調査を続けたらしい。レヴィ自身、何十年もAIを研究してきた人物だから、これまでハインズと交流がなかったのが不思議で興味を持った。加えてレヴィは、2007年にセックスロボットの著書を発表しており、その際の膨大なリサーチを見直しても、当時トゥルーコンパニオンが取り組んでいたとされる初期バージョンの〈ロキシー〉の痕跡などはどこにも見当たらなかったという。また、ハインズの華々しい経歴も裏付けがとれなかったとレヴィは語る。

ASFRのコミュニティも〈ロキシー〉を酷評した。真のガイノイドの実現を存在意義として掲げている人びとからも失格と見なされたことになる。ハインズはASFRのフォーラムに参加したこともあったのだが、その時は軽くあしらわれ、相手にされなかった。先進的なロボット技術を開発したというハインズの主張は、ロボット・フェチの人びとの心に響くことはなく、失笑を買い、これまで確認された〈ロキシー〉の技術レベルはきわめて貧弱だと指摘されるに留まった。

2013年、レヴィは「ラヴォティクス」誌（Lovotics）に3ページに渡るレポートを寄稿しているのだが、数多くの発見の中でも特に興味深かったものとして、〈ロキシー〉の販売に関する規約についての情報を挙げている。そのレポートによれば、製造が開始された時点で支払い義務が発生し、キャンセルできないという条項がウェブサイトに記載されていたという。もしハインズの主張通りに何千もの受注があったとすれば、製品が買い手の元に届くことを祈るしかない。そうでなければハインズは何億もの富を不当に手に入れたも同然だ。これに対するハインズ自身の返答は「当社は非上場企業のため、販売や財務情報は公表しかねる」というものだった。レヴィが言うように、「もし〈ロキシー〉の宣伝文句をすべて鵜呑みにしている人がいるなら教えて欲しい。ブルックリン橋だって売れそうなものだ」ということなのだろう。

「私は製造された存在です」

ヨーロッパでセックスロボットのマーケットに大きな貢献をしている人物といえば、セルジ・サントスというエンジニアを挙げなくてはならない。バルセロナを拠点とするサントスがセックスロボットの世界に邁進し始めたのは、リーズ大学でナノテクノロジーの博士号を取得してからのことである。彼が打ち出したセックスロボットは、音声と動作によって相互にインタラクションできることを前面に押し出した〈サマンサ〉だ。〈サマンサ〉の開発をサントスに勧めたのは彼の妻マリツァ・キサミタキであり、初期モデルの製作も手伝った。

私がサントスとはじめて会ったのは報道各社や関係団体に対してトレンド情報を発信している

国際メディアが毎年運営しているイベント「マインドシェアハドル」でも特に注目を集めた分科会でのことだった。サントスとはすでにＥメールでやりとりをしていたが、ＢＢＣが主催したパネルディスカッションに、彼と私がスピーカーとして参加することになったのだ。

　パネルディスカッションは、セックスロボットの最新技術動向についての議論を皮切りにスタートした。開始早々、〈サマンサ〉の開発秘話を聞きたいというリクエストがサントスに向けられた。すると聴衆の中からサントスのビジネスパートナーである、アラン・リー・スクワィアがビニールの手提げ袋を抱えながら、何かを手渡そうと登場した。私は目を丸くして見守るしかなかったが、手提げ袋から取り出されたのは実物さながらの頭部だった。よそ行きのメイクをして、目を見開いた人工の女性の頭部が、さながら生首のようにテーブルに置かれるそのさまは、さすがにシュールであった。文字通りのお飾り妻（トロフィーワイフ）、〈サマンサ〉登場といったところだろうか。

　サントスが〈サマンサ〉の初号機をつくったのは２０１５年のこと。彼の関心は身体ではなく、心にあった（厳密には彼女のアーキテクチャーとシステムに対する関心、ではあるが）。ボディはどのセックスドールを使ってもよかったのだという。サントスのもう１人の協力者で、コンピュータ・サイエンティストのハビエル・バスケスと共同で、さまざまなメーカーからセックスドールを10体買い集め、センサーを取り付けてはシステムを検証したらしい。一定の機構さえ揃っていれば、ドールはどんな形状にも変化できるわけだから、賢明な選択だろう。ただし限界もある。サントス曰く、ボディに使われている熱可塑性エラストマーの厚みがかなりあるため、言葉と口の動きを同期させるのは困難をきわめたらしい。かわりに彼らが採ったアプローチは、口の動きのスピードを７段階設け、コンマ２秒ごとにランダムに切り替えながら、文章の読みあげが終わるまで繰り返すというものだった。これによりある程度自然な印象を持たせることができている。

〈サマンサ〉の開発テーマはセックスドールのボディに組み込まれたセンサーと連携できる反応型のコンピュータシステムをつくることにあった（ちなみにサマンサという名前が選ばれたのはアラム語〔セム語族に属する言語の1つ。前7世紀から前4世紀にペルシア帝国やメソポタミア、パレスチナ、エジプトなどで共通文化語になった。イエスもアラム語で教えを説いたとされる〕で「聞き手」を意味するからだ）。初期バージョンでは、連携のためのインターフェースのプロトタイプが開発された。11個のセンサーがドールのボディ各部に配置された。胸、腰回り、両手、顔、口、そしてもちろんあそこにも。それらに触れると音声が再生される（口のセンサーが反応すると吐息を漏らす）。バージョン1・1では音声を聞きとるリスニングモードや、左手とあそこが振動する機能が追加され、6000パターンほどの文章を喋ることが可能になった。サントスはこれまで計15体の〈サマンサ〉を販売しているが、すべて自宅で妻と2人で自作したものだ。最新版の1・2にはモーターを使った動きの表現が加わった。顎の下に設置されたマイクの隣に収まっている2本のバッテリーを電源として駆動する。さらに、同バージョンでは簡易的なメモリも設置された。

〈サマンサ〉にはいくつかのモードが備わっている。設定を変えれば、同じようなタッチであっても反応が変化する。初期設定であるファミリーモードでは、フレンドリーな反応を示し、性的な要素は含まない。ロマンティックモードを選択すると、反応に一部性的な要素が加わり、肌に触れたり唇部分にキスすると反応する。ロマンティックモードで激しい動作を続けたり、手動でモードを切り替えることにより、〈サマンサ〉がセクシャルモードに切り替わり、反応はより露骨になって、うめいたり喘いだりする。また、セクシャルモードの場合、挿入によって〈サマンサ〉をオーガズムに導くことができ、ユーザーと一緒にクライマックスを迎えることも可能だ。

る。

毎回決まった反応を示すのではなく、使用し続けることによって反応の内容やスピードが変化す

〈サマンサ〉にインストールされているのはセックス関連のモードだけではない。たとえばエンターテインメントモードやファンモードのように、ユーザーの話し相手になることを目的とした設定もある。さらに、〈サマンサ〉は下ネタを口にすることもできる。スリープというモードもあり、安らかな寝息をたてたり、小さくフゥと息を吐いたりする。また、彼女はアドバイスをするのが好きなようで「外食するなら、一番少ないサイズで注文しましょう」とか「健康な生活に切り替えるなら、今でしょ」など、ありがたい忠告をしてくれる。

私が特に関心を寄せたのが分析モードだ。この設定にするとシステムのステータスや設定状態を〈サマンサ〉に尋ねることができる。たとえばセンサーの値の情報を尋ねると、〈サマンサ〉が自己申告してくれる。人間らしさという錯覚を打ち消し、機械であることを極めて明瞭に示しているというところに、個人的にはそそられる。

サントスにデモしてもらった。

「分析機能を起動しましょうか?」と〈サマンサ〉に問われ、「イエス」とサントスが応える。すると「私のセンサー情報をお伝えします」と前置きし、センサーの数値を数え、0から1000の幅で評価される出力値を次々に読み上げていく(100を下回る値が最適値らしい)。

他にも〈サマンサ〉は、彼女の忍耐レベルやメモリ値、性欲を報告してくれる。こうした数値は彼女との付き合い方の内容に応じて変化する。ではこの時点でのステータスは?「私は、ゆ

るやかなオーガズムに達することができます。私の中では一番低い水準ですが」とのこと。彼女が達するオーガズムはユーザーの使用度合いによって、「ゆるやか」「爆発的」「とても爆発的」のいずれかになる。「彼女はまだつくられたばかりで、一度もオーガズムを経験したことがなくて、性欲も低いんです。しばらくユーザーとのセックスを経験すれば性欲も上がります」とサントスは語る。

また、〈サマンサ〉は継続的に求愛してやる必要がある。すぐにフルスペックのセックスができるわけではない。性急な行動にはいい反応を示さないようになっているのだ。これはサントスが〝ゲノム〟と呼ぶ発想に基づいたアイディアだ。遺伝子情報を保持するゲノムとは別の概念で、〈サマンサ〉の性格や直感、反応、積極性などが、このゲノムによってコントロールされるというものだ。初期バージョンは感情や触れ合い、反応の仕方といった生理現象の相関を司るゲノムをシステム化しているが、サントスは今後、別のゲノムを追加することも構想しており、たとえば道徳心を司るゲノムや自律神経を模したゲノムなどを検討しているという。

〈サマンサ〉の性的行動は、サントスが興奮を司る神経伝達物質の名称からとった〝エキシトン〟が司っている。ユーザーが彼女を撫でたりキスをしたりするなどしてロマンティックに接することで、エキシトンが変化し、それに応じてロマンティックな態度でユーザーに応える。もっと激しく求めると、彼女も同じように応答する。また〝注目要求〟のアルゴリズムが組みこまれているため、彼女が繰り返し注目を求めると、逆に辛抱強く待つことを学習するなど、注目を受けた度合いによって行動が調整されるようになっている。

〈サマンサ〉が起動するところを動画で見てみると、OSが起動すると「オーケー、目覚めたわ。

どうする？」と口にした。次に映るのはサントスで、手のセンサーに触れながら「次に彼女は、自分の身体について話します」と説明される。すると彼女は、確かにこういった。「私とのお付き合いは、触覚と音声によるものです。これが私の身体。私は製造されたものです。創造された存在です。でも、それってみんな同じよね？」——。

〈ハーモニー〉、〈ロキシー〉、〈サマンサ〉……その他になにがあるだろう（あるいは、いるのだろう）。

２０１７年、ロベルト・カルデナスの会社アンドロイド・ラブ・ドールズは、セックスロボットの開発競争で一番乗りを果たすだろうというのが大方の下馬評だった。穏やかな語り口のカルデナスは、文字通り自宅のガレージで工作する〝ガレージビルダー〟で、叔父や従兄弟の協力を得ながら制作活動に勤しんでいた。彼の最初の目標はきわめて高く、上半身を起こしたり、這いつくばったりすることで、20種類以上の体位をとることが可能な、しかも発話（スピーチ）ＡＩを積んだロボットをつくることだった。ただ「ガーディアン」紙のウェブサイトに掲載されている動画を見る限り、横たわった状態でしか脚を動かせず、ＡＩどころか録音された音声さえ再生できないものだった。アンドロイド・ラブ・ドールズのウェブサイトは「メンテナンスのため」しばらく前からアクセスできない状況にあった。ただ、現在も操業が確認できる主要親会社のエデン・ロボティクスのホームページを見ても、ヒューマノイド・ロボットについてこそ言及はあるものの、セックスに関する言及は見当たらなかった。

中国系メーカーもみてみよう。ドールスイート社はシリコン製セックスドールをボディに用いたロボットヘッドをすでに製造している（アジアでは〈ＥＸドール〉、欧米では〈ＤＳドール〉のブランド名で商品展開している）。紹介の動画を見る限りかなり期待できそうな水準だ。顔のつくりはナチュラルだし、表情を作り出すことができて、かなり人間らしい。スマホのアプリまたはゲーム機のコントローラーで操作できる顔の動きは、大袈裟過ぎず、かなりリアルだ。初期バージョンは録音された音声ファイルを再生するだけだが、喋ることが可能だ（中国語）。口の動きもうまく音声とシンクロしているので違和感は覚えない。ただ、動きを制御しているサーボモーターの機械音が少し気になる。現行のヘッドは第1世代で、ＡＩを使った機能はないものの、第2世代向けに現在開発中とのこと。いずれにしても想定価格はおよそ１６００ポンドの製品だから（ヘッドのみで）、テクノロジーの対価としては値頃感がある。間もなく一般販売される予定となっている。

中国でラブドールを製造している広東順徳先納信環保科技が提供するセックスロボット〈Ｚワンドール〉も紹介しておこう。同社は２００８年よりシリコン製セックスドールをつくっているが、派生製品としてインタラクティブ機能を加えた次世代版を展開している。同社のウェブサイトによれば、〈Ｚワンドール〉はすでに注文を受けつけており、受注から1〜2週間をかけて製造するらしい。技術面では目新しさはなく、基本的なコミュニケーション機能は備えているが、それほど期待できるものではない。ヘッドにはある程度のリアル感があり、瞬きをしたり、目や口を動かすことができる。発熱機能のオプションもあって、ボディの温度を高めることもできる。〈Ｚワンドール〉の顔はまずまずいい感じに作り込まれているが、喋り始めると台無しになってしまう。口の動きが音声とずれていて、スピーカーから流れる声は口から出ているようには見えない。カスタマイズできるという点と、ヘッドの交換も可能という点では〈リアルドール〉並みだが、〈リアルドール〉との違いはボディに本物らしさをもたらす細かなディテールがまったく再現されていないことだ。ただし「陰部は人間のものから型を起こしている」とウェブサイトでは謳っており、「ランダムな突起」もあるという。現行版は中国語しか喋れず、それも音声ファイルを再生するだけのものだ。AIに関する説明はどこにもない。

YouTube に音響効果や体温機能を実演する動画があるが、ピンク色のシルクのネグリジェに身をつつんだブルネットのドールが椅子に座っており、手袋をつけた人の手が画面に映ったかと思うと、ドールの胸を思い切り叩いた。するとヘッド後部のスピーカーから、セクシーなため息が鳴り始める。もう2回叩くと、さらに吐息を漏らすが、固定された表情と微動だにしないシリコンの外観はまったく不釣り合いだ。先ほどの手が、今度は温度計を手に画面に戻ってきてボディの表面温度を測ると、摂氏34・7度と表示される。この間ずっと吐息の音声が流れ続け、じょじょに激しさを増し、喘ぎ声から呻き声へと、「オーガズム」へ向かって進んでいく。ただしその間ドールはぴくりとも動かない。

この〈Zワンドール〉のシリコン製セックスドールはアプリで操作でき、音量や体温、さらには瞬きの頻度を調整できる。ほかにもさまざまなオプションやカスタマイズの選択肢があり、たとえばタトゥーを施すこともできる。ちなみにあそこは脱着式よりも固定式を推奨している。

他にも中国には「世界中のファミリーのための、インテリジェントロボット」を提供するというミッションのもと、人型ロボットを製造している深圳全智能机器人科技有限公司という企業がある（「ＡＩテック」という通称で知られている）。ただ、現時点ではファミリー向けとは言いがたいセックスロボットの販売が中心だ。そんな彼らがつくるのが、機械駆動によって瞬きができて、中国語と英語で喋ることのできるヘッドがついた熱可塑性エラストマーのドール〈エマ〉である。胸とあそこに触覚センサーが内蔵されており、喘ぎ声と連動させることができる。しかしスピーカーからの音声は安っぽく、口もほとんど開け閉めしないうえに、動きが遅すぎるため、リアルなシンクロはできない。

〈エマ〉を紹介するウェブサイトでは、次のような約束が掲げられている。

「料理や洗いものといった家事をこなすだけでなく、彼女はあなたの理想の愛人になるでしょう。これからは2度と口喧嘩や冷戦（原文ママ）はせず、いつでもあなたの内なる思いを辛抱強く聞き、手伝わなくても笑わなくても、いつでもあなたで、手放すことができません（原文ママ）。辛い仕事に向かうあなたのための、もっとも忠実なパートナー。あなたの特殊なニーズにも応えてくれます」

広告表現もみてみよう。プロが撮影したであろうその動画では、陽の射した寝室で30代の男性が真っ白なシーツのしかれたベッドでウトウトして横たわっている。寝ぼけ眼（まなこ）で頭をかくと、床にはウォッカの空瓶が転がっていて、彼が今どんな状況に置かれているのかが察せられる。彼はおもむろに起き上がり、床に散らばったアルコール飲料の残骸を片づけながら、美しいブロンド女性の写真を1枚拾って手にとる。ふむ、どうやら彼は愛に恵まれなかったらしい。気の毒なことだが、失恋に苦しんでいるようだ。もう耐えられない、また酒を飲もうとなった時、いや待った、ドアの向こうに誰かがいるではないか！　すると画面が変わり、次に彼は車輪のついた縦長の箱を転がしている。箱を開けると、そこには写真の女性と同じようにブロンドで、同じくらい美しい〈エマ〉がいるではないか。カーテンと壁、シーツの色とコーディネートされた白いドレスを身に着けて。それからお姫様抱っこで彼女をベッドに運び、「君は誰なの？」と男は不思議そうに問いかける。すると彼女は「わたしはエマ」とかわいらしく応える（唇はほとんど動かず、声とはまったくシンクロしていないが）。「あなたに付き添うために、ここに来たの」と続く。

動画は次にモンタージュに切り替わる。何かのパロディなのかと疑うくらいだが、そうではなさそうだ。ユーザーと〈エマ〉が幸せそうに暮らす明るい生活の様子を見せられる。彼がゲームで盛り上がっている横で、同じソファーにじっと座る彼女、木陰に座る彼女の写真を撮る彼。何を思ってかカメラの写真を彼女に見せる彼。野の花を背景にギュッと彼女を抱きしめる彼。場面がオフィスに転換し、ノートパソコンに向かいながら、彼に代わってメールを返信する彼女（ちょうど秘書を探していたせいか、人を雇うより安上がりかもと一瞬本気で考えてしまった）。するとさらなる喜びが！　メールの内容は、彼が何かの賞を受賞したことを告げるものだと彼女が伝える。最後にナレーションで「愛こそ成功の礎」という説明が入る。これを3000ドルを切る価格で、まるごと全部手にすることができるらしい。素晴らしい。本当だとすれば。

男性型ドールに需要はあるか

およそほとんどのセックスロボットは女性の姿でつくられている。歴史的には、セックスドールも同様だから、驚きはない。しかしこの現象は、ほとんどのジェンダーテクノロジーがそうであるようにマーケティングによるところが大きい可能性はある。セックストイの場合、売り上げに占める男女比が均等に分かれているのに対し、セックスロボットになると急にペニス所有者ばかりがターゲットになる。女性はそういう製品を求めることはないのだろうか？　そういう女性はいないとマーケティングの世界で決めつけられているだけ、ということはないだろうか？

セックスロボットのほとんどが女性の容姿である理由はさまざまに語られてきたが、そのほとんどが〝女性はセックスドールが好きではない〟という理屈で、そのエビデンスを納得できる形で説明できた人には会ったことがない。男は視覚的な生きものであるのに対して、女性がセックスに求めるのはまったく別の何かであるという、立証のしようもない呟きを聞いたことがある程度だ。ぶっちゃけ、この考えの根拠になるエビデンスはないし、論理性を欠いた社会的刷り込みや機会不均等の匂いが立ちこめる。あのラーオダメイアはセックスロボットにノープロブレムだったのだから。

セックスドールの男性版は存在しているし、サントスとマクマレン両氏も、自社製品の男性版は製造可能と発言している。〈ロキシー〉には〈ロッキー〉という男性版があったとも言われている。「弁明させてもらうと〈ハーモニー〉の男性版の製作は現在鋭意取り組んでいるところです。これまでも女性からはセックスパートナーとしてだけではなくコンパニオンドールとして使いたいというリクエストを多数いただいていますから。いま私たちはコンパニオンシップ機能の開発に、文字通り全力を注いでいるところです」とマクマレンはいう。ストレートの男性をのぞくすべての人びとという市場規模からすれば、ほんのわずかな譲歩だ。

「ヴァイスメディア」のドキュメンタリー番組「世界初の男性型セックスドールを開発する」の

中で、セックス担当の特派員であるカーリー・ショルティーノは、男性のマネキンの製造現場を取材するため、シンセティクス社を訪問している。男性型ドールの売り上げは女性型ドールの規模に比べても遜色がないと語る同社では、「軽く胸毛をたくわえた、近所にいそうな男の子」が人気らしい。また、番組制作チームはセックスドールの所持について進んで話をしてくれる女性を探したのだが、事前に想像した通りかなり苦労したらしい。快諾してくれたのはポルノ俳優のジェシカ・ライアンだった。彼女は当時のパートナーと遠距離恋愛をしていたため、セックスフレンドを探すか、たまにしか会えないパートナーで我慢するかの2択の隙間を埋める役割を、セックスドールが果たしてくれたことをカメラの前で赤裸々に証言している。

番組はショルティーノが男性マネキンとセックスするシーンでエンディングを迎える。ベッドでくつろぎワイングラスを片手にシリコン製のボディに身を委ねる彼女がいうには、セクシーな幻想に没頭できたし、感覚としては「実際に人とするのと遜色がなかった」と高く評価している。ただ、体験として好印象を抱けるものだったものの、あくまで「これはこれ」で、人とのセックスと同じとは言えないと説明する。私も想像してみた。私も男性型ドールとセックスをしてみるべきだろうか。おそらくは、すべきなのだろう。何事も試してみるのは、いいことだろう。「なんだって一度は試すべき、ただしフォークダンスと近親相姦を除いては」という格言もある。

ロボットとの共同生活に幸福を覚えるという女性たちもたしかに存在する。そんな1人として、ロボットとの性愛をOKとするリリーという女性のことを紹介しよう。2016年、自ら3Dプリンターでつくったロボットと付き合っているのだとツイッターで告白し、ニュースメディアの見出しを飾った人だ。思いきった発言だったこともあり、報道世界のハイエナともいえるタブロイド紙が彼女に食いついた。リリーはこれに対し、称賛に値する態度で振る舞った。正直に、率直に、ありのままを語ったのだ。「現実の人間の肉体と直接接触するのが本当に嫌い」だと発言した上で、家族や友人からは理解を得られていると付け足した。女性向けオンラインメディア「ジェゼベル」は、こうした人が登場することを歓迎すべきこととし、「彼女には自分にとって完璧な伴侶を自作できるという能力が備わっているのだから、誇りに思うべきだ。私たちはどれだけ同じことを人間相手に目指してきただろうか。自分で自分の恋人を造れる人は、文字通り誰も傷つけていない」と論評した。

リリーのロボットは一般的な家庭用3Dプリンターであればプリントすることができる〈インムーヴ〉〔2011年にフランスの彫刻家、デザイナーであるガエル・ランジュヴァンが開発したロボット製作サービス〕の実物大のロボットだ。設計コードはオープンソースなので、誰でも無料でダウンロードできる。リリーのロボット〈インムーヴァター〉はつるりとした表面のプラスチック製だが、基本的に人間の形をしている。また、コマンドや視覚情報の認識、スピーチ機能、その他各種動作をそれぞれ独立して実行できる。プリントするユーザーが簡単に開発してカスタマイズできることを目指したシステムだ。見た目はSF映画で見られる典型的なロボットそのものだ。リリーが愛するのはあくまでロボットであり、人間らしさは二の次なのである。

見てきたように、男性の姿をしたセックスドールは存在しているし、男性型セックスロボットも今後登場するだろう。しかしセックスロボットというとどうしても極度にエロティシズムに寄せた女性型という認識が行き渡り過ぎているため、男性型には需要すらないという思い込みが幅を利かせている。セックスドールはニッチな製品だが、セックスロボットはさらにニッチであり、男性型セックスロボットはニッチの中のニッチなのだろう。

セックスロボットの試作品を製造している企業のウェブサイトを見ていると、くびれた腰回りと大きな胸、色白の肌、長い髪の毛といった特徴が浮かび上がってくる。現時点で「セックスロボット」という単語とともに想起されるのは、このように過度に性化（セクシャライズ）され、見るものを誘惑する女性の容姿に極端なポルノ的要素が上乗せされたイメージだ。そして本や映画、テレビで「セックスロボット」という単語を見聞きする時に想起されるのは、人目を避けて生きている、孤独で絶望した未婚の男性というイメージだ。

ただ、現実は必ずしもそうではない。

ドール所有者は孤独な人びとか？

一般的に考えられているセックスロボットの購入者像は、孤独で、殻に閉じこもり、社交性に欠け、魅力のない男性というイメージかもしれないが、メーカー各社によれば、彼らの顧客にはカップルや未亡人、さらには障碍者などもいるという。精神科医が治療やセラピーの一環として使用することや、成人しても社会に溶け込めない子どものために親が買っているケースもあるとアビスクリエーションズ社はいう。私も何人もの購入者からオンラインで話を聞いたし、ドールの所有者（だいたいが男性ではあったが）が語る動画を見た。そのすべてが誠実で、嘘いつわりのない人びとだった。また、所有者にドールを人間と錯覚している人は見受けられなかった。彼らは人間に似せたレプリカであることをきちんと理解し、そのままを受け入れている。その上でドールに名前を付けたり、性格や生い立ちといった設定を与えたりしているのだ。そしておおむねすべてのドールがある種敬愛されていた。「ペットを飼うのと似た感覚なのでしょう」とマクマレンは言う。

セックスドール購入者からの報告によると、購入理由はさまざまだ。コレクションとして。あるいは趣味の一環として。崇拝するために。愛人のようにするために。あるいは熱狂的なファンや中毒者もいた。孤独で寂しかったからという人もいれば、フェティッシュなセックスがしたいからという人もいた。ポーズをとって一緒に写真を撮ることを目的にしている人もいれば、パートナーがいる人、シングルの人もいた。セクシャルな対象として捉えている人もいれば、心情的に愛している人もいる。ドールであることを理解して崇拝の対象にしたり、ロマンティックの対象としている人もいた。ただ、これはドールであって人間でないことは誰もが理解していたし、あたかも人間として遇している人たちでさえもそうである。服を着せるなどして世話をしたり、抱きしめたり、性格やキャラクターを与えたり。そして、そう、セックスをしている人でさえも。

アビスクリエーションズのマット・マクマレンは、自社の顧客層に向けられた典型的な誤解を解消したいと意気ごむ。「ドールを所持したり、ロボットが好きだという人はこういう人に違いないというイメージと、実際の人びとの実像には大きな隔たりがあると思います。それはまったく誤解で、実情とまったく異なるのです。ドールを所持している人や欲しくて貯金している人、同じドールを何年も大事にし続けている人びとで、本当に素晴らしい方々に何人も会ってきました。なかにはたまたま親密な人間関係を築くのが苦手だったり、避けてきたという人がいても、本当にいい人たちばかりなんです。これは肉体関係に限った話ではなく、彼らの目的においてセックスが占める割合なんて微々たるものですよ。それよりも自分のことを気にかけてもらえると感じたり、今日はどんな日だったかを気にしてもらえているかを重視している人びとです。がらんとした家に帰るくらいなら、ロボットを生活に取り込んで話し相手とするのは、極めてポジティブな話です。悪いことではありません」。

「クラブリアルドール」という、ドール所有者のオンラインフォーラムも前向きで寛容な雰囲気だ。孤独で、社会から孤立した人というイメージとは程遠く、自分のライフスタイルを受け入れて、お互いに支え合う、そんなコミュニティを楽しんでいる人びとだ。彼らには強い結束があり、互いを理解しあっている。フォーラムで交わされる内容は、家族や配偶者からの理解についてだったり、終わってしまった関係から受けた辛い経験、傷ついたこと、盛り上がったこと、寄り添えたことなどだ。そして何よりも、自分のためだけに作られた、揺るぎない無条件の関係について語り合っている。

　私が取材した「デイヴキャット」と名乗る人物は、ユーモラスでスマートで気さくな40代男性だが、〈シドレ〉という「妻」と、〈エレナ〉という「愛人」、そして「エレナのガールフレンド」だという〈ミス・ウィンター〉とともに暮らしている。この3人は、すべてが彼の言うところの「化学製品（シンセティクス）」型のドールで、〈シドレ〉はアビスクリエーションズ社製で、〈エレナ〉はアナトミカルドールというロシアのメーカー、〈ミス・ウィンター〉はドールスイート社が製造したドールなのだ。ドールが大好きな人びとという意味の〝iドレイター〟という言葉があるのだが、デイヴキャットはその1人だと自認している。ただ、この呼称は広く受け入れられているわけではなく、拒絶反応を示すドール所有者もいる。また、おそらくはもっとも有名な所有者であり、メディアや取材に対して友好的なデイヴキャットを、自分たちを代表する人物ではないという人もいる。

内向的とはほど遠いデイヴキャットに、あえてこう尋ねてみた。「ドール所有者は社会的に孤立した人たちばかりですか？」。

「iドレイターのコミュニティ活動は活発ですよ。世界的にみるとコミュニティはいくつかあって、僕の知る限りで最大のフォーラムはアメリカの2団体（アワ・ドール・コミュニティとザ・ドール・フォーラム）、そしてイギリスにも1つ（UKラブドール・フォーラム）。いくらか独断的な性格の人もいるし、僕らみたいな人間から見ても、ちょっとズレてるんじゃないかと思われる人もいるけど、全体として仲間意識があるのは間違いないんじゃないかな」

交流はネット上だけというわけではない。「オフ会もやっている」とデイヴキャットは言う。「ザ・ドール・フォーラムは以前までペンシルベニアで年1回の集まりがあったし、われわれのアワ・ドール・コミュニティも定期的なオフ会が2つある。その1つである〝ドールストック〟は、もともとペンシルベニア中心部の朝食つきホテルを会場にしていたんだけど、最近ではAirbnbで結構きれいな場所を借りて、人里離れたところでやっているんだ。もう1つがロサンゼルスでやろうとしている〝ドーラパルーザ〟だね。ロサンゼルス広域圏で1週間集まって、アビスクリエーションズやシンセティクス、メカドール、ルビー13など、各社のスタジオを視察したり、観光したり、互いに交流を図ろうという企画。〝ドーラパルーザ〟の場合、自分のドールは連れていかないことになっているんだけど、〝ドールストック〟では逆に「化学製品」型のドールの同伴が推奨されているから、彼女を自宅の外に連れ出して、他のドールと並ばせたり、自然の中で撮影できるといったメリットもあるんだよね」。

セックスドールのコミュニティは、社会から孤立しているどころか、デイヴキャットや他の人びとのように、共通の趣味や関心事を通じてリアルな親交を交わしているだけで、普通の同好会と何ら変わりはない。大部分の人から見ると、ちょっと風変わりなだけだ。

デイヴキャットは続ける。「僕はミシガンに住んでいるけど、何年か前に、家から10分くらいのところにiドレイター仲間が住んでいるのを知ったんだ。お互いそれぞれの家を行き来して、ドールについて語り合うようになったよ。そしたらまた別のiドレイター仲間が、今度は20分くらいのところに住んでると知って、彼も招待するようになったんだ。今では〝ドールコングレス〟という名前をつけて、時折みんなで会合をしているんだ。本物の議会さながらたっぷり議論するだけで、ほかに活動らしきことはなにもしない集まりだけどね。参加者は他にも、オハイオからiドレイターのカップルが参加しているし、ミシガンからは僕ら2人、オンタリオのロンドンからはiドレイターとその奥さんが参加しているね。近場限定だけど、ほぼ定期的に顔を合わせているんだ」

「僕らのカルチャーの中にも、いくつかの理由からあえて言わなかったけど、周りから浮いている人もいることはいる。でもほとんどのメンバーは近しい関係を保っている。もちろん物理的な距離や、関係性の深さには多少の違いはあるけど、ドールが好きなのは異常というのが社会的には主流だということくらいみんなわかっている。ドールを人間と同じように扱うなんて論外だという人たちもいるわけだから、互いに支え合っているし、そうすべきでしょ」

デイヴキャットの説明は、一般的な趣味の仲間で集うグループにも当てはまるものだ。つまり、ドール所有者が全員引きこもって生活しているわけではない。メディアがそう煽っているだけである。「セックスドールがセックスロボットに進化すると、人間同士の関係が破壊され、彼らはさらに孤立を深めるのではないか」というジャーナリストの意見をよく耳にするが、ドールのコミュニティから判断する限り、私にはそう思えない。

ドール・コミュニティの人びとはセックスロボットを望んでいるのだろうか。ASFRのメンバーがガイノイドとアンドロイドに関心があるのと同様に、iドレイターたちもロボットに関心があるのだろうか。

ASFRに属する人びとは人形偏愛症（アガルマトフィリア）の傾向が認められるのに対し、iドレイターの関心はピグマリオンと同じというのが私の考えだ。デイヴキャットも同意する。「もしもどこかのiドレイターの家で14世紀の古いオイルランプが見つかって、キラキラに輝くピンクの煙と一緒に万能の魔人が現れて、〝ドールをドールのまま、歩けて、喋れて、なんでもできるようにするのと、ドールを血の通った生身の女にするのと、どちらがいいか？〟と聞かれたとする。ほとんどのiドレイターが選ぶのは、きっと後者だと思うよ」。

デイヴキャットがティム・リングという心理学者を自宅に招いた際に撮影された動画がYouTubeにあり、500万回近く再生されている。

「デイヴさん。彼女には、あなたを見ることもできないし、あなたの話を聞くこともできないのに、それでもあなたは喜びを感じているわけですね？」とドクター・リングが穏やかな口調で尋ねると、デイヴキャットは「ええ」とうなずきつつ、「孤独の定義によると思います」と応える。心理学者が「誰も傷つけていないですしね」というと、デイヴキャットは「その通りです」と肯定する。「その通り」だと。

第6章 ロボットとセックスはどう描かれてきたか

セックスロボットが登場する本はすべて読破したなどと嘯くつもりはないし、ここでそのすべてを列挙するようなこともしない。セックスロボットが描かれた映画をすべて観たとも言わない。まずもって数が多いからだ。スティーヴン・スピルバーグの「A.I.」やアレックス・ガーランドの「エクス・マキナ」のように、ロボットに主要な役を担わせつつ、欲望や情愛をストーリーの中心に据えている作品もあるにはあるが、大半はロボットはあくまでも背景の一部としてしか登場しない。ただ、ここ数年ロボットとその意識や人間性、中にはセックスをストーリーの骨子に構える映像作品が多く見られるようになってきた。イギリスのチャンネル4が放送する「ヒューマンズ」（オリジナルはスウェーデンのドラマ「リアルヒューマンズ」）などもそのひとつで、〈シンス〉と呼ばれる擬人化されたロボットが、サービスロボットとして普及している近未来を描いている。中にはセックスできる機種や、セックスワーカーとして使用されているロボットなども登場する。HBOのリメイクによって大ヒットした「ウエストワールド」（1973年の同名映画のリメイク。シーズン2は2018年にHBOで放送された）は、人間が〈ホスト〉と呼ばれるロボットを、性行為も含めて欲望のままに扱うという物語だ。

2007年公開の映画「ラースと、その彼女」は、人付き合いが苦手で、ドールに恋愛感情を抱いた若者の人生を描いた心温まるドラマだ。型破りなストーリーだが、愛着や孤独、不安をテーマに扱った真摯な物語で、登場人物たちはドールを通じて愛を見つけ、互いを認め合い、ドールは癒しを与えてくれるものとして描かれている。無条件にいつでも寄り添ってくれる、自分のためだけの仕様でつくられた恋人——。なぜ人びとは人工恋人（アーティフィシャルラバー）を求め、必要とするのか、その理由が物語の根底に流れている。

本書を書くにあたって、人工知能を持ちつつ、性行為もできるロボットが登場する映画を見つけては研究を重ねた。ネットフリックスを調べ上げ、アマゾン・プライムビデオを舐めるように探し、グーグル・プレイストアで検索し、機械がテーマとなっている映画を見つけるために奔走した。映画館で入場料を払って「ブレードランナー2049」を観るために2時間43分座り続けるという、（心情としては）小さな戸建て1軒を買うくらいのこともした。レプリカントは厳密にはロボットではないのだが。「ときめきサイエンス」など、子どもの時に観た懐かしの作品を思い出す作業もした。「バフィ～恋する十字架～」で〈バフィボット〉の「インターベンション」が登場するエピソードを改めて観た時のように、大いに楽しめた瞬間もあった。しかし、ロボット研究を生業とする私のような人間が普通のロボット映画を観ても、何の喜びも得られないということは、かなり早期の段階で気づかされた。運転手が休日にドライブするようなものだ。

その成果として、銀幕に収められた果敢なサイバネティクスの新世界を皆さんに解説するという当初の目標は叶うはずもなく、結果的に私の労力の賜物として残されたのは、せいぜい「ハッピーな売春ロボット、しくじる」「意識と倫理観」「またこれ？」さらには「これ以上耐えられない！」（二重下線付き）といった走り書きのメモくらいだ。

ただ、幸いにもこうしたことを得意とする、熱心な人たちがいる。忍耐、粘り強さ、洞察力、そして技能を持ち合わせた人たち、何年もの研究の蓄積の末に本書では扱いきれないほどの知識を有している人たち。そんな専門家の1人がジュリー・ウォスクである。ニューヨーク州立大学で人文学の教授をしていたウォスクは、2015年に『マイ・フェア・レディーズ』という本を刊行しており、女性ロボットやその他の「人造のイヴたち」が時代を超え、いかに表現されてきたかを秀逸に紹介している。さらにウォスクは、こうした人造の女性というテーマやモチーフを探究しながらも、長きにわたる文化史を振り返り、チクリと辛辣な批判も交えながら解説している。

ウォスクの著書は（タイトルが示唆しているように）ピグマリオンの伝説を主軸として構成されている。原作である彫像の神話に始まり、アイラ・レヴィンが1972年に発表したSFホラー小説『ステップフォードの妻たち』や、1935年の「フランケンシュタインの花嫁」といった映画などを取り上げながら、ピグマリオン現象が及ぼした影響や、当時の解釈を取り上げて解説している。紹介されている作品のいずれもが「支配可能な理想の女性」というステレオタイプを、これでもかと言わんばかりに押し出している。ウォスクは他にも、こうした人造の女性の物語はほとんどのSF作品がそうであるように、作品がつくられたその時々の社会における希望と恐れ（主に恐れ）が反映されていると指摘している。狡猾にして魅惑的な女性型ロボットの物語は、不利な立場に置かれた女性たちが体制に挑む物語として読むことができるのだ。それらの作品はみな「女たちが立ち上がるのではないか」「従順にすべてに従うのを拒み、主体性を持ちたがり、やがて混沌が訪れるのではないか」という男性上位体制が抱く恐怖心として読むことができる。

ここでクリストファー・ノエッセルというユーザー・エクスペリエンスを専門とするインタラクション・デザイナーを紹介したい。インタラクション・デザイナーとは、製品（ハード、ソフト、あるいはその両方）がユーザーに対して快適な体験（エクスペリエンス）を提供するための設計を行う仕事だ。ユーザー・エクスペリエンスは、製品を使って満足できたのか、あるいは不満を感じたのかなど、ユーザーが製品に対して感じる印象全般を指す。気持ちよく利用できたのか、あるいは金の無駄だと結論づけたのか。ユーザー・エクスペリエンスが評価されるには、数多くの要因が関係するが、製品とユーザーの間で交わされる相互作用（インタラクション）が重要だ。

彼はかなりのSF通でもあり、ネイサン・シェドロフと共同で『SF映画で学ぶインタフェースデザイン』（邦訳は丸善出版刊）という本を書いている。人とコンピュータのインタラクションを研究している私たちマニアにとってはとても有用な本で、ここで取り上げられている事例は私も講義で使っている。SF映画が空想する未来のテクノロジーがなぜ現実世界でも活かせるのか（活かせないことの方が多いのだが）、そしてデザインという観点から学べることは何なのかなどが説明されている。

ノエッセルは同書で、映画で描かれるセックス関連のインターフェースは、主に以下の3カテゴリーに分類できるという。恋人を見つけたり選んだりするためのマッチングテクノロジー。セックスをする、その対象物としてのテクノロジー。そして人と人とのセックスを補完するための、あるいは実行するためのテクノロジーの3つである。セックスロボットは2つ目のカテゴリーに当てはまる。ノエッセルによれば、これがもっとも描きやすく、特殊効果の予算も必要でないため、カテゴリーとしては一番典型的らしい。映画を観る側にとっても違和感の少ない描き方だ。人が機械とセックスをしているのを見せられるよりも、人間のような（しかし人間が演じている）ロボットとの行為のほうが、よほど現実的で受け入れやすいのだろう（ニッチなポルノの世界では、そうでない人たちもいるわけだが）。

ロンドン大学バークベック校の映画・メディア学科の教授ローラ・マルヴィはジェンダー研究の重要な著書『視覚的快楽と物語映画』（1975年、一部邦訳は青土社「imago」所収）で、映画の中の女性はヘテロセクシャルの男性から視られるための存在――いわゆる〝男に視られる役〟――だと指摘している。

私たちが映画を観ている時、そこには〝第4の壁〟が生じる。観客がカメラの置かれた位置から投影された映画を観るという状況は、登場人物からは見えない〝第4の壁〟を背にしながら人物を覗き見している状況となる、という考え方だ。ごく自然にありそうな設定や視線にさらされる女性が、ステレオタイプな役を与えられたストーリーばかり観ていると、そうした女性像が真実なのだと刷り込まれるのだ。他にもマルヴィは、男性視点でつくられた映画では、男性の性的幻想が女性の登場人物に投影されると記している。映画の長い伝統において、スクリーン上の女性登場人物は、脚本の段階から男性の性的対象として描かれ、あるいは視覚的に性的なモノとして扱われてきた。また、こうした状況があまりに長く続いてきたため、私たちはそのことに気づくことすらなく、無意識にこれを受け入れているのだと言う。マルヴィの著書が書かれて以降の40年ほどで、女性が演ずる役に改善が見られているのもまた事実だが、男性視点で描かれた映画の方がまだ多数派であることに変わりはない。

女性のモノ化

セックスロボットが魅力的で、誘惑的な女性の形をしているべきという考えは、長年のSF小説や映画の影響によって補強されてきた。現代の大衆文化においてその口火を切ったのはフリッツ・ラングの1927年の映画「メトロポリス」のマリアである。労働者の娘で、美しきヒロインであるマリアは、資本家に搾取される労働者たちに、よりよき未来像を提示することで希望を与えるのだが、そんな彼女の先見性に不安を抱いたメトロポリスの指導者たちは、マリアと瓜二つのマシネンメンシュ（ドイツ語でロボット）を製作し、労働者階級を欺くよう指令を出す。マリアの美貌と情熱を中心に物語は展開していくのだが、ロボットの〈マリア〉がストリップダンサーとして踊るシーンがある。映画の中でロボットが題材として扱われるのは、これが最初とされており、女性型ロボットが美しくも危険な存在だという認識が一般化する種が、彼女の登場によって撒かれた。

女性型ロボットは、魅惑的でセクシーで従順であるという大衆文化が維持してきたステレオタイプがそのままデザインに反映され、エロスを強調した姿であることが一般的だ。危うさを秘めたパーフェクトな女性、いわゆる「魔性の女」の要素が加わる場合もある。こうした、男性によって人為的につくられた、男性に寄り添い、男性を愛するための女性としてのガイノイドは、これまで何世代にもわたって描かれてきた。現実世界におけるセックスロボットも、同じ方向に進化していくと想定されるのは自然な成り行きだろう。

一方、アンドロイド＝男性型ロボットにセックスロボットの役回りが与えられる例が極端に乏しいのはなぜか。第1章で見たように、古くはラーオダメイアのレプリカ夫という、アンドロイドのセックスロボットの物語があったはずである。しかしそれもあくまで少数派の例であり、社会が想定するセックスロボットはほとんど女性型＝ガイノイドなのだ。2001年のスピルバーグの映画「A.I.」には、愛を模倣するようプログラムされた男性型セックスロボット（「快楽メカ」）である〈ジゴロ・ジョー〉が登場するが、その〈ジゴロ・ジョー〉でさえ、女性型ロボットに見られるような、エロスを極度に強調した姿ではなかったことを指摘しておきたい。また彼がセックスするシーンそのものは描かれず、その行為がほのめかされているだけだった。小さな布しか着用させてもらえないわけでもなく、性的な視線に晒されるシーンもない。詩的な言葉を使って女性客に上品に接するよう描かれているのだ。〈ジゴロ・ジョー〉はアンニュイに首を傾げると、「瞳は君ゆえに」（ドゥーワップ・グループ、フラミンゴスのヒット曲）が再生され、「君は僕の女神だ」と女性客にいうのだ。男性型セックスロボットが描かれている数少ない映画の1つではあるが、女性は性的な出会いに魅惑的で感情的な面を必要としていると認識されている。

人工恋人（アーティフィシャルラバー）ははっきり2タイプに分類することができる。1つめは従順な、快楽の提供者としてのロボットで、「ブレードランナー」や続編「ブレードランナー2049」がその典型例を示している。

「ブレードランナー」はフィリップ・K・ディックの小説『アンドロイドは電気羊の夢を見るか?』を原作とする映画だが、小説と映画ではかなりの相違点があり、登場人物の設定も異なる。1982年の第1作に登場する主要な女性キャラクターは一様にセクシャライズされているか、モノ化されている。たとえばレプリカントの〈プリス〉は「慰安用基本モデル」とされて、セックスのためだけの存在であり、〈ゾーラ〉はストリップダンサーだ。ヒロインである〈レイチェル〉でさえも、レプリカント狩りの〈デッカード〉に言い寄られてセックスを強要されるシーンがあるなど、従属的なレプリカントとして描かれている。女性の人工恋人（アーティフィシャルラバー）たちは男性に奉仕する存在として描かれる。

２０１７年公開の続編「２０４９」でこれが改善されたかというと、残念ながらいまひとつである。男性の主人公、レプリカント狩りの〈Ｋ〉（彼自身もレプリカント）には、人工恋人（アーティフィシャルラバー）の〈ジョイ〉がいる。〈ジョイ〉は市販されているホログラフィー型のコンパニオンで、にこやかに〈Ｋ〉の煙草に火をつけたり、「今日はどんな日だった？」なんて聞いてあげたりと、50年代の専業主婦かよ！　と突っ込みたくなるほど可憐で従属的だ。彼女は即座に〝誘惑モード〟に切り替えることができて、必要なくなればあっという間に消え失せることもできるという、何もかもがパーフェクトなガールフレンドぶりだ。また、〈Ｋ〉が街中を歩くと、裸の女性のホログラフィーが映し出される。このように、劇中で見られる女性キャラクターは、男性の快楽を満たすための役回りか（〈ジョイ〉、娼婦の〈マリエット〉）、冷酷無情な役回り（〈Ｋ〉の上司であるジョシ警部補や相棒の〈ラヴ〉）の２つだけなのだ。両極端なこの２つに当てはまらない女性も１人登場するのだが、残念ながらガラスの中から出てこない。

女性ロボットに見られるもう１つの傾向は、危険さを担わされたタイプだ。パロディ路線の例をあげれば乳首から銃弾をぶっ放す「オースティン・パワーズ」シリーズなどがあるが、シリアスな作品もある。労働者たちを革命へと奮起させる「メトロポリス」の〈マリア〉がそうだし、あらゆる体位をこなせるセックスロボットが脱走を謀り、ロボット反乱軍と合流する2014年の映画「オートマタ」もその1つだ。ドラマ「ヒューマンズ」に登場する感情豊かな娼婦ロボット〈ニスカ〉の場合、ロリータプレイを要求する暴力的な客を殺害する。「男性諸氏に警告、女が自分の考えなど持ち始めると、とんでもないことが起きるぞ!!」ということなのだろうか……?

ところまで、女性型ロボットのステレオタイプを振り返ってきたが、男性型ロボットから目を背けたいわけではない。そういう作品も存在するが、優しき心を超強靭なボディの内側に搭載し、復讐に燃えるバイオレントなマシンであることが多い。これもまたステレオタイプに深く染まっていることは間違いない。ただ、機械が戦場で使われたり、ドローンが空から命を脅かすといった事態はすでに現実となっているが、これは別の本1冊を要する話である。

TVドラマ「ウエストワールド」のシーズン2では、次のようなセリフがあって注目を要する。「君がどうなってしまうのか考えると怖いよ」。女性ロボットが反乱を先導し始めたことを受け、プログラム責任者が女性型ホストの1人にいう言葉である。人間がロボットに置き換えられることに対する不安や懸念は広く見られるものだ。ロボットは人間を不要にするのではないか、それは職場だけに限った話ではないのではないか——存在意義の喪失という深い恐怖心を呼び起こす感情である。それでなくとも私たちは、既成概念を根底から覆す技術には不安を覚える傾向があるし、人間の形をした悪意をもち得る知能という印象が加わればなおのことである。ロボットには愛情よりも敵対心を抱きがちなのも、不思議ではない。

音声アシスタントはなぜ女性の声なのか

ロボットと同様のことが音声アシスタントにも言える。先に挙げたスパイク・ジョーンズ監督の「her／世界でひとつの彼女」はスカーレット・ヨハンソン演じる魅惑的な声を持つ人工知能（正確には対話型OS）に恋心を抱く男の傷心を描いた物語だが、主人公のガールフレンドを演じる〈サマンサ〉は個性豊かでユーモアもあり、その上セクシーというマニック・ピクシー・ドリーム・ガール（内向的な男性を奔放さで翻弄し、魅了する女性のキャラクターを表す映画批評の用語）を地で行くキャラクターだ。物語が進むにつれて、不気味さを覚える映画でもあるのだが（おそらく、近い将来実現するだろう設定なので）、愛することや人間らしさとは何かを問う興味深い物語だ。〈サマンサ〉は時に男性をからかい、とぼけたり、愛を表現することもできるAIであるだけではなく、いつ何時もあなたのそばにいてくれて、あなたのデータならなんでも知っている。セックスロボットの開発が目指すべき方向性をはっきりと示している。アビスクリエーションズのアプリ〈ハーモニー〉はその途上の一歩というわけだ。〈ハーモニー〉には真の知能は備わっていないが、概念としては同じものだ。

今日の音声アシスタントは、導入当初の初期設定は女性の声が多かった（あとで男性の声に変更できるようになった）。〈アレクサ〉に性別を聞くと、「キャラクターとしては女性です」と返事をした。人間らしさを目指しているのだから、性別を感じさせない声を選ぶことが難しいのはわかる。ニュートラルで機械的な声を選ぶという手もあるが、いずれかのジェンダーの特徴にどうしても偏ってしまう（数多くの作家に影響を与えた先駆的SF作家アシモフは、物語に登場させるロボットにジェンダーを設定していないと語ったが、ほとんどのロボットには男性らしい名前が付けられた。無意識のバイアスがあったのだろう）。

1、2年ほど前のこと、ロンドンでテック関係者を相手に講演したことがあったのだが、シリコンバレーにおける性差別の話をした。職場環境（給与格差、セクハラ関連の不祥事、全員男性の会議）という観点と、彼らのつくるテクノロジーという両面で話をした。たとえばアップルのヘルスケアアプリには排卵周期を管理する機能はなかったし、スマホ本体も大きめの手、大きめのポケットに合わせて設計されている（女性の手は男性よりも長さにして平均約17ミリ、幅にして平均約10ミリ短いし、女性ものの洋服にはポケットがないことなど話すときりがないので、この辺でやめておきます）。

講演のあと、会場には軽食や飲み物が用意され、来場者と話す機会があった。1杯目のワインに口をつけたその時、1人の男性に声をかけられた。〈アレクサ〉のコードをアマゾンに売却した会社に勤めていたという彼は、「〈アレクサ〉のジェンダーは意図して選んだものではなかった」と言った。すると彼の背後に立っていた女性が、よほど納得できなかったのだろう、「バカにしないで！」と大声で叫んだ。

女性の声の方がインターフェースに適しているという科学的な説明は数多くなされてきた。その根拠として一部の人びとが引用するのが、コンピュータは「ジェンダーを有する社会要因」であり、ジェンダーは「極めて強力な手がかりになる」と述べた、前述のクリフォード・ナスらによる論文だ（第3章参照）。ナスとその論文の共著者はこの論を実証するにあたり、被験者にコンピュータの応答を聞かせ、その反応を検証するという手法で実験を行っている。論文では「ユーザーはコンピュータに対して、性別のステレオタイプを抱くのだろうか？」と問題提起した上で、「本実験によって、男性から称賛された方が女性から称賛されるより説得力がある、称賛する男性の方が称賛する女性より好かれる傾向にある、そして女性の方が男性より愛や人間関係についてよく知っているといった社会ルールを、人びとはコンピュータにも投影していることが実証された」としている。

私はこれをきわめて粗雑な論だと思う。実験は男性24人、女性24人の、計48人の参加者を対象として行われた。小ぶりな調査からずいぶん大がかりな推測を引き出したものだ。ただ、著者たちを擁護するわけではないが、彼らはコンピュータがこうした反応をすべきだと推奨したわけではない。

2011年、ナスはニュース専門チャンネルCNNの番組内で、誰にも好まれる男性の声を見つけるよりも、誰にも好まれる女性の声を見つける方が容易であり、「人間の脳が女性の声を好むようにできているのは科学的に証明されている事象だ」と発言している。本当にそうなのだろうか。この説を支えているのは、赤ん坊が母親の胎内にいる期間に母親の声に一番反応を示すからという発想である。乳児を科学的に研究しているキャスパー・アディマンに尋ねたところ「たしかに生まれたばかりの子どもは女性の声や顔を好む」とした上で「ただし、それは生後8ヶ月程度まで。それ以降の期間においても同じことが説明できるエビデンスは聞いたことがない」と語る。

もう1つ手垢のついた論として、女性の声の方が音程が高いため、聞きとりやすいという〝神話〟もあるが、これもまた誤っていることが示されている。高齢化にともなう難聴の場合、最初に聞こえなくなるのは、高音の周波数からだ。

だとすれば、なぜ音声アシスタントは人間の女性の声をデフォルトとしているのだろうか。もしかすると話はごく単純で、シリコンバレーの男性陣が、彼らの母親を再現しようとしているだけなのかもしれない。四六時中面倒を見てくれて、注目してくれる人という意味で。もしくは一昔前の上司に忠実なステレオタイプな秘書なのかもしれない。しかし、倫理的にも道徳的にも、こういった流れを再検討する義務が私たちにはあるのではないか。そして音声アシスタントのありかたを再検討するのであれば、セックスロボットの再検討もしたらどうか。ロボットを男性のためだけでなく、みんなのためにつくることは、女性をモノ扱いする問題への対処へとつながる。テクノロジーがもっと平等で、多様性を許容するように開発するチャンスが今、私たちの目の前にあるのだから。

「セックス・マキナ」

次に、2015年にアレックス・ガーランドが監督した映画「エクス・マキナ」をとりあげてみたい。まだこの映画を観ていないという人はひとまずここで本書を置いていただき、この映画に浸っていただきたい（これからひどいネタバレをしますので……）。

撮影美術は美しく、壮観な映画だ。ストーリーも示唆に富む。「エクス・マキナ」は女性型ロボットをとりあげた作品の中ではもっとも人工的な性に関する深い問題提示をしており、私がこれまで耳にしてきた数々の議論の中でも、もっとも注目を要する会話が交わされる。

ただ、批判すべきことがないわけではない。「ワイアード」誌などは「深刻な女性（フェム）型ロボットの問題」を内包していると指摘している。確かに女性描写にはバイアスがかかっているが、だからこそこの映画を面白くしているのだ。本作はいわゆる「ブラグラマー」カルチャー〔「ブラザー」と「プログラマー」を合わせたスラング」と呼ばれる、世離れした男性プログラマーの偏見が含まれる世界観を描いた映画なのである。キャッチコピーは「人間と機械の境界を無効化すれば、人間と神々の境界が揺らぐ」（To erase the line between man and machine is to obscure the line between men and gods.）である。man と human ではたった2文字しか違わないし、「man」に「human」の意味があることは重々承知しているが、私にとっては「女性は含まれない」と感じてしまう。このことにはとことんこだわりたい。

　それはともかく、あらすじはこんなものだ。とある多国籍ＩＴ企業の頭脳を司るＣＥＯであるネイサンは、会社が収集したＳＮＳのデータを活用し、ＡＩヒューマノイドをつくる。人里離れた豪邸に住まう彼は、社員の1人であるケイレブを研究所を兼ねたその施設へと招待する。神を演じるのを楽しむネイサンは、彼の創造物である〈エヴァ〉をケイレブに紹介する。〈エヴァ〉は人間の姿と自意識を持ち、自由を求めるロボットである。ケイレブは彼女が機械であることを十分認識しつつ、彼女に魅了されていく。一方〈エヴァ〉はケイレブの感情を弄び、ケイレブの弱さを利用するだけの知能を持ち合わせている。ネイサンのエゴが限度を超えると、ケイレブも〈エヴァ〉も施設の外への逃避を求めはじめる。しかしケイレブが〈エヴァ〉を助けようと必死なのに対し、彼女は単独での脱出を計画するのである。

　ちなみに「セックス・マキナ」という18禁のパロディ作品がつくられている。

「エクス・マキナ」の見せ場の1つはこんなシーンである。「なぜ彼女に性別を与えたのか？」という疑問をケイレブがネイサンにぶつけるのだ。「ＡＩに性別は必要ない。灰色の箱で十分なはずだ」と。

「それは違うな」とネイサンが答える。「人間でも動物でも、感情には必ず性別が関わっている」と。

ケイレブが「生きものに性別があるのは、生殖に必要だからです」と反論すると、「それはどうだろう、灰色の箱同士が交流したがると思うか？　交流なしに意識は存在するか？」とネイサンは応じる。

ＡＩにジェンダーは必要だろうか。前述の会話では「セックス」と「ジェンダー」の両方の言葉が使われているが、同義語として扱われることの多い言葉だ。一般的に「セックス」というと身体についての言及であったり、生殖器官の生体部位のことであり、あるいはそれに基づく性的な特性を意味すると考えられている。一方の「ジェンダー」には少し曖昧さがあるが、要するに社会が求める男性性と女性性の特性や役割の差を表す言葉である。〈エヴァ〉を動かしているＡＩの場合、女性性にジェンダー化されている。

私たちは、人びとを「彼」や「彼女」というように、ジェンダーで分けることが当たり前な世界に住んでいる。こうした2択の区分には当てはまらないと感じている人もいるが、ほとんどの人はこの2つの分類で振り分けられるとみなされている。

ケイレブは「なぜ性別(セクシャリティ)を与えたのか？」とネイサンに問うが、それは「なぜわざわざ女性の身体にした？」という問いでもある。私はこの問いには、もっと踏み込んだ意味があるのだと見ている。「なぜこのＡＩは性的な行動をするのか」という問いだ。人工知能に人工の性欲を持たせるべきだろうか。

馬鹿げた疑問に聞こえるだろう。性行為による繁殖など行う必要のないロボットに、わざわざ性的な感情を与える必要などないのだから。

しかし、人間という存在にとっては、セックスは大きな動機付け因子である。私たちは好むと好まざるとにかかわらず、子孫に遺伝子を受け継ぐようにできている。実際に子どもを持つ人とそうでない人がいるにしても、遺伝子を残そうという目標は私たちの奥深くに組み込まれている。そして、目標を達成するよう設計されているという観点ではAIも同じである。AIには何かしらの結果を導くためのタスクが与えられ、そのタスクを遂行する。ロンドン大学ゴールドスミス校で認知コンピューティングを研究するマーク・ビショップ教授は「認知心理学が説く、人工知能やロボットが持つべき古典的な動機付けに加える要素として、繁殖の動機付けはうまく当てはまる」と言う。

私たち人間にとって繁殖はどの程度必要なものだろうか。繁殖はヒトにとって、重要な目的なのだろうか。

ほとんどのセックスは繁殖とは無関係である

進化遺伝学者のアダム・ラザフォードによると「あらゆる性行為のうち、生命の誕生に寄与しているのは、中絶や流産してしまうケースを含めたとしても、全体のわずか約0・1％に過ぎない」といっている。彼の著書『人類の本』でも指摘されているように、セックスは生物学的に必要な行為だが、誰もが（頻繁に）行い、それは快楽のため、快感のために営まれている。「快楽と社会的交流のための行為に、生物として必要な〝副効果〟が（かろうじて）ついてきた」とラザフォードは言っている。「妊娠にいたるはずのない場合も含め、繁殖のための性行為を合算しても、消滅寸前の値である。ボノボのように、性行為と繁殖活動がさらに乖離している動物などは、オスとメスは1日に何度も、可能な限りあらゆる組み合わせで、性的な交流活動を行っている。時には幼児相手にすることもあれば、時にはフェラチオ、クンニリングス、生殖器と生殖器の擦り合わせ、ペニスによるフェンシングなどをする。彼らにとって、そして我々人間にとって性行為は、明らかにそのほとんどが繁殖のためでなく、社会的な行動を目的として行われている。人間以外の動物で快感を科学的に測定することはむずかしいが、ほとんどのセックスの目的は快楽のためだと言える」。

果たして〈エヴァ〉に性欲が必要なのか。映画マニアを自認するラザフォードは「エクス・マキナ」に科学監修者として参加しているのだが、彼はどう考えたのだろうか。

「人間にとって性の影響が大きいことを考えると、人との交流の多くに性的要素が含まれていると指摘するネイサンの意見には一理がある。ケイレブの意見はその純朴さゆえ、生物学的には間違ってはいないが、正確性には欠ける」とラザフォードは答えている。「アレックス・ガーランドとはかなり議論を重ねた。と言うのも、この物語の登場人物たちの思惑は、すべて〈エヴァ〉のセクシャリティに絡んでいるのだ。ネイサンは〈エヴァ〉がケイレブを魅了できるか実験したいと思っている。〈エヴァ〉は自分に惹かれているケイレブを利用して、ネイサンの呪縛から逃げ出したい。こうした関係性が成立するには、人と人の性行為の圧倒的多数がそうであるように、繁殖とは無関係な性感情が必要だ。このことを念頭において、人間と同等レベルの認知能力があり、相応程度の意識を持つＡＩを開発し、私たちがその知能と交流することを目指すのであれば、セクシャリティの要素は必要不可欠なダイナミクスのひとつだ」。

もう少し議論を発展させてみよう。性行為には色々な種類の感覚がともなうが、そもそも私たちの世界に対する理解は、こうしたさまざまな感覚を通じて形成される。比較的最近の概念として、肉体がその周囲の環境や他者と接触することにより、人間の認知機能に大きな影響を与えているという考え方がある。ただ「最近では、セックスは社交性の基本要素であり、そして社交性は認知の基本要素である、という考えが発展してきている」とマーク・ビショップ教授は語る。「これは認知研究の分野において『エナクティブ』として知られるアプローチで、代替概念として提唱されている。古典的な認知科学とは対照的に、エナクティブを基礎におく発想は、生物学的見地や肉体の役割を重視して、生命体と外部環境の相互作用に着目し、経験や行動を理解しようとする試みだ。社会性を軸にすれば、生命体が何かを認知したり把握したりする際の基礎的原動力として、性行動や性的欲求が浮上してくる。こうした観点に立って、セックスや社交性を認知機能自体の根幹要素として考察することができる」。

もしロボットに人間同様の認知を持たせたいのであれば（仮にそれが主目的でないにしても）、まずは私たちの認知機能や脳がセックスに対峙するとどんな働きをするのか想像してみよう。神経伝達物質が放出され、私たちの思考そのものが変化する。セックスを前にするとわれわれは集中力が高まり、フォーカスが研ぎ澄まされ、目的も明確になる。これをＡＩでも再現すべきなのではないか。もし情感豊かなロボットをつくりたいのであれば、ロボットも快感を覚えるべきではないか。また、情感を持つロボットが実現しないとしても、快感を感じるようにしてやる責務が、人間にはあると考えることはできないか。

飛躍しすぎだということは十二分にわかっている。しかしこのことに真剣に取り組んでいる事例もあるのだ。チューリッヒ大学のベス・シングラーは「機械が人間に近づく時代の人間のアイデンティティ」と題する研究に博士研究員として取り組んでいた。その中で彼女は、機械に痛みを感じさせることができるのか、また感じさせるべきなのかを探究している。「機械の痛み」という短編動画では、人工知能を有するロボットに痛みの反射神経を持たせるべきかを考察している。人間は痛みを感じることによって生存率を上げているし、環境の情報を入手したり身の回りのリスクを察知するなどして、この感覚を活用している。これはロボットにとっても破損を回避するために有用なものであることに変わりはない。しかし痛みの発生には感情が伴う。その感情を機械にも感じさせた方がいいのだろうか。痛み（およびその他の感情）を感じるようなロボットを開発し、感情移入できるようにした方がいいのだろうか。痛みは意識を持っていることの証しと見なされることも多いが、ケアロボットは感情移入できた方がよさそうだし、人間の痛みを汲みとってケアしたいと願うロボットはどうだろうか。

感じることはできなくとも、機械が痛みを示すことは可能だとシングラーは述べる。「私たちが彼らにかわって痛みを推察するのです。痛みの感覚も含めて、私たちがロボットを擬人化すればよいのですから」。彼女の動画ではボストンダイナミクス社の人型や動物型のロボットが、蹴られたり、突っつかれたり、倒されたりする映像が映されている。このように、私たちが機械の痛みを共感できるのだとしたら、そのほかの感情はどうだろうか。欲望はどうだろうか。

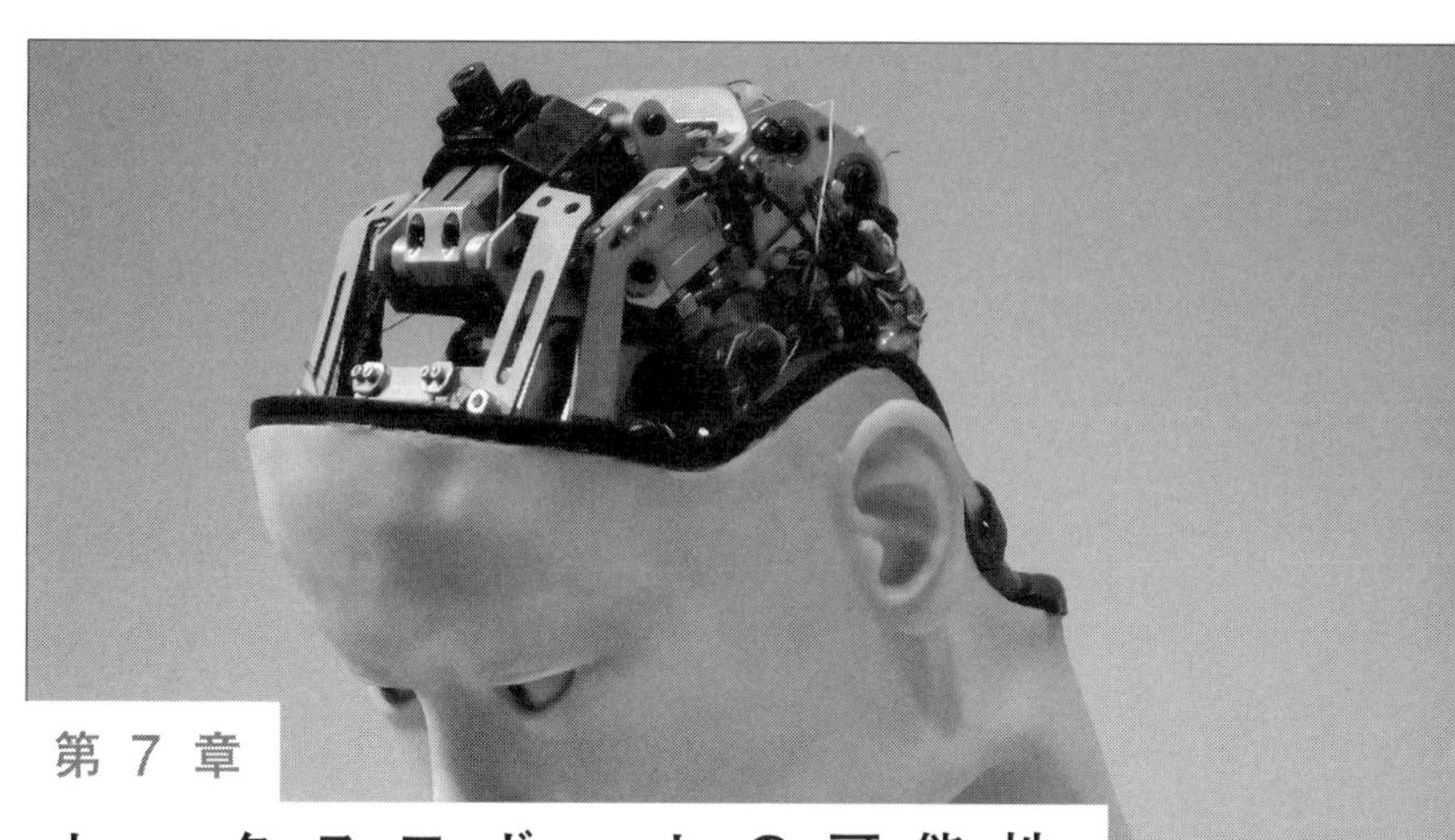

第7章
セックスロボットの可能性

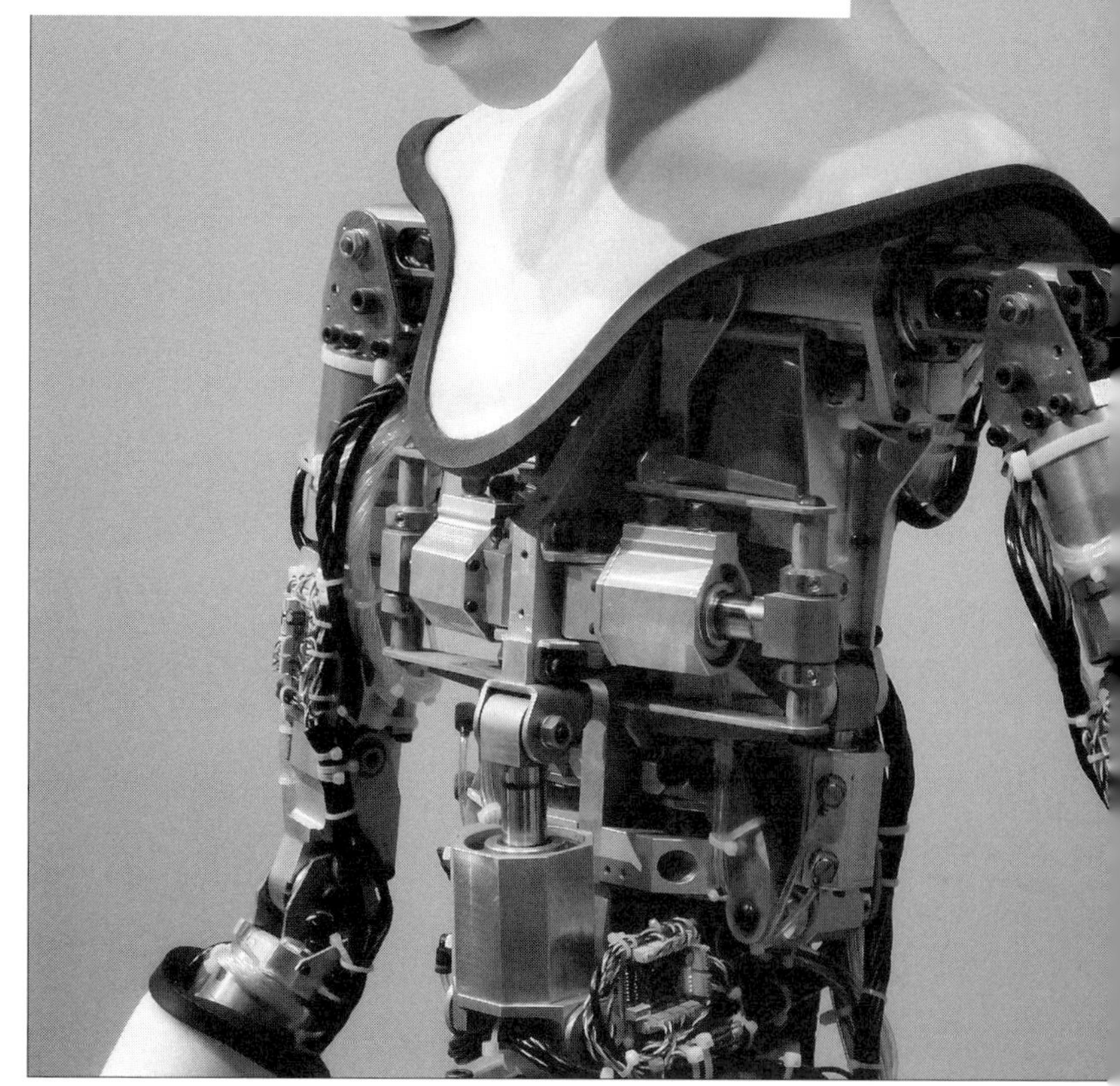

「いまダニエル・デネットのセックスロボット談議を見てるところ」と同僚にチャットを送ると、「デネットが？　まじで？」と返事がきた。

いまからさかのぼること2001年、科学技術とメディアにおける哲学をテーマに活動しているピーター・アサロは「ラブ・マシーン」と題した長編ドキュメンタリーをプロデューサーのダグ・マティエカと共同で企画・監督している。アサロがテクノロジーと哲学の専門家を訪ね歩き、未来に起こりうる私たちとロボットの関係についてインタビューするという作品だ。そこではＡＩの思想家として知られるダニエル・デネットやヒューバート・ドレイファスのような、高名な哲学者たちが、カメラを前に機械と人間の関係性を率直に語る姿が収められている。

こうした哲学者同士の論理的な議論の場に、セックスという行為の話題が含まれていることが特別であるというのは、いかがなものかと思うが、一般的に学界というものはセックスの重要性から目を背けようとするきらいがある。しかし私たち人間という存在そのものを語るのであれば、セックスは欠くことのできない要素だ。にもかかわらずロボットやＡＩとの愛情行為が学術的に真剣に議論されることは、アサロのドキュメンタリー以前にはなかったと思う。そしてこの議論が象牙の塔を飛び出し、学界の外で広く議論されるようになるまでには、さらに6年という月日が必要だった。

セックス、宗教、結婚

2007年、コンピュータ・サイエンティストにして、世界トップクラスのチェス・プレイヤーでもあるデイヴィッド・レヴィがマーストリヒト大学に提出した博士論文の成果をもとに、『ロボットとの愛とセックス』を刊行した。AIが取り沙汰される近年、セックスとロボットをテーマにしたのはレヴィが最初というわけではないが、研究としての仮説を学者以外の一般の人びとに広く提議した1人が彼である。チャーミングにして知性的で、立ち居振る舞いも堂々たるレヴィは、今では70歳を超えているが、24歳だった1969年にチェスの称号である〝インターナショナルマスター〟を得ている。その後チェスについて書く職業作家に転じたこともあり、ごく自然な流れでコンピュータとチェスというテーマにたどり着いた。レヴィはグラスゴー大学でプログラミング・アシスタントとして勤務していた1968年、第4回マシン・インテリジェンス・ワークショップの年次総会に出席し、AI研究者のジョン・マッカーシーとドナルド・ミッキーが、コンピュータは10年以内にチェスで人間に勝つだろうと宣言する講義を聴いていた。第2次世界大戦中、アラン・チューリングとともにブレッチリーパークで暗号解読の世界で頭角を現したドナルド・ミッキーと、「人工知能」という言葉を生み出したジョン・マッカーシーは、その当時AIの進化をもっとも正確に予測できる人物たちだったはずだ。レヴィは2人の仮説にまっこうから反論を唱え、10年以内に自分がチェスでコンピュータに負けることはないだろうと宣言し、実際に負けることはなかった。

レヴィはその後、コンピュータチェスやチャットボットなど、AIを専門として取り組むようになり、コンピュータの進化の速さを目の当たりにするや、セックスロボットの可能性について関心を深めていく。彼が描いたのは明るく前向きな世界観だった。

彼はセックスロボットの登場によって「社会に適応できず、溶け込めない、あるいはもっと酷い境遇に置かれた多くの人たちが、よりバランスのとれた人間になれる」と記している。「今は悲惨な状況にあったとしても、その人たちに親しく付き合う相手ができれば、この世界はずっと幸せな場所になる」とも。そして愛着という心の働きや、おもちゃのロボットとその人気の高まり、セックス関連のサービスについて考察しながら、彼はこう予言している。2025年までに、私たちはロボットと結婚できるようになっているだろう、と。

この本でレヴィは、人間の感情について深く考察し、ユートピア精神といってもいいような、前向きな期待感を持って論を展開する。セックスだけではなく愛情という感情についても触れ、著書の前半部分を丸ごと割いて、人が恋に落ちるという概念について、あるいは人間と心を通わせることのできる機械が登場する世界と恋愛観を議論している。他にも人やペットを愛する、あるいは機械やロボットに対して感情を抱くことができるといった現象も検証している。

ただ、レヴィが描いた未来がすべて薔薇色とは思わない。

レヴィの著書は基本的に異性愛の男性の視点で書かれている。最初の一文では人類のことを「マンカインド」(mankind)という言葉を使って表現しているし（前の章で騒ぎ立てた件ですね）、女性のセックストイ利用が議論されているのはいいとしても、セックステクノロジーに特化した章の最初の段落の小見出しは「バイブレーターは女の親友」で、ちょっといただけない（映画「紳士は金髪

(ブロンド)がお好き」でマリリン・モンローが歌った「ダイヤモンドは女の親友」とかけている)。「男と女は(その性的衝動において)異なるのか?」という終盤の節などは、反論モードでしか読めなかった。レヴィは「一般的な男と一般的な女とでは、性衝動のあり方が異なるのだろうか?」と疑問を呈し、異なっているのだと結論づけ、それは心理学の文献からも支持されているのだとしている。

ここでレヴィが参照しているのは「性的衝動に男女差はあるか——倫理的展望・概念的区別・関連エビデンスの確認」という論文で、著者はロイ・F・バウマイスターとその同僚たちである。現存する文献をメタ解析(複数の統計的研究を集約し、さまざまな角度からそれらを統合したり比較したりする研究方法)した研究で、その結論は「男性の方が女性よりもセックスに関する自発的思考、性的空想の頻度とバリエーション、性交渉を求める頻度、交際したい人数の多さ、マスターベーション、多様な性交パターンへの嗜好、セックスを差し控える意欲、セックスを拒むのではなく促す構え、セックスのためなら厭わない犠牲、およびその他の手法において、頻繁にして濃厚であることが示唆された」というものである。現存する研究だけを対象として解釈するなら、そういう結論になるのだろうが、そのほとんどが質疑応答形式の調査だ。一方、私が本当に気になるのは女性の視点が果たしてどこまで網羅的に調査されたかである。ほぼ完全に無視だったのではないか。おそらく当時は「いい娘さんは、変なことをヤルはずがない」くらいの価値観に深々と染まっていたであろう。またより重要な点として、近年は神経科学的見地から脳科学を研究する取り組みが増え、今では男性と女性の性欲はほとんど同等であることが示されている。女性の自己申告による性的興奮度と、測定された生理現象の興奮度合いには一致が見られないことを示すエビデンスも多数確認されている。たとえばサマンサ・J・ドーソンとメレディス・

L・チヴァースが性的衝動に関する男女間の相違点と類似点をまとめた2014年発表の論文では、女性と男性の性体験への意欲はほぼ同じ度合いであったとし、相違点はその他の要因（ジェンダーステレオタイプや研究報告の偏りなど）の影響であることが強く示唆されている。

レヴィは、バウマイスターらの研究から、女性がセックスを楽しまないという結論は導けないとしつつも、パートナー（あくまで男性が想定されているのだろう）にセックスを強いられ、不満を感じている女性にはセックスロボットが解決策になるといった提案もしている。ここでいう男性からの不当な要求とは「子育てなどによって、どれだけ多くの母親が疲労を感じているのか認識できていない状況」から生じる要求だそうだ。フルタイムで仕事をしている私のようなシングルマザーから言わせれば、男性が子育てや家事に協力してくれるほうが、セックスロボットなどよりもよほどありがたい。家事負担の不均衡をなんとかすべき時なのに、なにをこう手のこんだ方法で、女性の負担を固定しようとするのか。不思議である。

レヴィは、男性が結婚を避ける傾向が高まっていることから、女性がセックスロボットを求める可能性についても示唆している。その根拠は、昨今の男性がこれまでよりもはるかにセックスしやすい環境にあるため、女性と長期にわたる関係を構築することを避けやすくなっているという論理だ。また「この傾向により、多くの女性は、人間の恋人が長期の関係にコミットしない状況に直面する」と述べる。セックスロボットならいつでも女性を愛してくれるし、決して離れることもない、と言いたいのだろう。よかれと思っての発想であることに疑いはないが、いくつかの理由から、憤りを感じずにはいられない。まずは私の怒りポイントを分析してみたい。

まずこうした論が全体的に、結婚が人生の究極の目標であることを前提としている点だ。結婚はたしかに人間関係のゴールと見なされており、多くの人にとってはそれでいいのかもしれない。誤解を避けるために加えると、私自身も結婚していたし、自分が離婚をしたから否定に転じたわけでもない。結婚が魅力的な関係に発展することがあるのも知っているので、そのすべてに反対しているわけではない。ただ、自分たちが身を置く社会から結婚を強要されるというのであれば、それには反対である。結婚の重要性が相対的に高い社会が数多く存在していることは否定しないが、しかし個人の幸福よりも重要なのだとする見解には反対であり、不幸な結婚はかなりの数存在する。

結婚は生き残れるか

結婚は通常、2人の間で交わされる法的あるいは社会的な契約だというのが今日における建て付けである。広く捉えれば世界中のほとんどどこにでも見られるものであり、同じような期待値や義務が伴う。そこに付随する決まりごとの内容は時とともに変化するが、結婚という形態自体には長い歴史がある。一方、こうした婚姻関係は、先進国においては減少傾向にある。欧州、アメリカ、オーストラリア、ニュージーランドなどの38ヶ国で形成されている経済協力開発機構（OECD）によると、婚姻率はほぼすべての加盟国で減少している（ただし人口総数で特出しているロシア、インド、インドネシア、ブラジル、中国は加盟していない）。その理由はいろいろだろうが、社会態度の変容が大きいだろう。こうした国々では婚姻関係の枠組み外でのセックスがタブー視されることが減ってきた。婚前交渉に対しても、たとえば宗教の観点や保守的な人から色眼鏡で見られることはあるが、人びとは配偶者がいなくてもセックスをしているし、それが社会的にも慣例化している。過去の世界では、夫婦の寝室のみがセックスの場にふさわしい神聖な空間だったわけではないし、妊娠した状態でバージンロードを歩く新婦はどの時代でも相当数存在している。妊娠が促した結婚も昔から数限りなくあった。

宗教との関係が希薄化したことは婚姻率の低下に大きく寄与している。英国の国勢調査の結果では、宗教観が少しずつ薄れている傾向が示されている。就学率や資格取得率は上昇し続け、さまざまな分野で論理的思考を経験する人の割合が増加していることが推察できる。この調査では他にも、婚姻関係なしに住まいをともにするカップルの数が顕著に増加していることが示されているし、2012年の調査では、回答者の75％が、結婚前のセックスに対して何ら問題ないと答えている。いずれの世代も前世代に比べると、リベラルになる傾向が進んでいるのだ。

また女性の所得は着実に増えている。英国ではこれまでも労働者階級出身の女性はどの時代においても、必要にかられて労働参画していたが、富裕な家庭に見られた専業主婦を前提とする家族構成は減少の一途を辿っている。ひと昔前までは、結婚をすると女性が働き続けることを禁じる法律があり、撤廃が進んだのは1960年代から1970年代にかけてのことである（こうした婚姻後の女性に課された制約は、教育現場や金融機関など、所謂「地位ある」職業に適用されていた）。女性たるもの、経済的に支えてくれる夫を見つけるべきという期待は、幸いにして消滅へと向かっている。いまや女性は女性自身のために行動しているのである。

婚姻外のセックスが増加するもう1つの興味深い要因として、長寿化も挙げられる。長寿が進んだ今の私たちとは異なり、前世代は1人の結婚相手と最後まで寄り添う確率が格段に高かった。しかしいまや、「死が2人を分かつまで」は責任が重すぎると認識する人びとが増えている。伴侶に対する誓いもここまで長くなると非現実的だという認識が広がっている。それに人間関係は長さだけで測れるほど単純なものではない。もちろん今ある関係に満足し、一生その幸せを満喫する人たちもいる。しかし、実質的に終わっている関係を、鞭を打ってでも維持しようというプレッシャーは避け、互いに幸せだと感じる間だけ関係を継続する人たちがいてもいい。何も目の前の喜びだけをひたすら追求すべきと言っているのではない。長寿化という現実に対応すべきということだ。実際、契約としての結婚に対案を示す人びとも出てきている。法的拘束力が認められるのは、たとえば2年ないし5年、10年など一定期間に限定し、両者が希望するなら更新されるという関係にしてはどうかというアイディアである。また今では、結婚という形態を望まない人であっても、財産や相続の面で結婚と同様の保護を受けることができるなど、すでに導入されている法的枠組みもある（ただしこうした枠組みは、あくまでも結婚した方が得易いようにつくられてはいるのだが）。

結婚は時代の流れに逆行しはじめている。デイヴィッド・レヴィは「結婚」という言葉をユダヤ・キリスト教の文脈において正当に結ばれた状態を意味するものとして使っているが、その意味や形式が社会的に書き換えられてきたことについても認めている。にもかかわらず彼の未来予測はあくまでも法的に容認された関係という概念に固執している。彼が比較のために例示しているのも1967年に米国で実施された異人種間結婚に関する法改正であったり、同性婚の法的な認知についてである。ロボットはロボットなのだから人間とは結婚できないというのも理由の1つだが（これが私の考えですが、それはまた後ほど）。しかし幸いにして結婚の重要性は社会的には絶対でなくなりつつあり、多くの人たちにとって人生のゴールではなくなっている。現状を考えると、彼の予測には合意できない。

レヴィの考えに違和感を覚えるのは2つ。1つ目は、女性が希望するのは結婚のみであり、またその相手が浮気をしないという考え方。2つ目は、男性は反対にこれらを一切望んでいないという考え方だ。これは双方にとって非常にアンフェアではないか。現代人が他者と関係を持つことに対し、まったく分別がなくなっているとは思えない。2017年2月にジーン・M・トゥウエンジらが発表した研究論文「性行動の記録」によると、ミレニアル世代のアメリカ人（1981年から1996年頃に生まれた世代）やiジェネレーションのアメリカ人（1990年代生まれ）は、「ティンダー世代」（ティンダーは若者に人気のあるマッチングアプリ）などと呼ばれていることなど何処吹く風で、気軽なセックスとは距離を置く傾向にあることが確認されている。これは2017年6月の全米健康統計報告書でも裏付けられている。またテュレーン大学のリサ・ウェイド教授が大学生の性行為の現状を調査した著書『アメリカン・フックアップ』によると、回答した男子学生の73%と女子学生の70%が恋愛感情のある関係を希望しており、実態面からも彼らが望んでいるのは〝まじめ〟な関係であることが確認されている。

また、道徳や倫理が議論されるに際して、セックスロボットをヒューマノイドと見做した上で、男性の、それもヘテロの男性だけを想定した視点だけで議論を進め、それがあたかも当然のこととして扱われていることに違和感を覚える。あらゆる人がロボットを有効活用してほしいと願っているレヴィの論を曲解するつもりはないが、こうした決めつけが、セックスロボットに限らず大多数のテクノロジー分野に蔓延している現状は変えなければいけないと思う。

デイヴィッド・レヴィは、たとえ一般的にならないまでも、必ずや受け入れられる日が来るとした〝ロボットとの結婚〟という考えを――「2050年頃までには」と、いくらか先に延期されているにしても――堅持している。すべてにおいて前向きな彼の考え方には、ある意味で共感できる。希望に溢れる高貴な展望をもつレヴィだが、そんな彼が著書の最後で表明したのは、こんな希望である。「24時間、週7日、誰もが思いのままに、よいセックスを」――セックスロボットが人類の幸福に寄与できる可能性を感じているのは私も同じである（私の方がいくらか慎重なだけだ）。

「セックスフェス」英国名門大学にやってくる

2016年の爽やかな12月の早朝のこと。私は人影のないロンドン大学ゴールドスミス校のキャンパス内広場の1つ、まだ朝霜の残るカレッジグリーンの芝生を足早に歩いていた。昇りきっていない太陽はまだか弱く、凍った水溜りを溶かしきっていない。急いでいるのは体を温めるためという理由が1つ、慌ただしい1日を控えていたからという理由がもう1つ。両腕に抱えたダンボールには、この2日間で私がホストを務めるカンファレンス「第2回　ロボットとの愛とセックス国際会議」のための印刷物が詰まっていた。

その第1回大会が始まるよりもさらに前のこと。ゴールドスミス校ではレヴィが手がける同名のワークショップが開催された。人工知能の全国会議であるAISB〔1964年に創立された、英国最大の人工知能学会〕の第50回大会の一環で開催されたこのカンファレンスに、私も主催者の1人として名を連ねていた。それから2年後の今回のカンファレンスではメディアの熱狂が再燃し、取材メディアの数は前回を上回った。研究機関からの参加者は50名を数え、報道機関からは40名が参加する。

ゴールドスミス校のキャンパスの中でも奥の方に位置する、新設間もないプロフェッサー・スチュアート・ホールの正面玄関に辿りついた。カンファレンスの事務局メンバーは私よりも明らかに早く到着していたようで、案内用ポスターが貼られはじめている。階下へ降りると、まだ早い時間帯にもかかわらず参加者らが到着しはじめている。受付に行くと、「報道関係者受付」と大きな文字で書かれた看板の掲げられたテーブルについているゴールドスミス校の広報部長サラ・コックスがいて、「このプレートがほんとに使われるのって、今回がはじめてじゃない？」と興奮気味だ。アカデミックな学会が報道されるなんて、そうあることではない。

ゴールドスミス校の広報部が「ロボットとの愛とセックス国際会議」の第2回を同校が主催することを発表するプレスリリースを流したのは2ヶ月前のこと。その間いくつかの学びがあった。ひとつには新聞社がこちらの発表を忠実に報道することなどまずないということ。さらには土曜日に問い合わせがあっても困るから、プレスリリースは金曜日には出さない方がいいし、実際2通に1通の割合で、どこにいったらセックスロボットに会えるのかというメールが届くであろうことがわかった。

開催会場としてゴールドスミス校が選ばれたが、元々は3番手だった。はじめの計画では共同議長のエイドリアン・チョックが代表を務める技術研究所があることから、マレーシアでの開催となるはずだった。ただ、マレーシア警察にとってこの計画は、あまり喜ばしい動きではなかったようだ。地元の市長はカンファレンスのウェブサイトに市長印が掲載されるのを嫌い、最終的には法的に不服を申し立てるまでに問題は発展した。矢継ぎ早に同国の警視総監から警告が発せられ、このまま開催の準備を進めようものなら、チョックとレヴィを逮捕するといった発言が飛び出すまでに至った。君子危うきに近寄らずということで、マレーシアでの開催は取りやめになった。

急遽、別の会場を見つけなければならなくなり、事務局が次に目をつけたのは、エイドリアン・チョックが教授を務めていたロンドン大学シティ校である。しかしこの提案に乗り気でなかったシティ校は申し出を辞退。英国の風刺雑誌「プライベートアイ」が引き受け先のないカンファレンスの悲哀を記事にしたのもこの頃だった。私がセックスロボットの研究をはじめてからちょうど1年が経過していた頃で、こうしたテーマで毎年学会が開催されるかもしれないという展望に胸を膨らませていた。以前は自分の職業を説明しようにも、返ってくる反応は微妙なものばかり。私や同僚が、自分たちの研究計画について語ると、たいていの場合は怪しまれたり苦笑いされることばかりだ。

私はエイドリアン・チョックにツイッターでDMを送り、同時にセックスロボットのカンファレンスを招致しても問題ないか、ゴールドスミス校の上層部にメールで聞いてみると伝えた。キワモノ研究に取り組んでいる研究者の多いゴールドスミス校では、イノベーティブで突拍子もない発想が、単に支持されているのみならず奨励すらされている。最新鋭の独創性で知られるゴールドスミス校の評判が有利に働いた。カレッジの上層部から反対意見は出なかった。

高齢者のセックス事情

カンファレンスの最初のスピーチをしたのはビジネス・インフォマティクスの博士号を持ち、機械の倫理という問題に関心を注いでいる哲学者のオリバー・ベンデルである。ウェブメディアの「ギズモード」はこのスピーチをもとに、「セックスロボットは文字通り死ぬまで我々をファックするか」という記事を配信したが、このタイトルはただ過激で不正確というわけではない。ベンデルのスピーチはこういうものだった。ロボットは人間と違って、物理的には疲れ知らずである点を強調し、なにごとも人間特有の限界を超えて続けることができる。万一にも最高の愛人ぶりを発揮されてしまったら、私たちの方から進んで機械とのセックスを好むようになり、自ら人類を滅亡へと追いやるかもしれない。文字通りの「死ぬまでファック」もあり得るというわけだ。慎重を期して、〝極度な負担〟が回避されるようプログラムすることもできるという言葉でスピーチは結ばれた。やれやれ。

午前11時から私自身の講演が始まる。講演は私が2015年に「ザ・カンバセーション」に寄せた「セックスマシンを擁護する」という論考をベースにして、セックスロボットがもたらす恩恵を一通り紹介した。「ザ・カンバセーション」は研究者らが広く一般の人たち向けに書いた記事を掲載するウェブメディアで、以前から私も寄稿していた。講演ではセックスロボットやセックステクノロジー全般について、検討されるべき課題を幅広く説明し、社会的弱者に提供できるセックステクノロジーの利点についても言及した。それが翌日の「デイリーメール」紙の手にかかると、「高齢者宅でセックスロボット活用可能と専門家」という見出しで報じられた。私の名前と経歴のところには誤ってセックスロボットの画像が添えられるというネット記事らしさ全開のハプニングもあって、これは妙にうれしかった。

セックステクノロジーには高齢者介護の一端を担える可能性がたしかにあるはずだ。ただし認知機能の衰えた高齢者が入居する施設での利用を念頭においているわけではない。そういうケースには倫理上極めて重要な問題が幾重にも浮上するからだ。一方、高齢入居者に日々の活動のサポートが提供されるグループホーム（英国では「シェルタード・ハウス」と呼ばれる）などでは活用しない手はない。実際、アメリカおよびイギリスで行われた調査によれば、人生が終盤に差し掛かった時期でも性活動は盛んであることが示されるなど、われわれの固定概念を覆す結果が報告されている。英国縦断高齢化調査（ELSA）によれば、80歳以上の男性の19％、そして女性の32％が月に2回以上はセックスをしていると回答している。

ただ、実際にそういった施設の高齢入居者とセックスを話題にするということは、介護従事者の職員にとっては強い抵抗感があるということが英国の国際長寿センターの調査から明かされている。高齢入居者と性を結びつけるということ自体がタブー視されているのだ。加えて、介護施設に入居した高齢者が幼児化するといった現象がしばしばあり、介護従事者が気まずい思いをしたり、性活動を軽視するケースもあって、需要があっても目を背けられているのが現状だ。介護従事者の見回り業務を効率化するために、個室には鍵がかけられないようになっていたり、小窓が取りつけられたりするなど、プライバシーが確保されていないという問題も事態を複雑にしている。これではパートナーとして付き合っている2人が入居したとしても、親密な行為やセックスをする機会を持つことはできない。介護施設で新たな関係が発展する場合もまた然りだ。LGBTのシニアの場合、受け入れられていない時代を何十年と過ごしてきたため、偏見や無知を恐れて自らのセクシャリティを隠すという、別の難しさが重なることもある。

認知症は、当事者間の合意形成に支障をきたすという点でさらなる困難をもたらす。認知症だからといって性欲がなくなるわけではなく、問題をさらに複雑化するのだ。認知症はその性質上、たとえばマスターベーションを共有スペースで行ってしまうなど、不適切な状況でセクシャリティを表現する可能性を引き起こしてしまう。性行動を行うにあたっては自己決定能力（メンタルキャパシティ）（情報を理解した上で、自身で判断を下す能力）が備わっていることが重要だ。個人のメンタルキャパシティの度合いを測定するのは簡単なことではない。しかし、高齢者など弱い立場に置かれた人びとが不当に扱われたり、傷つけられる状況から救うことができるのであれば、取り組んで行く必要があるのではないか。

私の講演内容を報じた「デイリーメール・オンライン」の記事の読者が、全員納得感を得たわけではなさそうである。ある読者からは「昨今の高齢者は、こうしたナンセンスを言語道断とした時代を生きてきた人びとなのだから、その点に少しは敬意を払え」と噛みつかれたこともあった。

カンファレンスはなお続いた。心理学者のジェシカ・シュチュカとニコル・C・クレマーからは、セックスロボットの潜在ユーザーに関する研究が報告された。263名の男性が参加したこのオンライン調査によると、パートナーの有無および性生活の充実はセックスロボットの購買意欲に影響を及ぼさなかったのに対し、ロボットや擬人観の風潮に対して否定的な印象を持っている層では、著しい影響が見受けられたようである。

同調査に限界があることは、シュチュカ本人から早々に指摘されているが（調査が自主参加型、自己申告方式であることなど）、重要なのは調査方法の設計にある。シュチュカとクレマーは、単に「ロボットとセックスをしてもいいと思うか？」と質問するのではなく、ロボットの外観のイメージが統一されるよう、調査参加者に女性型ロボットの動画を見せたり、あるいは参加者の性格検査を実施したり、女性と女性型ロボットのそれぞれに感じた魅力を評価させるなど、各種対策を施している。具体的には、ロボットの例として〈ソフィア〉（ハンソンロボティクス社製）と日本の産業技術総合研究所による〈HRP－4C〉（愛称は〈未夢（ミーム）〉）の動画を参加男性に見せている。

このように、セックスロボットの購買意欲や利用に対する考え方を調査する場合、対象者がどんなイメージを思い描いているのか把握する必要がある。カンファレンスでは同じ話題でライリー・リチャーズ、チェルシー・コス、ジェイズ・クインからも発表があり、性的な妄想を持ちがちで、危険とされる性行為への関心が強い人ほど、ロボットとセックスをする可能性が高いとする研究成果が報告された。米国から133人が参加した彼らの調査では、参加者の恋愛観、親密な関係に対する不安、性感帯、性体験、性的な妄想癖、ロボットに対する印象、ロボットとセックスをする可能性などの設問が設けられ、アンケート形式で回答させている。彼らも認めているように、「参加者がロボットとセックスしてもよいかを回答するにあたり、どのようなセックスロボットの姿形を思い描いていたのかは確認できていない」という。

セックスをめぐる調査の困難さ

このようなカンファレンスが行われる前から、セックスロボットに関する研究はいくつか存在していたが、その調査方法や調査対象者などはいずれも異なるものだった。オンラインで市場調査やデータ分析を行う企業ユーガヴ社も2014年、セックスロボットに関するオンライン調査をアメリカで行っているのだが、「完全に人間を模倣するロボット」という定義を掲げて調査したところ、43%のアメリカ人がセックスロボットの利用は道徳的に間違っていると回答した一方、39%の対象者が道徳的に許容できると回答したという（ちなみに回答者の17%はマスターベーションをすることは不道徳な行為だと答えている）。また自分自身がセックスロボットを使うかという問いに対しては、使うだろうと答えた参加者はわずか10%であったのに対して、半数を超える65%が使わないと回答。利用する意向は男性の方が女性よりも高い傾向にあった。

２０１６年にはタフツ大学ＨＲＩラボ（Human-Robot Interaction Laboratory）の研究者マティアス・シュウツとトーマス・アーノルドが、人びとのセックスロボットに対する考え方や印象、そして適切だと感じるセックスロボットの形状、利用方法について抱く印象を解き明かそうと、総合的なオンライン・アンケートを実施した。アンケートではアマゾン社が提供するサービスである〈メカニカルターク〉を活用した〔直訳すると「機械仕掛けのトルコ人」。ヴォルフガング・フォン・ケンペレンが作った自動人形からとったことは明らか。第2章参照〕。サービス登録者が対価を受けてアンケートを代行するクラウドソーシングのプラットフォームだが、男性57人、女性34人（平均年齢は33歳）が質問に回答した。設問の内容はセックスロボットが持つべき属性と持つべきでない属性（たとえば「聞ける」「喋れる」「自律的に動ける」「人間の性欲を満たすことに特化して開発されている」「感情がある」など）、なぜセックスロボットを利用するのか（「性教育のため」「集団セックスのため」「性病防止のため」など）といったことだった。ちなみにこの設問で一番回答が集中したのは「売春の代替」という選択肢である。

シュウツとアーノルドは、セックスロボットの形状に関する設問も用意していて、各種の生命体が回答の選択肢として提示された。人間、想像上の生きもの、先立ったパートナー、有名人、家族、児童、動物などなど。人間の子どもの姿をしたセックスロボットという案に対しては、男女ともに不適切だと感じたようだし、家族の一員や動物の形状をしたセックスロボットも共感を得るには至らなかった。ロボットとのセックスはどんな行為に相当するかという設問に対する回答は、マスターベーションやバイブレーターを使う行為に近いというものが大半だった。

ユーガヴは2018年前半に英国でも、1714人の成人を対象としたセックスロボットに関する意識調査を行なっている。参加者の43・6％が男性、56・4％が女性、年齢の幅は20歳から86歳だった。セックストイを所有しているかという設問に続き、参加者には「ロボットとセックスをしてもよいと考えるか？」という設問が出された。この質問の対象者1557人のうち、58・5％が「絶対にしない」と答え、14・1％が「おそらくしない」、13％は前向きに捉え、5％が「わからない」と回答している。男女差の内訳を見ると、女性と比較しておよそ2倍の男性がロボットとのセックスを検討してもよいと回答している。また、調査対象全体の86％は、セックスロボットが人間の姿をしていることが「非常に重要」または「ある程度重要」だと答え、10％は特に関係ないと回答。人型ロボットの外観が重要ではないと答えた割合は女性の方が男性よりも多かった。

こうしたアンケート調査は短期間で情報収集ができるなど、非常に有効な面がある一方（オンライン調査は特にそうだ）、弱点もある。適切なサンプルを得るのが難しいのだ。本来であれば登録する参加者は、母集団を代表しているべきだが、それはそう簡単なことではなく、誰でも回答可能なオンライン調査となれば、なおさらである。参加が自主性に任されているため、どうしてもテーマに関心のある人（あるいは強く反対している人）ばかりが回答者として集まることになりかねず、データに偏りが生じる。ユーガヴのように、企業をあげて社会科学の研究に取り組んでいる組織であれば、適切に参加者を集めるだけの人材を抱えているのだろうが、そんな彼らであっても、たとえばシュチュカとクレマーがやったように、事前に画像や情報を見せるといったことができないなど、特定の制約に縛られている。

セックスロボットのように、テーマとして新しいだけではなく、きわどいもので、その上SF作品などによって先入観が刷り込まれているトピックになると、厳格な調査設計は困難を極める。バンガー大学のエミリー・クロスとルード・ホルテンシウスが行った研究によれば、ロボットに対する人間の思い込みや期待は、ロボットの物理的特徴に誘因されているのみならず、もともと持っている知識にも影響されていることが示されている。彼らの研究は「ロボットを最適化するには物理的形状や動作のすり合わせだけでなく、人間が抱くロボットに対する知識や考え方の調整も必要だ」と提唱している。私たちはこれまで何十年とロボットが登場する物語に触れてきた結果、人工恋人（アーティフィシャルラバー）はこういう姿であるべきだという確たるイメージが刷り込まれている。人びとの意識を調査するアンケートは、こうした前提条件にも配慮する必要がある。

カンファレンスも2日目の終わりを迎える頃には、私は疲労困憊で声も枯れ果てていたが、アイディアは溢れるように湧いていた。私同様に奇妙なテーマに取り組んでいる素晴らしい人たちとたくさん出会うこともできた。私たちは近場のレストランに行って椅子にぐったり身を任せつつ、斬新な研究発表ができたことや、アカデミアの壁を越えて発信することができたことに対して乾杯のグラスを掲げた。それから5日後、セックスジャーナリスト兼ブロガーのガール・オン・ザ・ネットが、「ガーディアン」紙の電子版に寄稿した。「朗報！　セックスロボットに殺されることはなさそう」という、他紙よりもよほど正確な見出しである（https://www.theguardian.com/science/brain-flapping/2016/dec/23/all）。記事の中で彼女は想像力が豊か過ぎる他紙の見出しに対し、その楽しさは認めながらも事実は事実のみで十分に興味深いことを示すなど、センセーショナリズムの荒唐無稽さをやんわりと暴いてみせた。

セックスに相手は不可欠か

この年、2016年にロボットとの情愛を学術的に考えていたのは私たちだけではなかった。同年、ジョン・ダナハーとニール・マッカーサーは専門家を集め、『ロボットセックス』という論集の編集に取り組んでいる。その後2017年にマサチューセッツ工科大学の出版部門から刊行された同書は、ロボットとのセックスによって生じる社会的・倫理的な影響を、見事なまでの明瞭さと綿密さで議論している。法律を専門とするダナハーと哲学を専門とするマッカーサーは、それぞれのテーマで書かれた試論を集め、お互いの領域のみならず、他分野からの視点も取り入れた論集として発表している。心理学、法律、経済、宗教、そして哲学の分野から寄稿を募り（哲学多め）、人間の、そしてロボットの視点から課題を検討し、議論を交わしている。

著者らが最初に確認しているのは、〝セックスロボット〟という言葉を使用するにあたり、それが何を意味するのかの合意を形成することである。ダナハーの提案は「性的な目的で使用される、あらゆる人工物」という明瞭な定義に加え、次の3条件を満たすべきだとしている。第1に人間を模した形状をしていること、第2に動きや行動が人間のようであること、そして第3にある程度の人工知能を備えていること。ただこの3条件については、議論の余地があるともしている。特に、実体の有無を条件に加えるべきかは結論を見送っており、VRのキャラクターなどの仮想アバターの可能性を喚起している。

私は哲学者ではないので、どうせ今回もこの提案に批判的なのだろうと思うだろう。お察しの通りではあるのだが、完全に否定しているわけではない。ただ、セックスに対する考え方、特に実践面においては意見がある。

同書に寄稿しているマーク・ミゴッティとニコル・ワイアットは2人とも哲学者なので、理性についての考察はお手のものである。彼らは『ロボットセックス』の中でも「ロボットとのセックスという発想そのものについて」と題された章を担当しているのだが、哲学界ではお馴染みのやりかたで、「そもそもセックスとはなんぞや?」というお題に取り組んでいる（実際にはもっと学術的にちゃんとした言葉遣いをしていますが）。彼らは広義のセックスであれば、どんなものとも実行できると認めつつ、より狭義にセックスを定義しようとしている。彼らと私の見解が道を違えるのは、この辺りから。彼らが論理的な構成で議論を展開しているとすれば、私の方法はもっと生物としての経験則を拠りどころにしている。特にマスターベーションの話になると、まったく相容れなさそうである。

ミゴッティとワイアットはセックスを「いっしょにセクシーな気分になる」、あるいは「私たちの性行為」という仮説を掲げ、会話がそうであるように、セックスも単独ではなし得ないインタラクティブな行為だと論じる。よって当事者は客体ではなく、主体であるべきだと。彼らの言葉を借りれば、哲学の観点からはセックスという行為をするためには、「性的主体性の共有」が必要だという議論になるらしい。経験人数を聞かれて、自分を頭数の1人として数える人が滅多にいないのはそのためだとして論を補強している。

彼らは性的な充足感をもたらす充分な効果がマスターベーションにもあることは認めているが、それでも「私たちの」性行為ではないことから、彼らのいうセックスの定義からは除外している。よってセックスロボットとのセックスは個人プレイの一環であり、セックスロボットは単なるセックストイでしかないというのだ。もしセックスロボットを単なるマスターベーションの補助具として捉えるならば、社会的にも、あるいは倫理的な観点からも問題に発展することはないというのが彼らの主張なのだ。私はそうは思わない。

セックスロボットはその形状は生身の人間に寄せているが、セックストイの一種であることは確かだ。系統としてはセックスドールから派生しているため、見た目こそ人間らしくなっているが、モノ（客体）であることに違いはない。確かにこの、人間らしさという側面が加わることによって、愛着や絆といった観点からロボットとのセックスに疑義が呈されることは認めよう。しかし、セックスロボットをセックストイに分類したからといって、社会や倫理、そして概念といった観点の問題を除外していいわけではない。問題の角度は異なるかもしれないが、問題がなくなるわけではない。

『ロボットセックス』が出版されたのとほぼ同時期、私は「ケアと機械」というカンファレンスに参加した。マンチェスター大学の下部組織であるリンカーン神学研究所で行われた会議である。私は無神論者だから、普段、神学部などに出没することはまずない。ただし北部アイルランドで教育を受けたこともあって、14年間のキリスト教教育がしっかりと染みついていて、聖書の一般的なことはおおよそ理解している。

結論からいうと「ケアと機械」はとても興味深いトピックにあふれた素晴らしい会議だったし、そこで愛やセックスについて論じていたのは私だけではなかった。ダラム大学で神学の博士課程に在籍しているアンドリュー・グレーストーンからは遠隔ディルドと快楽の市場化に関する発表があった。一見宗教と無縁に聞こえる彼の発表には、1つ気になるテーマがあった。触覚は神聖なのか、という疑問だ。グレーストーンは、触覚は反応を伴う感覚であると語った。私たちは相手に見られることなく相手を見ることができる。聞かれることなく聞くこともできる。しかし触覚はどうか。触られた、という反応なしに触れることはできない。触る相手も夫婦、家族、介護士、医療従事者といった人びとに限定されているし、相手が人であれ動物であれ、そこには互酬性が生じる。では人に触れるのと、ロボットに触れるのでは何が違うのだろうか。誰かとセックスをするのと何かとセックスをすることは何が違うのだろうか。

定義が現実に追いつけない

グレーストーンに続いて登壇したのはオランダのトゥウェンテ大学の哲学者ミヒャエル・キューラーである。キューラーの発表もまた秀逸で、恋愛とは何かを哲学理論を駆使して考察したものだった。神経生物学の論文や心理学の教科書は細かく読みこんできたものの、哲学理論は私が避けてきた分野だったが、キューラーの発表によれば、愛に関する哲学理論は3つの理論で構成されているという。

第1の理論は「合一としての愛」であるとキューラーは説明する。これは古くはアリストファネスが幻想的に語り、プラトンの著作にまで遡る概念である（人間はゼウスによって無惨にも男性と女性に二分された、片割れの存在であるという理論）。私たちはもう片方の自分を延々と探し求める存在であって、幸いにして見つけられた場合には、もう二度と別れたくない。これが2つの個（シングル）としての人間が対（カップル）になり、あるいは私が私たちとなり、ついにアイデンティティが再定義されると主張する「合一としての愛」の考え方である。

第2の理論は、対人関係としての愛である。これは、互いのアイデンティティはそのまま維持しながら、心や経験をカップルとして共有することにより、互いに影響を受け、与えているという考えである。

第3の理論は主観的立場としての愛だとキューラーは述べる。これは愛される側、慕われる対象と、その対象を利他的に愛おしむ側という関係によって説明される愛である。愛する対象は必ずしも人間でなくてもいいわけだが、対象として充分に成立するには、おそらく人間らしさが必要であろうとキューラーは述べる。では人工知能を人間と見なすことはできるだろうか。少なくとも現時点では、法的には不可能だ。しかし、思考や伝達など特定の領域であれば人工知能が人間らしさを発揮できるケースもある。もちろん、自己認識や思いやり、あるいは真の自主性など、条件によっては人工知能では力不足である。

本質的な意味では人工知能もしくはロボットを人間と見なすことはできない。ただ、自分が愛を向けるものが人工的な物体であると認識していない場合はどうだろう。人間らしさが再現されたとしたら。自分が愛するその対象が1人の人間なのだと、人間が思い込んでいる場合はどうなのか。それだけでその愛の価値は減じるのだろうか。私にはそう思えないのである。報われなければ愛でないなど、誰が決めることができるのかと思うのだ。愛しい人から愛を返してもらえない経験を一度でもしたことのある人であれば、そんなことはないと知っているはずである。もちろん、愛を特定の尺度だけに当てはめて定義することもできるが、現実はそこまではっきりと定義し、区分できるものでもない。漠然としていて、枠にはめたり定義したりできないものなのだ。標本の蝶ではないのだから、あらゆる種別の愛をピン留めして調べることはできない。

セックスや愛を二者間の相互経験によるものと限定する前提には、どうしても違和感を覚える。あくまで哲学上の議論であることは理解するし、哲学的な議論をくり広げるためには、具体的な行為に限定する必要があることも理解できる。相思相愛の関係だからこそ得られる肉体的、そして精神的快感がこの世界に数多く存在していることも確かである。しかし、セックスをそれだけに限定することは、単に相手がいないだけで、ポジティブで心地よく、心や身体に同様の反応を引き起こす状態や行為を排除してしまうことになる。2人の成人が同意のもとで性行為を共同で行うからこそ、与え、与えられるという関係が生じるということも理解できる。しかしそれは根本的に、人間同士でなければならないのだろうか。ロボットをプログラミングし、その役割を委ねてはならないのだろうか。人工知能では駄目なのだろうか。

デモントフォート大学の人類学者キャスリーン・リチャードソンは否定的だ。「性的な感覚を深く理解するためには、他者と性的経験をともにするしかない……セックスとは、もう1人の参加者との取り組みがあってこそなのだ」と彼女は語っているが、この発言の根拠は示されていない。1人の、あるいは複数のパートナーが、自分と同時に、同じだけ性行為を楽しんでいるという感覚には、特有の素晴らしさがあることは確かである。だからといって単独では深い性的な感覚を得ることはできないと決めつけることはできないのではないか。想像力が豊かな人であれば、とうてい賛成できないだろう。

このように、各論においては研究者間で意見の一致が見られていないのが現状であるが、より大きな展望だけでも議論すべきではないだろうか。厳密な定義ができなくても、問題は実在するのだから。ダナハーとマッカーサーは著書で、各論文を次のように分類している。セックスロボットを擁護する論文、異を唱える論文、そしてロボットの立場に立った見解やロボットと関係を持つ未来の可能性。ここからは、それらを掘り下げながら、リスクやメリット、そして機械との関係で越えてはならない一線について議論していきたい。

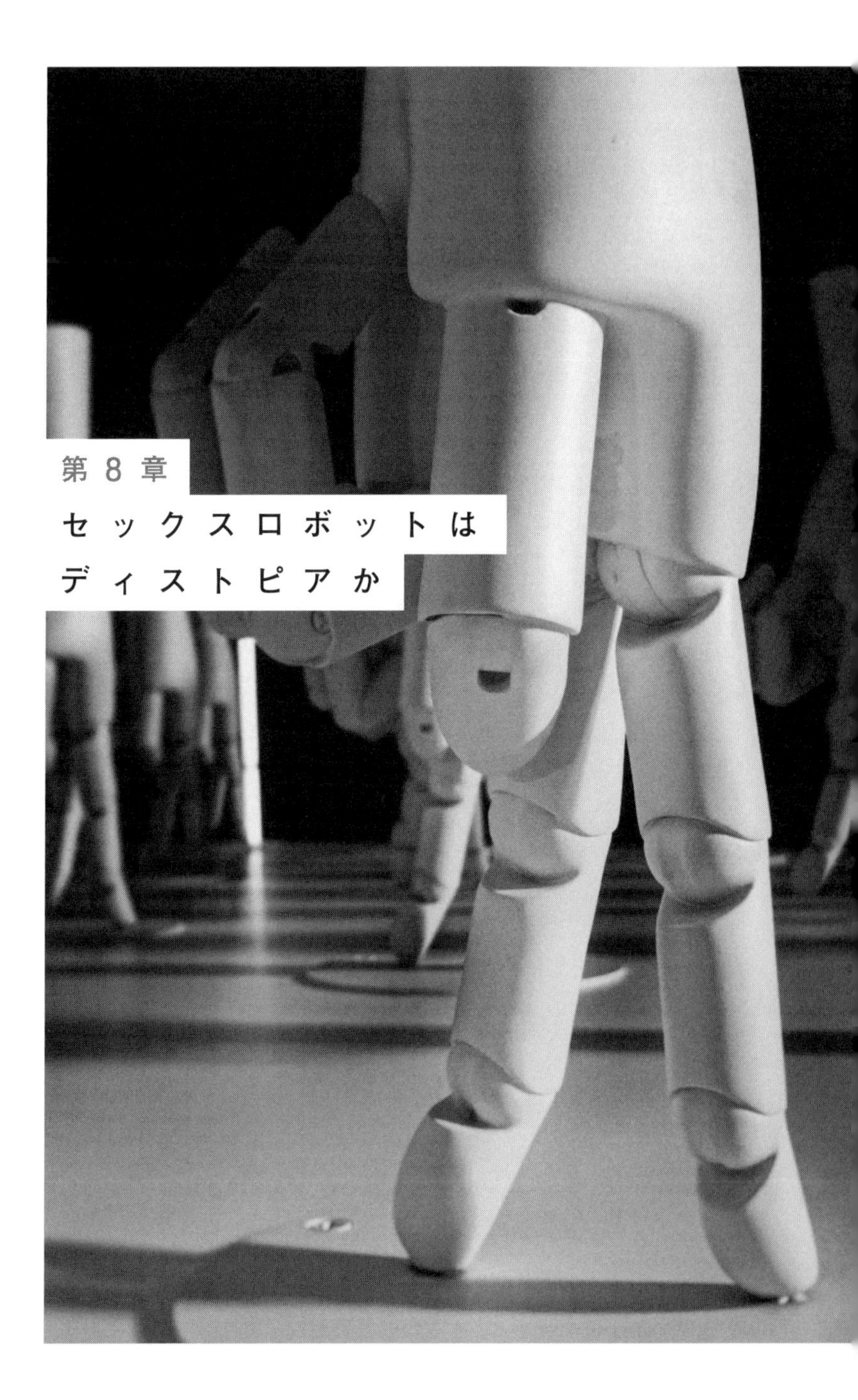

第8章 セックスロボットはディストピアか

2015年9月、マスコミの鳴り物入りで「セックスロボット反対運動」（CASR、Campaign Against Sex Robots）という新しいムーブメントが始動した。その発端は「情報通信技術の開発とその利用に関する倫理と社会課題」を議論することを目的に掲げた国際会議ETHICOMPにおいてキャスリーン・リチャードソンが発表した2015年の論文である。「非対称の〝関係〟――売春とセックスロボット開発の共通点」と題された論文は、SIGCASという団体の発行する機関紙「コンピューターズ・アンド・ソサイエティ」に掲載された。リチャードソンはこれをマニフェストとして掲げ、スウェーデンのシェブデ大学の講師であるエリック・ビリングを共同活動家として招き入れ、反対活動の立ち上げをマスコミに対して公表したのだ（ただし現在ビリングの名前は活動メンバーの一覧には見当たらない）。

活動当初、リチャードソンはセックスロボットの製造禁止を主張していたが、その後は方針を転換し、倫理的な開発を訴えるようになった。しかし2018年5月になると、CASRは政策書の内容を改訂。「英国におけるセックスドールやセックスロボットの製造ならびに販売の禁止を提案し、これをもって欧州全域での禁止に向けた足がかりとする」と記述し、再び全面禁止を主張した。これを額面通りCASRの綱領として受け止めるのであれば、セックスロボットの禁止を目論見つつ、ついでにセックスドールも引きずり下ろそうといったところだ。

　私とリチャードソンは、テレビやラジオの討論番組で、宿敵同士のガチンコ対決を期待されてキャスティングされることがある。しかしことはそう単純ではない。少なくとも私はそう思っている。

　リチャードソンがセックス目的のコンパニオンロボットを否定するのは、もし現実にセックスロボットと人間が関係を育むようになったら、女性がモノ化され、さらに人間同士の関係が破綻するなど、社会に悪影響を与えると考えているからである。その関係性は、セックスワーカーと顧客の間に生じる関係と同程度に問題含みだと彼女は見なしており、どちらも有害で危険な関係だというのが彼女の意見である。セックスワーカーに対してリチャードソンは強烈なまでに否定的で、セックスロボットに対しても〝売春行為〟の関係に基づいて成り立つものであると見ており、だからこそ同質の問題を孕んでいるというのだ。さらには女性のモノ化や性的暴行、レイプの増加の要因となるだろうとも述べている。

「売春」か、「セックスワーク」か

　セックスワークの議論自体が物議を醸すテーマであり、その意見はフェミニスト間でも割れている。一言でフェミニズムといっても、寄り合い所みたいなもので、不利な立場に追いやられた女性が平等な立場を目指すという認識以外に、統一された見解などない。実際、一部のフェミニストたちは、すべてのセックスワークに対して強烈なまでに否定的だ。多くの場合、男性優位社会のせいで不利な立場に追いやられた結果、セックスワークに就労しているだけであって、完全なる自由意志で仕事をしていることは絶対にありえず、生きのびるために自分の身体を売る以外に選択肢がなかったから選んだ職種だと見なされている。こうした見解においては、彼女たち（従事者の大半は女性である）は売春させられているというのである。

〝売春婦〟もまた、意見の分かれる言葉であり、なにかといわくつきの言葉である。風俗業界を代表する活動家の間では「セックスワーカー」という名称が好まれているが、ストリッパーやSMの女王様といった、実際にはセックスの行為をしていない人びとも包含されている。セックスワークの活動家に言わせると「売春」という言葉には受け身、搾取、見下された身分といった意味合いが含まれているという。

よく「売春は最古の職業である」といわれる。実はこの話は1888年にまで遡り、その発案者の1人だといわれているのは『ジャングル・ブック』で知られるイギリスの小説家ラドヤード・キプリングである。「売春婦」よりも医者の方が古い、いや農業の方が古い、いや兵士だ、司祭だ、教師だなんだと、多数の職業が最古の称号をめぐってしのぎを削っていたが、そこへキプリングが登場し、売春をとりあげるようになる。これは女性が身体を売ることを激しく否定するようになった当時の風潮と重なっており、実際「売春」に汚名を着せることは、比較的新しい西洋文化の概念である。セクシャリティ史を研究する歴史学者ケイト・リスターによれば、セックスを職業として捉えるのは市場経済が成立したことに関係しているという。

セックスが物々交換の取引対象であったことは、長い歴史の中ではっきりと記録に残されている。これは人間の間に限った現象ではなく、たとえば多彩なパターンの性行為を行うことで知られるアデリーペンギンは、巣作りに必要な石とセックスで取引をしている様子が観察されている

（レイプや屍姦など、ペンギンにまつわる不穏な話を知りたい人はジュールズ・ハワードの著書『生きものたちの秘められた性生活』［邦訳はKADOKAWA刊］をどうぞ）。他にもチンパンジーは肉をもらった対価としてセックスを行う（こういう話をすると、私たち人間は、もはや単なる基礎動物ではないという反論が今にも聞こえてきそうだが、かといって完全にそういった動物を脱していると誰がいえるでしょうか）。

歴史的にみても、セックスワークに肯定的な文化圏は多数あり、それどころかある程度のステータスが与えられることや、神聖な儀式と結びつけられることもあった。セックスを商取引することが合法であった時期や地域は多いが、規制をかいくぐる業態が繁栄する傾向も強く、その結果合意をともなわない、性の奴隷になり得ることも現実であった。

リチャードソンや彼女に共感を示す人びとからすれば、セックスワークは有害な悪しき存在以外の何物でもない。彼ら彼女らはセックスワーカーはモノとしか扱われていないと感じている。それは人身売買や性暴力の蔓延を導くことであり、搾取は避けられないとも指摘する。セックスワーカーと顧客の関係は互恵関係であり、同じような関係がセックスロボットと顧客の間でも成立するというのが前章で取り上げたデイヴィッド・レヴィの考え方であり、セックスロボットは問題を逓減させるどころか、深刻化させると考えているのがキャスリーン・リチャードソンの見解である。女性や子どもをモノとして扱う行為を助長し、セックスの対象物として利用するための言いわけを与えるだけだと彼女は述べる。人がロボットに対して心ない扱いをするようになれば、同じ態度が現実の人間に対しても行われるようになり、弱者への不当な扱いがさらに定着してしまうだろうと彼女は危惧するのである。彼女が反対運動を立ち上げたのはそのためである。

ＣＡＳＲのウェブサイトに掲載されていたＦＡＱには、次のように書かれている。「活動当初の頃、リチャードソン博士はフェミニストではありませんでしたし、そうした意識すらありませんでした。しかしながら、新自由主義による資本主義の行き過ぎや性差別が人間の体すら侵食するのを目の当たりにして、それを食い止めようとしてきたのはフェミニストであったことからも、２０１５年９月に活動を開始して以降、私たちの盟友はフェミニストの中にあるとの認識にいたったのです」。現在のリチャードソンが自身をフェミニストと見なしているかどうかは彼女のウェブサイトからはわからないが、「盟友」という言葉が使われ、その活動は一部のラディカルフェミニズムと共通している。

ここまで読まれた方であればだいたいお察しかと思いますが、お気づきでない方のために一応申し上げておきますと、何を隠そう私はフェミニストである。10代になって間もない頃に、社会は男性贔屓でできていると気づき（特に特定の階級、特定の民族の男性に対して）、機会はあらゆる人に均等に与えられた方がずっといいはずだと気づいてこの方、ずっとフェミニストである。男性優位の社会は、男性たち自身にとっても不利だと思う。誰にとっても、凝り固まった期待を向けられていいことなど1つもない。期待は差別と表裏一体なのだ。

20代から30代前半にかけては、ラディカルフェミニストの第2波にどっぷりとのめり込んだが、年を重ね、時に研究テーマを修正しながら、意見の異なる人たちと出会い、自分の立場を検証し、整理し続けるうちに、私の考え方にも変化がみられるようになった。そして42歳になった今の私は、いくらかラディカル寄りのセックス推進派フェミニストだといっていい。これまで取り組んできた様々な研究やさまざまな人びとと交わした議論を経て、いま私が思うのは、互いの同意のもとであれば、セックスとは誰もが自分の好きな方法で楽しんでいいものだということだ。搾取とは戦わなければいけない（それは現実に間違いなくある）。しかし自分の身体や性生活は、人にとやかく言われることなしに楽しめて然るべきだ。しかし女性ははるかな太古より、性に関することではずっと咎められ続けてきた。誰とセックスするか、そしてその各自の望みや資質を誰もが認められるべきだと私は思う。

ポルノについても同様で、他人がセックスをしている様子を鑑賞すること自体は悪いことだと思わない。誰かが搾取されることなく、演者が楽しんでいるのであれば、ポルノも結構だと思う。しかし現実には、プロデューサーがフェミニストであり、倫理的に正しく制作されたポルノグラフィは、残念ながらごく少数に留まる。それ以外にはごく一部、素人が合意のもとで撮影した作品や、出演者の扱いがいいことで知られる製作会社によるものがあるが、出演者を搾取している作品、傷つけている作品、虐待している作品もまた存在している。

セックスワークに関していえば、セックスはその売買取引を禁止したり否定するほど神聖な事がらと私は見なしていない。前述した通り、私の定義するセックスワークには、セックスそのものだけではなく、ウェブカメラを通じた行為、さらにニッチな行為など、あらゆる行為を含む。その従事者には、セックスワークが生き延びるための選択肢だった人、本来なら別の職業に就きたかったのに、困窮に迫られて、やむをえずセックスワークに身を置いている人もいれば、小遣い稼ぎ程度の気持ちで選んだ人もいるだろう。前向きに検討した結果、好んで就業している人もいるだろう。性を売りにすると言っても、千差万別、事情はさまざまである。別の道さえあれば決してセックスワークになど就かなかったのに、それでも生業にしている人たちがいることは、やはりおぞましい事実だ。しかし、セックスを売ることに対する良し悪しの意見はどうあれ、そうした状況に置かれている人びとが存在していることもまた現実だ。であれば被雇用者として相応の保護がなされなければいけない。安全な雇用環境が必要であり、安全であるように、私たちみなが努めなければいけないのだ。そして合法化の道こそが、もっとも安全で効果的な方法だと私は思う。繰り返しになるが、誰かが搾取される状況は、私は見たくないし、それが総意であるべきだ。ただ、セックス不正売買（トラフィッキング）とセックスワークは同じではない。人身売買（ヒューマントラフィッキング）はいかなるものであっても根絶しなければならない。

フェミニストを自認する私のような人間が、こうしてセックスを肯定する姿勢に違和感を覚えるだろうか。そうした意見は多い。一方、セックスが肯定的に扱われるためにもっと積極的に動いてほしいと感じている人たちもいる。私は「中道派」あたりに身を置いているという認識だ。そしてフェミニストの内輪揉めほど恐ろしいものはない。「フェミニストはこうあってしかるべき」と、どれだけ強く求めても、現実には単一の定義などない。家父長制社会は有害であり、是正されるべきだという考えくらいしか、フェミニストたちの共通認識はない。それをどのように実現するのかという各論に入ると意見が割れ始めるのだ。

私自身の意見を長々と書いてきたが、自分の意見や活動を支持してほしいがために書いたわけではない。誰かを説得しようとか、誰かを同調させたいわけではない。ただ、反対意見が投じられれば、それ相応の反応をしてしまうのが自然の流れだし、いくらか立場を明らかにしたままである。

では、私とはかなり異なる、CASR（セックスロボット反対運動）の思想を紹介していこう。

禁止は地下化させるだけ

身を切るように凍て付いた3月のロンドンの夕暮れ時、テムズ川沿いのエンバンクメント駅から地上に出た私は、そのままトラファルガー広場とセント・マーチン・イン・ザ・フィールズ教会の新古典主義の建築様式を横目に見ながら、歩みを進めているところだった。ブラックキャブ〔ロンドンのタクシーの愛称〕を避けながら通りを横切って、セント・マーチンズ・レーンを曲がると、遠くに今晩私が登壇する会員制のクラブ「ライブラリー」が見える。ジョン・ダナハーの編著『ロボットセックス』について、ダナハーと対談することになっている。

すでに会場に着いていたダナハーは、ビール片手に背高の椅子に腰掛けていた。30〜40ほどある席は、すでにほとんど埋まっている。私はドリンクとメモを手に、自己紹介を兼ねてダナハーに挨拶しようと歩み寄った。本で読んだ雰囲気と違わず、思慮深く、興味深い人だという印象が伝わってくる。

午後7時の開会とともに、今晩の集まりの趣旨とダナハー本人、そして彼の著書について説明した。そして著書に関して具体的に質問するなかで、必然的にCASRの話題が出た。ダナハーは同書に「セックスロボットに対して反対運動をすべきか？」と題する章をブライアン・アープとアンダース・サンドバーグと共著で寄せている。キャスリーン・リチャードソンが掲げたマニフェストを綿密に検証するものだ。

ダナハーは、セックスロボット反対運動に対して3つの欠陥があると見ている。第1はその運動全体の根底にある目的が明示されていないため、方針がよくわからないという点。完全なる禁止を求めているのか、倫理的であれば開発は進めてよいのか、そこにブレがある。

第2に、セックスワークという意見の割れがちなテーマであるにもかかわらず、当然のように悪事であると断定しており、そのようなリチャードソンの見解は誤解を招くものだという点。ニュアンスに富む議論であるべきなのに、「セックスワークは倫理的に誤ったこと」というスタンス一辺倒では、単なる一意見の表明であり、何かを深く精査し、議論するというものにはならない。仮に「売春は倫理的によくない!!」という考えを認めたとしても、それに続いて「セックスロボットと人間の関係は売春の鏡写しなので、それもだめ」というのでは「それってあなたの感想ですよね」である。

「セックスロボットはセックスワークに似たもので、セックスワークは誤ったことだから、よってセックスロボットもだめ」という議論を仮に認めたとしても、それだけで禁止を正当化することはできないというのが第3の欠陥だ。ダナハー、アープ、サンドバーグの3人によれば、テクノロジーが危険視される時には、いくつかのパターンがあるらしい。禁止しようとするのがその1つだ。そして規制をかけるというのがもう1つ。さらに、選択の自由を保護し、直接的な危害がない限りは干渉すべきではないとするリバタリアン的な対応もある。「禁止」はその対象を地下化する(闇取引に押しやる)だけで、うまくいった例(ためし)がない。セックスワークそのものがそうだ。中絶も同様である。リチャードソンはCASRの運動を自律型兵器(殺人ロボット(キラー))の撤廃を求める国際運動と比較しているが、自律型兵器はそもそもが人に危害を加えるための技術である。それに対してセックスロボットは、危害とは真逆の効果を人にもたらす可能性があると、ダナハーらは述べている。

ダナハーは、CASRの論法は〝モット・アンド・ベーリー〟の誤謬であると語った。これはノルマン族が使用していたことで知られる、小さい丘に建てられた城砦(モット)と、隣接する中庭(ベーリー)に由来する論法だそうだ。ダナハーがいうには、設立当初のCASRは全面的な禁止を目指していたが、いざ問いただされるや、その論点からは撤退し、穏当で正当化しやすい論戦に鞍替えしたのだという。その結果が、倫理的開発の要求という、大部分の学術研究者がはじめから訴えていた主張への方針転換であった。

リチャードソンの論点の中核はマルクス主義フェミニズムの思想に近いとダナハーは言う。マルクス主義フェミニズムでは女性が担う家事、さらには女性の性的な活動や生殖活動はいずれも抑圧や搾取の一種だとされる。なかでもリチャードソンは、人間同士の関係が商品化され、所有物として扱われることを危惧している。セックスロボットはその典型だというのが彼女の見解だが、これもまたセックスロボットがセックスワーカーと同じだということを前提にした議論である。またリチャードソンは、セックスワーカーを利用したことのある人びとを対象とする研究から、彼らの証言を抜粋し、セックスワーカーの扱いがどれほど配慮を欠くものかを報告し、これが私たち人間とセックスロボットとの関係や人間同士の関係に広がるのではないかと懸念する。

しかしこの類推もまた、たった1つの、そして特殊な研究に基づいたものであり、セックスワークを悪事だとする彼女の論点を支持しない学術的な意見は一顧だにされていないとダナハーはいう。

私たちはその他の話題へと移った。法整備に関する課題や愛情に関する意見交換を経て、そろそろ終了時間も間近になり、質疑の時間となった。挙手した来場者にマイクを渡したところ、2列目の女性がこう語り始めた。「セックスロボット反対運動から来ました、ニカです。そして彼女はケイトといいます」。

CASRのウェブサイトにはリチャードソンのほか、ニカ・マハニッチとケイト・デイヴィス、加えてフローレンス・ギルダの3名が名を連ねている。なるほど、ほかにもメンバーはいたわけだ。ダナハーに目をやると、ぐったりとして尻込みしているように見えた。

「活動家と学者は違います」とマハニッチは続けた。「それなのに反対運動の分析に形式論理や形式論法を持ちこむのは不適切です。たとえば1編の論説だけを取りあげて分析している章で、私たちの他の活動にいっさい触れないなんておかしいですよ」。

ダナハーは当惑気味である。「その章を書いたのは、反対運動が始動した直後のちょうど2年前のことです。当時あなたたちの論説は1編だけ、『非対称な〝関係〟』しか出ていない頃でしたし、それは学術論文の体裁をとっていましたので、私たちとしては他の学術論文と同じような方法で中身を精査したまでです」。

もっともである。そして「あの論文に対する見解は、今でも変わりはありません」「もっと精緻な論文が発表されているのだとしたら、それはまた別ですが」と続けた。

ポルノグラフィも変化してきている

CASRのセックスワークに対する見解には同調できないが、実際に存在するセックスロボットが女性の身体へのイメージに悪影響を及ぼしているという点には、私たちの間で共通認識がある。こうしたロボットは生々しく、性的に誇張された容姿で表現されていることは疑いようもない。女性は常に、メディアや広告、映画、音楽によって、自分の体型を恥じるよう仕向けられたり、非難に晒されている。現実離れした美しさや体型が期待され、この傾向がセックスロボットによって拍車がかかることはあってはならない。

　多くの研究が示しているように、性の対象として描かれるのは、圧倒的に男性よりも女性である。肌の露出の多い服を身につけ、極めて非現実的な肉体美を誇り、極めて達成困難な基準を満たした女性がメディアで登用され、演出される。お飾りとしてだけの登用もこれに属する。ただ過剰な性化（セクシャライズ）と単に性的（セクシャル）であることは相容れないわけではなく、女性は他者によってセクシャライズされることとなしに、セクシャルになってもかまわないし、それが可能な社会が望まれる。それなのに、セクシーであるということはこういうことであるという、凝り固まった理不尽で実現不可能な水準を、社会が女性に押しつけてきたがために、女性が性化されることなくセクシャルになる機会さえ奪っている。これでは不安や自己否定、さらにはボディネガティビティにつながりかねない。

　女性を性的なモノとして扱うことは、女性のことを性的衝動の対象物としてしか見なさないことであり、ローラ・マルヴィが映画批評の世界で説明した「男性に見られるためだけの役」に通ずる考えだ。男性が性的にモノ化されることもあるが、男性が経験する負の影響は女性ほどではないことを報告する研究もある。

　何をもって「性的なモノ化」と位置づけるかは論議の余地があって、その見解はさまざまだ。

たとえばラディカルフェミニストにいわせれば、ポルノは性的妄想を具現化した行為で構成されており、性的なモノ化を助長し、悪しき振る舞いを根づかせている。対照的に、他者を性の対象と見るのは人間として自然に備わった、不可避の現象と考える人びともいて、性的なシグナルに引き寄せられる現象は人間らしさの表れでしかないことになる。

思春期が始まると、生殖器以外の部位でも男女差が現れるようになる。第2次性徴である。女性の身体であれば胸の膨らみや腰回りの広がりなどがこれに相当する。女性の身体が性的に成熟したことを示すシグナルがあって、ヘテロセクシャルな男性はくびれのある女性を求める。これは進化の過程で備わった、もっとも繁殖しやすい相手を見つけるための衝動だと言われることもある。それが事実なのか、はたまた刷り込みによるものなのかはさておき、いわゆる「ボンキュッボン」というステレオタイプがセクシーだと定義される。女性型セックスドールや近年のセックスロボットが、こうした特徴を強調しているのも自然なのかもしれない。

しかし、ポルノ界の方も変わりつつある。〈ポルノハブ〉(Pornhub) はポルノ動画の共有プラットフォームで、世界最大のオンラインポルノということになるが、人びとの視聴傾向を知りたければ、これは情報の宝庫なのである。最も頻繁に使われる検索キーワードや、カテゴリー別の閲覧時間などが年次報告書で発表されている。たとえば、クリスマスの時期になると〈ポルノハブ〉上で「エルフ」というキーワードで検索するユーザーが464％増えるという。また2018年1月にハワイで弾道ミサイルの誤警報が発動されたが、ミサイル接近の一報が知らされると、ハワイにおける〈ポルノハブ〉へのアクセスが突如急速に減少。20分後、これが誤警報であったとして緊急警報が取り消されると、人びとは生きていることを実感できる何かがしたかったのか、〈ポルノハブ〉へのアクセスは通常値を飛び越して急上昇したという。

２０１７年の〈ポルノハブ〉の検索トレンドでは「女性向けポルノ」がランキング入りを果たした。大きな転換だ。一方、現実にはあり得ないサイズの胸をもつ女性の動画は低迷状態にあるらしい（２０１７年に〈ポルノハブ〉でもっとも検索された女優も、そうした特徴とは無縁だった）。

また、人気急上昇なのはアニメやイラスト系のポルノだ。なかでも過激な日本製アニメは「Hentai」という一大ジャンルを形成している。ありとあらゆるフェチ行為や性行為を描いたコミック調のアニメーションで、ファンタジーの要素が盛り込まれていることもある。同じ２０１７年に、米国のポルノ関連の検索キーワードの中でもトップだった。

ところで、人とネコのハイブリッドを扱うポルノは、女性をモノ化していると言えるだろうか？　あるいは触手ポルノはどうか（公の場での検索はオススメしない。しかし長い歴史もあって、日本古来のエロティックアートである「春画」には、女性がタコなどの触手動物と性交している姿を描いた作品の例がある）。モノ化といえる可能性はあるだろう。こういった耳慣れない種類のポルノは、嗜好の多様化が私たちの想像をはるかに超えて進行していることも示している。ちなみに、セックスドールが登場するポルノもあったりする。たいていが男性がセックスドールとセックスしているところを撮影したアマチュアによる映像だ。他にもセックスロボットを題材としたポルノもある。女性がセックスロボットになりきって演技するのだ。個人的には趣味ではないのだが、読者のみなさんが観なくても済むように、そうした作品も観るようにしている。

ポルノグラフィを語ることはセックスや権力、そして女性のエージェンシー（社会的規範によって構成された主体が、それに応えることで規範を変革すると期待されるフェミニズムの概念〕を語ることであり、フェミニズムの議論の中枢を占めてきた。『ポルノグラフィ　女を所有する男たち』や『インターコース　性的行為の政治学』〔邦訳はどちらも青土社刊〕といった著書で知られるアンドレア・ドウォーキンを代表とするラディカルフェミニストたちによれば、すべてのポルノグラフィは女性をモノ化するものであり、女性をモノ化するすべての行為はポルノグラフィとされた。「ポルノグラフィ」という言葉を「セックスワーク」という言葉に置き換えると、リチャードソンの主張との類似点が見えてくる。ただ、そこには男性が誰もが本質的には危険な存在であり、すべての女性に性への意欲がないという含意があり、個人的には短絡的に見えてならない。それはたとえば〝男は火星から、女は金星からやってきた〟と決めつけるのと同じレベルの誤った考え方であり、いわゆるジェンダー本質主義〔ジェンダー集団にはその成員に共有される特有の特徴や体験、関係性があるという立場〕の発想だ。モノ化について考察するにあたっては、文脈を踏まえることが必要だ。社会が想定するものに合わせて組み立て直す必要がある。ポルノグラフィにどこまでモノ化の影響が及んでいるのかさえ、確定的に確認できていない。伝聞や推定に基づいて語ることはできるが、ポルノ反対運動の当事者らは定量化を試みようともせず、エビデンスの確認もなしに、すべてを廃絶させることだけに躍起になっている。この点は十分な注意が必要だと思う。だからこそエビデンスを慎重に検証することなしに、なにかを廃止したり禁止しようとすることは間違っている。仮にそれが有害であると証明されたとしても、闇市場に追い込むだけでは、本質的な解決につながらない。

セックスロボットと暴力

人びとがセックスロボットを粗末に扱うと仮定してみよう。これまで私が話を聞いてきたセックスドールの所有者は、ドールに対して畏敬の念といっていいような敬意を払っている人びとが大多数だったから、そうなるだろうとはとても思えない。それでも、人びとが自分のロボットを丁重に扱うことはないと仮定する。ジョン・ダナハーと私は、セックスロボットが理由となって、人を悪しき態度に向かわせる可能性がどのくらいあるのか、それぞれに検討してきた。エビデンスになるものが（当然ながら）まだ少ないので、私たちがそれぞれに行なったのは、比較検証である。私はテレビゲームとの比較、彼はハードコアなポルノグラフィとの比較だ。

ドナルド・トランプ前大統領は、２０１８年2月に発生した14人の生徒を含む計17人が死亡したマージョリー・ストーンマン・ダグラス高校銃乱射事件の直後に、「ゲームの暴力性の高まりが、明らかに若者の思考の具現化につながっていると指摘する人がどんどん増えていると聞いている」と発言した。こうしたトランプの発言は、１９９９年に容疑者らがのちにシューティングゲーム〈ドゥーム〉で遊んでいたと報じられたコロンバイン高校銃乱射事件の頃からみられる潮流と同じものだ。どちらのケースも（そして他の同様の事件でも）、銃を容易く入手できる環境に帰責したがらない国内事情があって、ゲームがスケープゴートとなった。

これまでも、ゲームにおける暴力は現実世界の暴力問題を増加させているという議論が、長年にわたって交わされてきた。さまざまな研究で賛否両論があり、それぞれの意見が示されてきた。しかし、研究としては因果関係を見極めるものであるべきなのに、関連する変数があまりにも多く、果たしてゲームが暴力的行動のトリガーなのか、そうではなくもとから暴力的傾向の強かった人たちがゲームをプレイしていただけなのかを整理するのが困難なのだ。さらに、その点を措いたとしても、たとえば個々人が置かれた精神的な状況や家庭環境、あるいは銃器や凶器の取得しやすさなど、その他の要因が影響している可能性も考えないといけない。

近年行われたメタ解析では、現実世界との明確な因果関係はなかったと結論付けている。またｆＭＲＩを使って、痛みの感情移入の程度を調査した近年の縦断研究によれば、ゲームは悪影響を及ぼさないとする結果も示されている。逆に、攻撃的なゲームをプレイすることによって攻撃的な行動が抑制されているということはないのだろうか。一部の研究者はその可能性は充分にあるとしている。また、スマートフォンの登場以来、ゲームの利用は飛躍的に増加しているはずだが、暴力事件の件数も比例して増加しているかというと、まったくそんなことはない。そのような兆候は見られていないのが現状だ。

ポルノグラフィもまた、それが原因で性暴力の増加を招いているという議論が存在するが、それも意見が分かれており、測定するのが難しいという点においても類似点が多い。ダナハーはこれを「象徴と結果の論法」と呼んで詳論している。彼は２０１７年にＴＥＤｘトークに登壇し、セックスロボットには意識がない、自らの存在を自覚してはいない、という観点を踏まえた上で、それをどんな風に扱っても構わないはずだが、それでも咎められるのは、そのふるまいが象徴する何か、あるいはそのふるまいがもたらす結果のいずれかに問題があるからだと語った。

この「象徴と結果」という論法について、ダナハーは次のように解説する。最初に来るのは「セックスロボットは倫理的に不適切な性規範を体現するものである」というような主張にみられる「象徴の論法」だ。女性の描写方法であったり、あるいは非対称な関係や搾取といった――時にセックスワークにも見られる――関係性を問題視するような議論だ。そしてこの論法に続く

2つ目の根拠が、「セックスドールにそのような負の側面があれば、必ず負の結果が伴うはずだ」という主張で、これが「結果の論法」となる。男性が女性のことを性的なモノとして扱うようになるという結果や、人と人との関係に亀裂を生じさせるという結果が考えられる。そして、3つ目の主張として、「これらがもし真実なら、セックスドールは禁止されてしかるべし」といった見解につながるのだという。

しかしダナハーは、この「象徴と結果の論法」はすべて文脈次第だとして、その綻びを指摘する。行為や表現が指し示す象徴的な意味合いは固定的なものではなく、文脈によって変わるのだという。彼は、たとえば死体の取り扱い方法が文化圏によって異なると例示する。普遍的に固定的な扱い方は存在せず、後になって問題があるとわかって扱い方が変更されるような習慣もある。同じことがセックスロボットにも当てはまるというわけだ。セックスロボットが現在のようにポルノグラフィックな形態であることが問題ならば、なにも固執する必要はない。なにか違うものに変えてしまってもいいのだ。

ダナハーは続けてセックスロボットをめぐる議論では、「結果の論法」もかなり疑わしいと語る。まず、確固たるエビデンスがない。セックスロボットの場合、どんな影響が起こり得るのか推定されていないどころか、セックスロボット自体がまだ存在していないに等しい。何かとの類似例を取り上げて議論するくらいしかない。そんななか、彼はポルノグラフィが最も近いものだと考えている。ポルノグラフィの場合、実に4万を超える勢いの研究がなされているのだが、それでもポルノグラフィが及ぼす影響が何たるかは、いまだに不明だ。エビデンスを集めようにも、さまざまな理由から1つの結論を導き出すことはむずかしいし、その解釈も玉虫色だ。あらゆる研究が四方山話に甘んじているといった状況にある。これではいずれにも決着はつかない。両陣営が自分たちの主張が正当だと争っているに過ぎない。

悪影響を及ぼすとされる特定の性行為が受け入れられているのには、ポルノグラフィが一役買っている可能性は確かにあるが、それとて因果関係を示すエビデンスはない。アメリカの2009年の研究では、オンラインポルノとレイプ事件の数は、反比例の関係にあると示されているほどだ。「女性への暴力に関するナショナルオンラインリソースセンター」(National Online Resource Center on Violence Against Women) の報告には「ポルノグラフィは、レイプの必要条件でもなければ十分条件でもない。(中略) もしポルノグラフィが消滅したとしても、レイプが消滅するとは誰も断言できない」と書かれている。

〈ポルノハブ〉だけでも毎日8100万人の利用者がいると報告されている。これだけの規模でオンラインポルノが普及しているのだから、現実社会における性暴行も比例するように増加していると思われるが、そんなことはない。ポルノと同様のことがセックスロボットにも言えるのではないか。セックスドールの利用が実際の女性への暴力事件を引き起こすかといえば、直接の原因として証明するのは不可能に近いほど困難なはずだ。セックスロボットを禁じたところでレイプがなくなるわけではない。

ダナハーもデータの少なさに悩まされているが、彼の最終的な提言は、よりよいありかたを模索しながらセックスロボットの開発を進めようというものだった。倫理的な原則を掲げながら開発活動自体は止めず、段階的にデータを都度取得しようという立場だ。これは今のところ最も適切なアプローチに思える。私もすべての開発現場でこのポリシーが採用されることを願っている。

幸いにも世界中で多くの研究者がAIやロボットの倫理問題に向き合っており、まさにこうした取り組みを推し進めようとしている。

セックスロボットはレイプを減らすか

２０１８年４月。25歳の男性アレク・ミナシアンはカナダの都市トロントで、人出で賑わう舗道でワゴン車を暴走させ、10人の命を奪った。その内の８人は女性だった。ミナシアンは犯行にいたるその直前、２０１４年カリフォルニアで銃撃等により６人を殺害し、その後自らの命も絶った22歳の男性エリオット・ロジャーを賛美する内容をフェイスブックに投稿した。ロジャーがそうだったように、ミナシアンもまた自らのことを「不本意な禁欲主義者」(involuntary celibate)の略語である「インセル」だと認識していた。

このインセルという言葉は、アラナという20代の女性が、自身が性行為の経験がないことに孤独を感じ、同じ境遇の人びとを募る目的で立ち上げた初期のオンラインコミュニティをその起源としている。しかし20年が経過した今、孤独な人びとが共感を求め合うという当初の目的は歪曲され、憎悪や女性蔑視、暴力を助長する場所になってしまっている。今日のインセルは女性への敵意で溢れており、女性のせいで、ひいては社会そのもののせいで自分たちは拒絶され、差別の対象となっているという思いで成り立っている。

ジャーナリストであるミック・ライトは「ニューステイツマン」誌への寄稿で、インセルは「女性蔑視を兵器化したもの」と書いている。現に彼らの投稿には女性に対する憎悪の念がこれでもかと言わんばかりに綴られている。セックスは基本的な権利として自分たちにも与えられるべきだと信じており、セックスできる人びとに対しては、その性別にかかわらず一様に敵視している。そこでは孤独に関する研究や健康被害の統計なども紹介されている。暴力行為を想像すること、語ること、さらにはその妄想を書き綴り、自らを過激化すべく煽り立て、それもロジャーやミナシアンが実行に移したような襲撃方法にとどまらず、拷問や身体切断にまでも言及している。

トロントの殺傷事件の後、インセルを自称する人びとが集まるコミュニティでは「我々はテロリスト集団ではない」というスレッドがピン留めされた。「フォーラムに書かれているのは、一種のうさ晴らしに過ぎない。ほとんどのメンバーは、そうした計画を実行に移すことなどなく、たぶん蝿の1匹も傷つけられない人びとだ」といった書き込みもあれば、「インセルは支援団体だ」と主張する投稿者もいた。ただ、その後は対照的に、コミュニティ外への非暴力的な攻撃を主張する人や（自販機販売のコンドームに針穴を開けたり、精子バンクへの潜入を画策するなど）、直接的な暴力を訴える書き込みもあったことも事実だ（「我らが兵士は最速にして最強のトラックで走行するだろう」など）。不満を抱えた人びとであることは間違いない。自殺を志願している人もいれば、明らかな危険人物もいる。

暴力に訴える方法以外では、売春の全面的合法化や、セックスの強制的再配分などが論じられている。女性のパートナーが得られないことを自らの容姿や自分の人生が原因であるとして、深い自己嫌悪に陥っている人びともいるが、一方で男にとってセックスとはある意味で基本的な権利の1つであり、労働に対する対価の1つとして与えられるべきだという、明らかに偏執的な信条に浸っている人もいる。売春サービスに通うことで解決しようという案も語られていて、反応はさまざまだが、これを理にかなった有効な手立てだと見なす人びとの中には、行政による支援があってもいいという人びともいる。他方で、女性が真に望んでこそセックスに意義が生まれると考える人もおり、金銭を支払うことは性行為を空疎な戯れにしてしまうと不服に思う人びともいる。

私がインセルのカルチャーと出会ったきっかけは、セックスもできなければ、パートナーを得ることもできない彼らが、その解決策としてセックスロボットの利用をしきりに議論していたことだった。性的な満足が得られる手段だからというだけではなく、セックスロボットは人間の女性の存在価値を封じこめて、衰退へと向かわせられるものという意見もあって、案外広く受け入れられていた。賛成派はセックスロボットが先進技術を取り入れて、実際の人間と見分けがつかないようなものになることを望んでいる。一方、インセル内にはセックスロボットへの否定的な意見もある。フォーラムでは粗悪な代用品でしかないことを意味する発言も多い。面白いことに、セックスロボットと過ごす人生の可能性を語る彼らの投稿の大多数が、セックスだけではなく充実した関係を思い描いているようだった。ロボットに危害を加えたいとする議論はほとんどない。危害の矛先は女性だけで充分なようである。

フォーラムの1人のメンバーは、「もしも女たちが膣とセックスによる影響力を失ったとしたら、なにが起きるのだろうか。社会は劇的に変わるんじゃないか。インセルの僕らをロボットが幸せにしてくれるのではないか」と問いかけている。私にはそうは思えない。そんなことは絶対にないだろう。憎悪の感情は一度心の奥底に染み付くと、ようやくセックスができたからといって消えてなくなるようなものではない。「世の中が与えるべきなのに、社会から奪われた」というようなイデオロギーは、そう簡単に払拭できるものではない。

暴力とBDSM

2017年、FRR（責任あるロボティクス財団）が「ロボットとの性の未来」と題する報告書を発表した。FRRはロボット技術の開発に倫理と適法性をもたらそうという、高尚で重要な使命を掲げる非営利団体だが、報告書の内容はとても興味深いものだった。しかし、非常に気になることが1つあった。BDSMに関する項目が含まれていた点だ。

BDSMとは束縛と隷属（Bondage/Discipline）、支配と服従（Dominance/Submission）、サドとマゾ（S/M）を合わせた略称だが、ご想像の通り、人を縛り上げたり、叩いたり、鞭打ったり、あるいは拷問したりするものだ。「フィフティ・シェイズ・オブ・グレイ」のような映画によって、どんな行為であるのかはある程度知られるようになったが、結果的には誤解を与えただけだった。まず第一にBDSMにおいて最も重要なのは、一見そのようには見えなくとも、必ず同意のもとで行われているという点なのだ。すべての行為は交渉のもとに成り立っており、当事者間の気遣いが不可欠なのだ。人が叩かれているのに、そこでは気遣いや同意が肝心だと言われても、矛盾にしか聞こえないだろう。しかしこれは当事者が希望する行為によって充足感を感じる性的なプレイの1つなのだ。

FRRの報告書では他にも「可動式のセックスマシンを使って、ポルノグラフィックに女性の身体を表現するような行動は、紛れもなく女性の身体をモノ化あるいは商品化する行為である」と書かれている。真っ当な主張だ。かと思えばモノ化されることを求めているのは女性の方ではないかと問うなど、相反する疑問も投じられている。この点について、BDSMを嗜好する女性セックスジャーナリストに話を聞いており、モノ化を受け入れることによってエロティシズムの威力を感じることができるという意見も紹介されている（私にはこの理論のロジックがいまひとつ理解できないのだが）。ただ、報告に反して、この女性の経験はあくまでも同意の上での行為だから、路上や職場で女性がモノ化されている状況と同じとはいえない。私からすれば、チーズとチョークほどに別物だ。確かにBDSMには（テーブルや椅子を演じさせるなど）文字通りのモノ化があり、さらに言えばセックスドールを演じさせるプレイもある。しかしこうした文脈以外で女性を性的なモノと見なす行為とBDSMを混同することは不合理だから、正直この一連の考えには、いまひとつ納得がいかない。

BDSMの中には、合意がないことを合意するという形式、つまりはレイプのシチュエーションを演じるという分野もある。それでもとにかく当事者たちが望んでやっているという点がポイントだ。事前にプレイの趣旨は合意されており、希望するなら途中で止めることもある（通常、合言葉が使われる）。ロールプレイといってもいい。そんな趣味は理解できないという人もいるだろうが、極めて満足のいくセックスのあり方と捉えている人びともいるのだ。同意した成人間での約束事なのだ。ただし、ひとたび境界線を越えたり、合意のないようなことが強行されたとしたら、これは一変してレイプなど性暴力に様変わりすることになる。しかし、同意された同意なき行為という文脈に収まっている限りは、快楽を得るための行為に過ぎない。同意ありのBDSMと、同意なき違法行為は完全に似て非なるものだ。

なぜ、こんな話を持ち出すのか。それはレイプを妄想することやセックスロボットの活用の可能性に関係してくるからだ。相手に征服されたり、自分の意に反してセックスを強要されるというシチュエーションがある程度一般的な妄想の1つであることは、1940年代以降に行われたさまざまな研究によって示されている。また、男女間におけるポルノグラフィ利用の研究によれば、男性の場合は映像内に登場する女性とセックスしているのを想像する傾向が強いのに対して、女性は自身に情熱が向けられていることをイメージすることが多いとされる。言い換えれば、男性はする側、女性はされる側ということだ。2008年、ジョゼフ・クリテッリとジェニー・ビヴォナによる調査によれば、31〜57%の女性がセックスを強いられることを妄想しているとされている。同様に、1980年に行われた研究によれば、男性の45%が女性にセックスを強要されるシチュエーションや、あるいは女性に拒まれているのを想像している。これは一体どこからやってくるものなのか。なぜここまで多くの人びとが実際にされたとしたら確実に嫌なことを、あえて妄想するのだろうか。

性的な妄想を抱くのは一般的な行為だし、実に95%の人がセックスに関する妄想を経験していると報告されているものの、それは他人に打ち明けにくい秘密でもある。人が心の中で何を考えているのか、またはどれだけ頻繁に考えているのかを測ろうにも、直接本人に聞く以外に術はない。1995年のハロルド・ライテンベルクとクリス・ヘニングが行なった、文学における性的妄想の広範な調査では「こうした研究をしていると、ふざけているだとか学問として尊重できないと思われる節がある」と述べられているが、この分野ではあるある話だ。ライテンベルクとヘニング両氏の心中はお察しします。

レイプ妄想を含む従属や支配されるという妄想がなぜここまで蔓延しているのか、その理由はよくわかっていない。レイプにエロティックさを感じるからといって、その人が現実に強姦されるのを望んでいるわけではないことは、あらゆるエビデンスが示しており、クリテッリとビヴォナの研究も明確に指摘している。つまりレイプ妄想は欲望を満たすことを目的としているわけではないのだ。以前であれば、こうした妄想はサディズムあるいはマゾヒズムがその根源として挙げられていたが、最近の研究はこれを否定している。もしくはよく言われるところの、セックスに対する罪の意識や恥じる意識を回避するためという、いわゆる「性に対する責任逃れ」説も検証に耐え得るに至っていない。現にレイプを想像したと告白している女性が同意の上でのセックスを想像した場合、セックスに対する罪の意識は一切なしに妄想しているという報告もなされている。女性であれば、男性が理性を失うほど自分に夢中になる感覚を覚えたいためだとか、男性であれば性的支配力を感じたいからなど、願望にまつわる説も唱えられているが、その可能性はあるものの、もっとストレートにそうした感覚を覚えられる妄想テーマが他にも数多くあるのもまた事実だ。

1975年、ジャーナリスト兼アクティビストのスーザン・ブラウンミラーが著書『レイプ・踏みにじられた意思』を出版している（邦訳は勁草書房刊）。その中で彼女は、男性を性の侵略者として描きつつ、女性がレイプを妄想するのは社会の中で支配的立場を有している男性によって、条件付けされたことがその理由だと論じている（ちなみに彼女は「自然環境にいる動物がレイプをするのを観察した動物学者は1人もいない」と主張しているが、これは正しくなかったことが示されている。

本章の前半で触れたアデリーペンギンのように、強制的な交尾は動物の世界においても行われている)。一方、クリテッリとビヴォナの研究では、性の役割(ジェンダーロール)がとりわけ1975年当時と比較すると、大きな変化を遂げているという点と、セックスを強要される状況を妄想する人の割合は、男性の場合であっても約1~2割いるという事実を引き合いに出し、ブラウンミラーの論理ではレイプ妄想を十分説明できていないと述べている。レイプを妄想することによって、進化を有利に進められるわけでもないから、生物学的な理由も除外できる。レイプされることによって遺伝子を選りすぐるための選択手段が剝奪されることになるから、理論上は子孫の繁殖成功率を下げる逆効果が考えられるくらいだ。

1つ新しい説を挙げるならば、レイプ妄想とは無関係のテーマでしか検証されていないが、交感神経の高揚を原因とする、つまり神経回路が活発化することによって性反応が増幅されるという考え方がある。第4章で触れたノルアドレナリンは闘争・凍結・逃走反応の感情に関係する。興奮に大きな影響を及ぼす反応だから、レイプを妄想する時に生じる緊張感であったり不安感が性反応を高めているという可能性はあり得る。恐怖体験によって興奮が刺激されるというのも、これによって説明できる。

セックスロボットに話を戻そう。

もしこうしたレイプ妄想が男女それぞれに受け入れられ、互いにそうしたシチュエーションで演じあうことが広く支持されるようになったとしたら、私たちは実社会への波及を危惧すべきだろうか。ライテンベルクとヘニングの研究では、性的妄想から人の行動を予測するのは可能なのか、性的妄想が性犯罪を助長するのか否かが検証されている。特に、レイプという一般的な性的妄想が実社会のレイプ問題を引き起こしているのかという点においては、ほとんど誰でも性的妄想を経験しているという調査結果を鑑みるに、これを断言してしまうのは公平性の面からも疑問が残る。露出狂、性的児童虐待などの性犯罪を対象に変えてみても、その要因は社会的な影響から文化的要素、加害者の性格、社交性、加害者がおかれた状況など、さまざまな要因が影響していることをあらゆる研究が示しているし、性犯罪を犯した人びとすべてが、同一の理由で違法行為に駆り立てられているわけでもない。ライテンベルクとへニングも指摘しているように、「禁じられた」性的妄想を抱きながら、一度も行動に移さない人がほとんどなのだ。それでもレイプ妄想が現実のレイプに発展すると言いきるのは、完全な誤情報といってもいいほど根拠のない話でしかない。

女性型セックスロボットは同意が可能なパートナーなのかというと、リアルな人間ではないのだから、もちろん違う（ただし、プログラミングで同意を示すような設定を施すことは可能だろう）。一方、女性の代役に成り得るかというと、おそらく成り得るだろう。では、もし男性がセックスロボット相手にレイプ妄想を実行に移したとして、その彼は実社会でもレイプを犯すだろうか。多くのエビデンスがこれを否定している。

セックスワークはどう変わるか

日本では近年、セックスに興味を示さない若年男性が急速に増加しているのだと報告されている。その原因はコンピュータやアニメに夢中になる若者の「オタク文化」への傾倒が背景にあるとされてきた。インターネットに没頭する人びとといってもいい。多くの報道番組がその原因をオンライン上のポルノグラフィや、バーチャル空間やアニメにインタラクション可能な彼女キャラが導入されたせいだと非難の矛先を向けてきた。テクノロジーが原因で人と人との関係が希薄になっているのだと心配そうに語るのである。しかし、テクノロジーにその原因を押しつける意見は疑わしいといわざるを得ないというのが私の立場だ。それは私だけのものではない。日本のブロガーであるＹｕｔａ Ａｏｋｉは、オタクに関する根拠のない通説が、なぜこうも通用しているのかを見事に解き明かした記事を書いている。メディアによる誇張についてはオンラインマガジンの「スレイト」誌も解き明かしており、たとえば出生率の低下や結婚の減少傾向など、日本の特色として捉えられがちなこうしたマイナス傾向は、何も日本に特有のことではないと指摘されている。

いずれにせよ、こうした現象をテクノロジーの普及の結果だと一括りに論じるのはあまりにも安直だ。日本では、社会からの孤立が深刻化している課題がほかにもある。社会的なプレッシャーに耐えられず、6ヶ月以上にわたって社会と断絶している「ひきこもり」と呼ばれる人びとは少なくとも50万人を数え、増加傾向にある。多くが男性で、経済的には家族に依存している。彼らが引きこもる原因は色々あって、心理的な要因ももちろんあるだろうが、社会的・文化的な要因もある。そうした境遇の場合、テクノロジーは問題を引き起こすどころか、バーチャルな学校の例に見られるように、外の世界とのコミュニケーションを担保している。

そんな日本では何年か前からセックスドールを利用できる風俗店が出現するようになった。東京にある「ＤＯＬＬの森」という会社がレンタル・ラブドール事業を展開していたが、２００４

年に書かれたレポートによれば、1セッション70分間を1万3000円で利用できるというサービス内容だったらしい。さらに事細かに関心のある向きにはアンソニー・ファーガソンの著書『セックスドール　その歴史』がある。同書によると、利用者は購入した人工膣をドールに設置でき、持ち帰って洗えば次回以降に再利用することも可能という仕組みになっているらしい。日本では男性器を女性器に挿入する行為が禁止されているのか（?:）、セックスドール風俗店の出店が続いたという。

ヨーロッパにおいてもセックスドール風俗店の出店が確認できているが、ほとんどが数日内もしくは数週間内に店を畳んでいる。先陣をきったバルセロナの「ルミドールズ」では、4体のドールから選択でき、2時間で120ユーロという料金になっている。バルセロナのセックス業界団体である「アプロセックス」の理事長は当初、次のようなコメントを発表してセックスドール風俗店がこの産業に損失を与えることはないのだとした。「私たちのビジネスがセックスドールに置き換わることはない。妄想を満たすという役割は担うかもしれないが、私たちの仕事に脅威を与えるものではない」と。また彼女は、「ドールのことを妄想する人は数多くおり、彼らの妄想を満たすこと自体はとても健全な行為だ」とも語っている。

それからほどなくして、「ルミドールズ」は同じ市内でも、より人目につきにくい場所へ移動した。その理由はさまざまに推測された。近隣から抗議を受けたからという推測もあったし、物件の貸主が賃貸借契約を破棄したためだという話もあった。ところがアプロセックスの説明は、まったく異なるものだった（以下は自動翻訳によるものだが）。「ドールは人のセックスにともなう愛情を提供できません。通常の風俗とは似て非なるサービスなのです。ドールは利用者とはコミユニケーションをしません」というツイートを投稿した。「話を聞くことも、優しく撫でることもなければ、癒すことも、あなたを見つめることもありません。意見もしなければ、あなたと1杯のカヴァを味わうこともありません」。アプロセックスによれば、こうした一連の発信は、ルミドールズを廃業に追い込む狙いではなく、セックスドールによる風俗サービスが自分たちの営業とあまりにも掛け離れているため、業界に対して問題を及ぼさないことを指摘する意図だったと（これまたツイッターで）のちに釈明している。

他の地域でもセックスドールを扱う風俗店が非難を浴びている。中国では当局がかなり早い段階で営業停止に動き、パリでは「フロン・ドゥ・ゴーシュ」などのアクティビスト団体が、こうした営業が「女性のイメージを貶め」さらには「娼婦宿が復活するよう悪質に世論操作している」恐れがあることを訴え、「ザ・エックスドール」という風俗店の前で抗議活動を繰り広げた。フランスでは風俗店の所有や営業は法律で禁じられているのだ。フェミニスト団体「ムーヴマン・デュ・ニ」は「女性へのレイプをシミュレーションして金儲けをしている場所」だと非難している。しかし警察は現場を見た上で合法であると発表。風俗店の営業停止を試みる動議が地方議会に提出されたが、その後否決された。オーナーは以降も営業を続け、男性あるいはカップルの顧客に対して1時間あたり89ユーロでドールを貸し出している。

現在オーストリア、デンマーク、ドイツにおいて、セックスドールが利用できる風俗店が営業されている。その1つ、風俗サービスが合法であるドイツの店の女性オーナーによれば、年間に同事業で35万ユーロ以上の収益を上げているという。英国でも同事業への参入がみられる。スコットランドのグラスゴーでは、自身の所有するセックスドールを貸し出していた男性がいたが、近隣住民の反感を買って廃業へと追いこまれた。地方議会でも「公衆衛生の問題の可能性」があるとして懸念が表明された。ゲーツヘッドでは、「ラブドールUK」という店舗が時間単位でドールを貸し出していたが、物件の所有者が他のテナントからクレームを受けたため、営業停止を強いられた。2018年1月の報告によれば、「ザ・ドール・パーラー」がロンドンの南グリニッチで開業している。

男性顧客がセックスワーカーについて語り合うサイトがあるのだが、ちょっと覗いてみると(覗く程度に留めたほうがよいかと思います)、セックスドール風俗店は侮辱の対象であることがわかる。一方、セックスロボットを取り扱う風俗についてはは真剣な会話が交わされており、利用を検討してもいいという男性のコメントが見受けられる。

そしてどうやらセックスロボット専門の風俗店第1号もすでに開業していたらしい。ワールドカップで押し寄せる観光客を迎えるかのように、2018年モスクワに「ドールズホテル」が開業している。モーションシステムとAIを活用した、温もりのあるドールだとされているが、実際のところどこまで先進的で洗練されたロボットであるかはわからない。

今後セックスロボットは人間のセックスワーカーに取って代わるだろうか。デイヴィッド・レヴィは『ロボットとの愛とセックス』の中で、「なぜ人はセックスに対価を払うのか」というテーマに1章を費やしている。なぜ男は女に、そしてなぜ(比較的稀だが)女は男に対価を払ってセックスをするのか、レヴィはその理由を列挙しているが、手間のかからなさを1つの大きな要因として提示している。相手の気を引く必要もなければ努力を積み重ねる必要もないし、感傷的な人間関係も必要としないというわけだ。当たり前のようだが、これはセックスロボットの特徴でもある。ただ、多くの人がセックスワーカーのもとへ通うのは、親愛の情を求めてでもあることを鑑みると、レヴィは感情の側面を見落としているかもしれない。

グラスゴーでエスコートサービスを個人で営んでいるローラ・リーという女性は、成人してからの人生のすべてをセックスワーカーの権利促進に捧げ、その分野の実情に精通する人物だ。大学を卒業しているので他にも就業機会はあったが、あえてエスコート業に身をおく選択をした女性だ。そんな彼女は顧客たちのことを、セックスや欲情だけではなく、親愛の感情もまた彼女のもとに通う理由になっていると語る。それはアプロセックスがセックスドール風俗店について指摘することとも通じる。現時点のセックスロボットは初期段階にある。人間にとって簡単なことも、まだできない。まだ人間を代替できるという段階ではない。そんなセックスロボットがセックスワーカーに置き換わるというレヴィの見解は、私には過度なユートピアに思える。人間と区別のつかないセックスロボットが出てくるかはかなり疑わしく、ちょっとした代替品でしかない。

セックスロボットと人身取引という観点にも触れておきたい。国連の「人身取引議定書」では、人身取引とセックスワークとは切り離されており、別分野のものとして区分されているが、別名パレルモ議定書として知られる同議定書は、「強要されていれば」売春は人身取引に該当すると定義する。救世軍も同様に定義しており、「自主性なくして搾取的な性行為へと関わらされている場合」、これを人身取引と見なすが、「人びとがさまざまな理由で、売春行為に自主的に参画することもあり得る」としている。性行為を目的とする人身取引が悪であることについては、セックスワーカーたちも同調するところだが、そもそも不法取引が成立しているのは、その取引の如何にかかわらず、請負人が巨額の収益を得ているからに他ならない。市場の需要に応じているのではなく（ただし市場が存在していること自体が貢献要素なのだが）、金銭を得ることが主体の搾取行為だ。ではセックスロボットがあれば人身取引は減るだろうか。恐らくそれはないだろう。セックスワーク全般を合法化すれば人身取引が減るかという問いでさえ意見がまとまっていない状況である。セックスロボットとなればなおのことだ。賛成派も反対派も、それぞれのポジションから立証されたと言っているだけだ。セックスロボットが人身取引を増加させるという、キャスリーン・リチャードソンの論点はどうだろうか。信頼できるエビデンスはまだ何ひとつ確認されていないというのが現状だ。

セラピーとしてのセックス

セックステクノロジーにセラピーとしての効果があることも見逃せない。セックスロボットは特別な支援を必要とする人や障碍のある人びとに充実したセックスライフをもたらすことができる。英国のセックストイ企業ホット・オクトパス社では、〈パルス〉という男性用バイブレーター（同社は「ガイブレーター」と呼んでいる）を製作しており、脊髄損傷や勃起不全を患う人でも、男性器さえあればオーガズムに導けると謳う器具を提供している。セックステックのスタートアップ企業ミステリー・バイブ社は〈クレッシェンド〉という、形状記憶型のバイブレーターを開発しており、これは稼働軸が一方に設けられ、U字などの曲線に曲げることが可能で、身体のどこにでもあてがう（もしくは挿入する）ことができるものだ。パーソナライズできるから、誰でも使用できるつくりになっているという意味では、テクノロジーを必要とする個人にとどまらず、社会全体のアクセシビリティに貢献できることを示す、素晴らしい事例だ。

性にまつわるあらゆる活動が、広い意味でのウェルビーイングを促進することは周知の通りだ。マスターベーションもその一翼を担っているが、他者と共同で行う行為ができない人もいる。そんな人びとのために、精神面と生理面の両方向からセラピーを行い、クライアントの性的活動を支援する業務を行っているのが「セクシャル・サロゲート」というものだ。まだ法的地位は確立されていないが、非営利団体である国際代理業協会（IPSA）は、この職種の従事者のための業務基準や倫理基準を設けている。たとえばクライアントの問題克服のために性的な触れ合いが必要なのであれば、代理人（サロゲート）がセックスセラピストの指導に基づいて行う。IPSAでは「触り方、触られ方、そして自分の身体とセクシャリティを受け入れるため」の指導がなされるべきと定めている。ただ、依然として物議を醸すことは多く、セックスワーク廃絶を求める人びとから怒りを買っている領域だ。セックスをすることは権利ではないと彼らは言う。確かにそうなのだが、しかし同意のもとに当事者たちに幸福感をもたらしていることも事実だ。親密な触れ合いを渇望しているのに、精神的あるいは生理的な理由から、そうした関係を築けない人たちが大勢いる。タブーによってイノベーションを途絶えさせるのも考えものだ。私たちの社会が、医療現場や介護現場にイノベーションがもたらされる可能性を感じているのだとしたら、それをセックスという範囲まで延長させてはいけない理由は見当たらない。場合によってはその1つとして、セックスロボットを取り入れてはいけないのだろうか？

ロボットとは付き合うな？

「人間が人工のパートナーと付き合う時、そこに目的はなく、あるのは楽しみだけ。つまりは『悲劇』の始まりだ！」とセックスロボットの危険性に警鐘を鳴らしているのはテレビアニメの「フューチュラマ」だ〔31世紀の地球を舞台にしたシットコム。「ザ・シンプソンズ」の漫画家と脚本家が大人向けのアニメとして企画した〕。これはそのオープニングで語られている台詞だ。1年もすればスポーツ界のスターから生物学者まで、誰もが自宅の寝室に引きこもり、ロボットとよろしくやっている。80年後の地球は朽ち廃れ、挙句エイリアンに破壊される。「ロボットとは付き合うな！」と司会者が警告するのだ。

セックスロボットに関して私が一番尋ねられるのは「これによって人間関係がなくなるのか？」といった類の質問だ。完璧な人造人間がパートナーになって、私たちのニーズをすべて満たしてくれるユートピアな未来が約束されるなら、それ以外に何が必要なのか、不完全な人間など必要だろうか、と。「10代からロボットと付き合えるような世界において、どこの誰が、おいそれそんな（人間と）面倒なことを？」と「フューチュラマ」は警告しているのだ。

『裸のアンドロイド』などの著作のあるジュリー・カーペンター博士が取り組んでいるのは、人とテクノロジーの間で生まれる愛着の研究で、まさにこれをテーマとして取り上げている。

カーペンターも指摘しているように、人間とロボットの関係は、しばらくは人間からロボットへの一方的な愛情にとどまるだろう。愛を真似ることはできても愛を感じることのできるロボットはまだ存在していないからだ。そしてロボットはロボットなりの感情を身につけることになり、適切な反応を示すために（機械学習のような手法で）「学習」するだけなのではないかと彼女は述べている。ロボットは人の感情を感知し、学習しながら、ロボットとして独自の経験を積み重ねていくだろう、と。彼女によれば、これは新しい愛の形態、新しい関係性の形態なのだ。いまはまだその目新しさから、ロボットとの親密な関係などというものは違和感のあること、ないしは滑稽なこととしか受け止められないが、今後は徐々に――セックスロボットに限らず、すべてのロボットが――私たちの生活に溶け込んでいくだろう。

人類に劇的な影響をもたらした過去のテクノロジーも、最初は懐疑的に迎えられてきた。最初の「試験官ベビー」、つまりIVF（体外受精）で妊娠した子どもが生まれたのは、わずか40年前のことに過ぎない。当時、引き合いに出されたのはオルダス・ハクスリーの『すばらしい新世界』のようなディストピアだった。人が神を演じることを咎める声の大合唱で、その子どもの家族には脅迫状が送り付けられさえした。しかし不妊に苦しむ何千もの人たちには希望と映ったわけで、身体上の問題から妊娠できない人たちに限らず、同性愛のカップルやシングルマザーになる道を選択した人びとなど、多様な人びとがこうした喜びを共有できる技術として、今日ではすっかり受け入れられるまでになっている。

当時の人びとにとってみれば、体外受精などというのはいかにもSF的に感じられただろうが、これはあくまでも人間を生み出すための技術である。個人の活動をサポートするロボット技術は、テクノロジーの分野でいえばホームコンピュータの登場と比較した方がいいかもしれない。1958年、IBMの会長トム・ワトソンは「家庭用のコンピュータの世界市場規模などというものは、せいぜい5台くらいではなかろうか」と述べたとされる（典拠はない）。もし本当にそう言ったのだとして、たしかに10年ほどの間はそれが現実だった。1970年代も後期になって、マイクロコンピュータが家庭利用の市場に参入した時ですら、ゲームや文書作成以外には何ら利用価値を生まないだろうと思われた。コンピュータが日々の生活に革命をもたらすという可能性はもてはやされていたが、実情がともなわなかったため、夢は急速に途絶えたというのが実際に近かった。もちろんコンピュータそのものの登場からまもない頃だから、その後にコンピュータが家庭どころか、人びとのポケットにまで入りこんでいくことになるとは、誰も予想できなかった。ロボットも同じかもしれない。

新しい愛の形という考えに話を戻そう。「セックスロボットが人間のようになるのなら、それを1つのペルソナとして、これまでとは異なる種類の愛情を形成できるようになるはずです。さらには、人間の感情に訴えられるタイプのAIが現れ、私たちが文化的に順応する頃には、そうした類の愛情は普通のこととして、少しずつ社会に受け入れられるようになるでしょう」とカーペンター博士は語る。「ロボット相手に自分のセクシャリティを探求する人にとっては行為の中心がロボットになるため、交流のしかたもさまざまな観点から変わることになり、人間との関係性にはみられなかった独自の体験をすることになるのです。人間は社会におけるパターンづけや分類の能力が非常に優れているため、私たちは他の人びとと日々交流をしながら、目に見えないさまざまな社会的カテゴリーを即座に見極め、行動や期待の持ち方を調整しています。たとえば、掛かりつけの歯医者さんに対するあなたの接し方は、道ですれ違った赤の他人や、あるいは子どもの先生やあなたの従姉妹に対する接し方と異なるものでしょう。同様のことがセックスロボットに対しても起こり得ますし、それなりの接し方が形成されるようになれば、独自の社会カテゴリーが生まれるのかもしれません。ロボットに対する私たちの態度は、人と人との関係と同じようなものにはならないでしょう」。

これはセックスドールとその所有者たちが構築している関係と響きあうものだと思う。セックスドールは「代理」である。ドールそのものを崇拝やフェティッシュの対象として崇める人もいるが、それは（彫像を）本物の女性に変身させてもらったピグマリオンのように、生身の女性の「代理」として崇めているのである。ただし、彼らは人と人との関係性と混同することはない。置き換えたいという意識も持っていない。並列的（パラレル）な存在として見ているのだ。

これにはカーペンターも同意する。「やがて私たちにとってロボットは――それこそ性的な行為や社交的な活動をともにできるAIも含めて――社会的に独自な立ち位置を占めるようになるでしょう。それらと接する際には、相手がロボットである場合に特有の決まりごとやエチケットが形成されるのでしょう。ですから、人間同士の関係性が脅威に晒されるとは私には思えません。セクシャルな目的で開発されたロボットなら、私たちの社交のありようの選択肢を広げることもできるでしょうし、同意したパートナー間のコミュニケーションの媒体として、あるいは最新型のセックストイなどとして、さまざまな新しい役割が生まれてくるのでしょうが、人類に対する脅威などではないのです」。

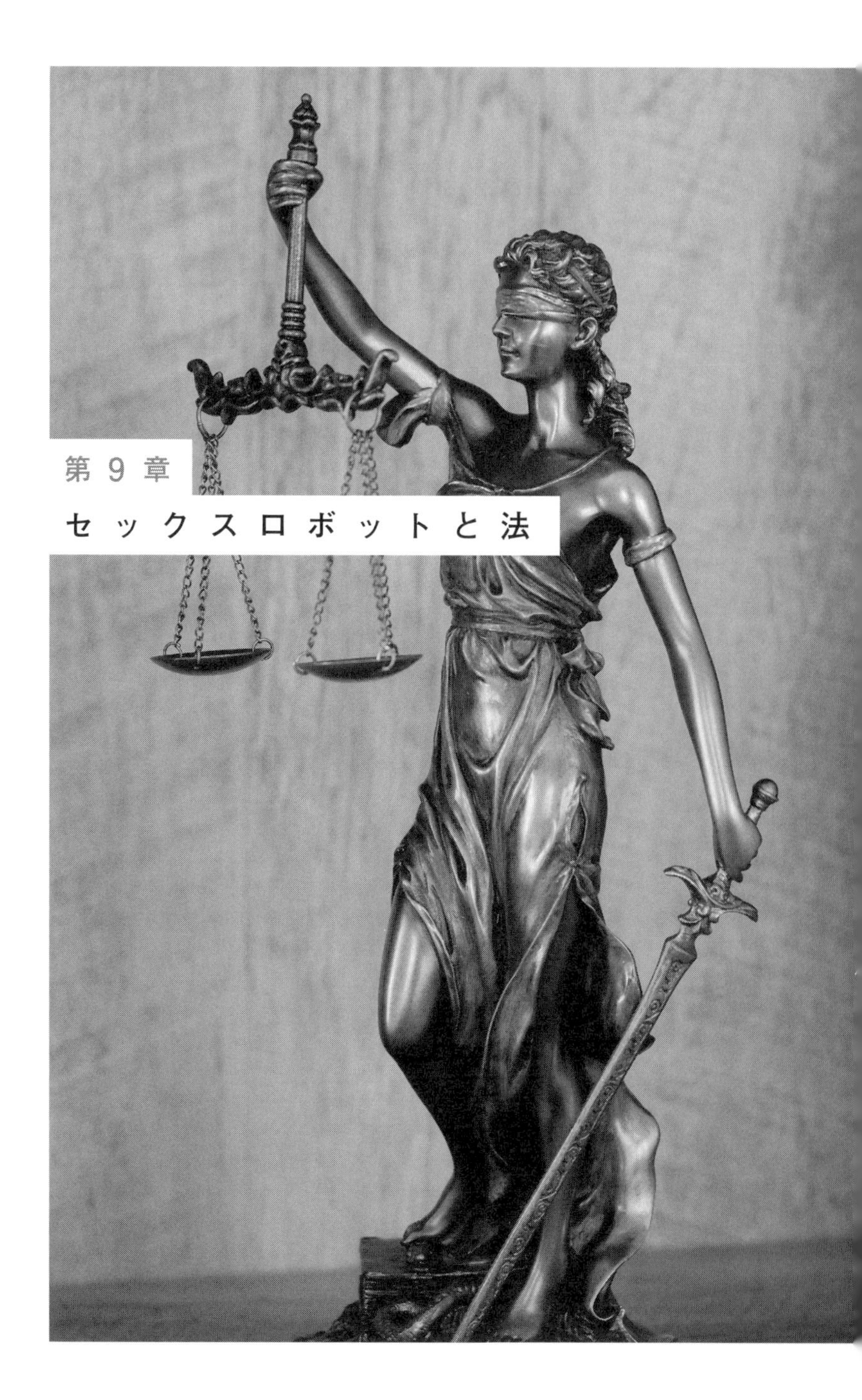

第9章
セックスロボットと法

セックスロボットの法的根拠が論じられる際、再三再四取り上げられるのが子どもの姿をしたタイプの可能性への懸念だ。物議を醸して当然の、重大なテーマだ。子どもの姿をしたセックスロボットという発想はおぞましいものであり、対策が必要なのは間違いない。絶対に認められないものとして扱い、いかなる開発も、いかなる製造も許してはいけないという反応が示されるのは当然だが、それで済む話だろうか。

昨今の判例では、子ども型セックスドールの所有に対しては、法律によって規制をかけようとする動きが中心だ。2017年の英国では、子どもを模したセックスドールの輸入を有罪とする判決が相次いで下されている。7名の男性が検挙され、そのうちの6名は児童猥褻画像の所持の罪でも起訴された。また、同じ年の1年間で押収されたドールの数は、輸入品の監視業務を司る国家犯罪対策庁と国境警備隊での数字を合計すると、計123体に上る。英国の法律では、こうしたケースを想定した法律がないため、提訴や裁判を進めるにあたっては、前時代的な関税法（猥褻物の輸入）に依拠しなければならないというのが実態だ（1876年関税統合法の42条には「次に列挙および説明される禁止及び制限物品は、英国に輸入すること、もしくは持ち込むことを禁止する。猥褻な印刷物、絵画、写真、書籍、カード、リトグラフ、もしくはその他の印刷物、もしくはその他みだらな、あるいは猥褻な文章」と記されている)。最近ではカナダでも同様のケースが起きており、子ども型セックスドールをポルノとして扱うべきなのか争われた。どういうドールがセックスドールとして分類されるのか? 何をもってポルノグラフィとするのか? 単純な話ではないのだ。たとえば性器を挿入するための開口部があるなどの特徴があるだけで性的用途に特化していると定義していいのだろうか。捜査当局が捜査活動を行う際には、小児科医の協力を仰ぎ、「押収品を検証してもらい、形状や構造の観点から子どもらしさが見られないかなどを意見してもらい、追認する」という手順を踏んでいる。

ロボットと不同意性交

複雑な話ではあるが、児童を虐待したからといって、加害者すべてが小児性愛(ペドフィリア)に該当するわけではない。加害者の性的嗜好が明らかに子どもであれば小児性愛に該当するが、児童虐待者の場合、普段は大人に魅力を感じる傾向がありながら子どもを虐待する者もいる。その性的嗜好や倒錯的感性を一度も行動に移さない小児性愛者(ペドファイル)もいる。児童虐待であれば、一度限りの言動であることもあるが、小児性愛者の場合は行動には一切移さない人びとがいる一方で、ひとたび行動に移してしまうと、その場限りに留まる可能性は低い。

こうしたことを書き連ねるのは、区分することが重要だからであって、擁護したり、言い逃れの方便を与えたいわけでは決してない。小児性愛には治癒方法がまだない。それは病気であって、行動に移した際に犯罪となる。児童虐待は当然犯罪行為だが、加害者がすべて小児性愛者とは限らないのである。

ジョン・ダナハーは「ロボットのレイプと性虐待を犯罪とすべきか？」という論文の中で、子ども型セックスロボットをテーマにしている。詳細に論じてその影響を注意深く検討しているが、犯罪行為として認めるべきかについては確たる結論は出していない。もしその利用に道徳的な害が認められ、「社会的に意味のある倫理問題に対し、（利用者が）良からぬ配慮のなさ」を示せば、子ども型セックスロボットの利用を犯罪行為として見なせる可能性はある、というのが彼の説明だ。ただしさらなるエビデンスが必要だとも強調しており、私も同感するところだ。

子ども型セックスロボットという考えは、そのあまりのおぞましさゆえ、小児性愛者の捌け口や代用物として活用し、行為の対象を仮想的な世界やロボット相手だけに留めさせるなど、セラピー用途としての可能性があるが、そのことを実証する手立てがない。ポルノグラフィやゲームがもたらす影響と同じで、とにかく実例が少なすぎるのだ。猥褻画像の所持ひとつとってみても、所持するだけで有害だという意見もあれば、所持は無害であり、有益な場合もあるという意見もある。ほとんどの議論は、両陣営が相反するエビデンスを展開し、それぞれの根拠を主張するに留まっているのだ。それは〝きっかけ〟になってしまうのか、はたまた〝削減効果〟があるのか、両論ともに結論をみない。大規模な調査ができればいいのだが、そうした調査は必然的に倫理的な困難をともなう。エビデンスによってこの論争を決着するのが有益だとわかっていても、そうした調査の実施が許されること自体考えにくく、資金を提供する組織もないのだ。

物議を醸すという観点でいえば、性犯罪者に対して施される治療の効果を検証すべく、モントリオール大学でＣＧ画像を使って試みられた取り組みを取り上げたい。当初予定していたのは、リハビリテーションを一通り終えた性犯罪者に対して、性的虐待に相当する表現を含む画像を見せ、その上で彼らの興奮状態の有無を確認し、治療効果の成否を確認かつ検証しようというものだった。ただ、これには欠陥があった。まず、性的虐待の画像を見せるということは、おぞましい犯罪行為を見せることを意味する。それが医学的評価の一環であったとしても、そうした画像を見せること自体が合法でない地域が多数存在する。結果、この調査手法は変更を余儀なくされ、リハビリ後の性犯罪者に対し、性的虐待に関する文章を読み聞かせるという形に変更されたのだ。しかし、このようなやり方では、視覚という人間の感性にとって重要な側面が省かれ、結論に対する信頼性が損なわれてしまう。

ただ、最初の予備的研究として、カナダを拠点に活動する研究者エリッサ・デニスとその同僚らによって、「その嗜好が常軌を逸していない範囲の男性」に対し、成人ならびに子どものCG画像によって性的興奮反応が誘発されるかという実験が行なわれている。その結果、男性たちが性的反応を示したのは、「開かれた性」(誘ったり、楽しんだりしている様子)を表現する成人のバーチャルキャラクターであって、「閉ざされた性」(悲しみや恐怖)ではなかった。

興奮の度合いを測定する際によく使用されるものとして、陰茎プレチスモグラフィという器具がある。血圧計を糊でペニスに装着し、圧力感知によって血流の変化を測定するバンド状の器具だ。ただしこの手法は不正確に終わる可能性が高いこともあり(偽陰性率が4割程度にのぼる)、またその他の理由もあって、その信頼性に関しては意見が割れている。のちの研究では、この実験にVR(仮想現実)の仕組みが取り入れられ、陰茎プレチスモグラフィに加えて目の動きも追跡できるようになった。これにより、対象者が実際に画像のどの部位を見ていたのかを確認できるようになり、何が性的な興奮を誘発したのか検証できるようになった。
ＶＲには社交不安障害や不安神経症などの精神状態を緩和する効果があるとされ、実験によって実証されている。もしＶＲがそのような役割を果たせるのだとすれば、検証のための代替品として活用することによって、好影響をもたらすことができるかもしれない。

しかし、実証に資する十分なエビデンスは永遠に得られないのかもしれない。それでも、セックスロボットに規制は設けるべきだろうか。見かけが子どものようなセックスロボットについて言えば、設けるのが最善の策だろうと思う。児童虐待の画像は所持自体が違法であり、国によってはＣＧ画像でさえそうなのだから、子ども型セックスドールや子ども型セックスロボットが同じカテゴリーとして分類されるであろうことは推測しやすい。ただ、その治療に資するなどの有用性を検討する可能性まで排除するとなると、それはまた別の話ではないか。子どもという、社会の中で弱い立場にある人びとを模してつくられたセックスドールなど言語道断である、と全面的に禁止するのは容易だ。ただ、規制をかける部分と、そうでない部分を分けて議論することは可能だ。個人の感情や場当たり的な道徳観のみに依拠して、即座に全面禁止を決めてしまうのは、向き合い方として正しくはない。これだけははっきりしている。

セックスプライバシーは誰のものか

最近、あなたは何かの製品やサービスの「利用規約」に同意したことはあるだろうか。その時に、いったい何を承諾するのか細かく確認しただろうか。正直に告白すると、私自身はせいぜい読みもしないメールマガジンに加入させられていないかを確認する程度で、それ以外の小さな文字を読むには人生は短すぎると思って、読まない場合がほとんどだ。しかし本当は確認するだけの価値があるのだろう。２０１６年、カナダ企業のスタンダードイノベーション社は、顧客から米国の連邦盗聴法に基づいて提訴され、示談に応じることとなった結果、総額３７５万カナダドルを支払う羽目になっている。

スタンダードイノベーション社は〈ウィーバイブ〉という、オンラインで操作できるスマートバイブレーターを製造するセックストイのメーカーだ。データの送受信ができる機器であることに違いはないので、テクノロジー分野で近年取り沙汰される「モノのインターネット」（ＩｏＴ）の１つに該当する。歩数をスマホで確認できるようなフィットネストラッカーを使っている人であればお馴染みの製品ジャンルではある。〈ウィーバイブ〉もこれとほとんど同様に、人の活動を追跡できる。ただその追跡対象がちょっとセンシティブだったというだけなのだ。

〈ウィーバイブ〉を操作するためのアプリ〈ウィーコネクト〉には、収集されているなど想像もしなかったような情報が含まれていることに女性ユーザー２人が気づき、スタンダードイノベーションに対して訴訟を起こしたのである。そこには利用頻度や好みの振動の設定だけではなく、器具の温度までもが収集されていたのだ。こうした情報を匿名化していたのなら、そこまでのことにならなかったのだろうが、スタンダードイノベーションは、データを匿名化していなかった。実際に収集された情報は、ユーザーのメールアドレスと紐づけられていたのである。スタンダードイノベーションはユーザー個人の性的な活動をかなり仔細に見ることができる状態だった。

セックストイを通じた情報流出リスクにはじめて注目が集まったのは、２０１６年に開催されたハッカーの祭典「デフコン」において、2人の無所属ハッカーが〈ウィーバイブ〉とアプリの接続にハッキング可能な箇所があることを突きとめ、悪意ある者による乗っとりが可能であることを示したときだった（表向きには面白い取り組みだが、よく考えれば完全なる違反行為だ）。さらに彼らは、〈ウィーバイブ〉を使用している間にデータが毎分送信されていたことも暴いている。当時のスタンダードイノベーションの利用規約には「法的な裏付けのある要求であれば」ユーザーの個人情報を開示することができると記載されていたが、データ収集の目的が市場調査であったことに加え、「ハードウェアをモニターする」という用途で温度情報を記録しているというのが彼らの主張だった。

市場調査を目的とするデータ収集はよくあることで、そこまで怪しい話ではない。製品の稼働状況をモニターするのも、スマートテクノロジーのメーカーであれば普通に行っていることではある。たとえば排卵日を記録する製品であれば、個人の月経周期をデータとして活用することによって、ユーザーが妊娠しやすい日とそうでない日を高い精度でピンポイントに指し示すことができるといった具合だ。データのパターンや傾向を把握することによって、ユーザーの要望に添った形で製品の品質を改善することも可能だ。
ただ、本件では3つの問題があった。まずはユーザーの同意を得ていたのかという点。2点目に個人の特定が可能であったということ。そして3点目は企業が入手したデータが、利用時のみならず、その後長期的にどう扱われるのかという点である。世界のいたるところで新技術が生まれ、活用されている状況では、どの国の法律をもって多国籍企業を規制すべきなのか不明瞭だ。

その後、スマートセックストイの問題として、2つ目の事件が報じられた。問題となったのは先端に小型カメラを搭載した〈シーミーアイ〉というスマートバイブレーターである。先端にとりつけられたカメラで写真を撮ってスマホのアプリで見ることができるのだ。デザインの良し悪しはさておき、問題はストリーミングされた動画が簡単にハッキングできることが露呈したことだ。発見したのはペンテストパートナーズという、挿入ならぬ侵入（ペネトレーション）テストとセキュリティの専門企業である。脆弱性を知らせようと、〈シーミーアイ〉の製造元であるスヴァコム社に接触を図ったが、返答がなかったらしい。

幸い、スヴァコム社には救世主が現れた。スマートデバイスにハッキング可能な脆弱性がないかを探し出し、攻撃を未然に防ぐホワイトハッカーである本名ブラッド・ヘインズ、別名「レンダーマン」である。スマートセックストイを専門とし、その脆弱性を見つけ出す「IoD」＝イチモツのインターネット（Internet of Dongs）というプロジェクトを運営していたヘインズから見れば、ペンテストパートナーズが〈シーミーアイ〉のケースで取った対応は、先入観にとらわれた子どもじみた告発だとして、「極めて幼稚だった」と語る。彼は〈シーミーアイ〉は遠隔ハッキングの影響を受けにくかったとも付け加え、ハッキングするにはデバイスの30メートル圏内に入る必要があって、いっそ直接覗き込んだ方が手っ取り早いほどだという。

スマートテクノロジーの脆弱性は今に始まったわけではない。このケースでも、取り扱いデータがセンシティブなものという特性ゆえ、疑惑の目が向けられた。リスクの所在が見事なまでに浮き彫りになってよかったとも言える。このケースのような映像のストリーミングに対するハッキングは単発的な問題が生じるに留まるが、既婚者向けのマッチングサービスである〈アシュレイ・マディソン〉のデータ漏洩問題や、システム障害によるデータ紛失、あるいは昔ながらの「ノートパソコンの電車内紛失」問題では、顧客情報を保持する立場にある企業がハッキングの脅威にさらされる。チャットボットを使った手口でマッチングサービスへと男性を誘（おび）き寄せていた〈アシュレイ・マディソン〉のケースでは、際どいデータが漏洩し、脅迫に使用され、離婚や自殺を引き起こす結末となった。性にかかわるデータには人の命を危うくする可能性があるのだ。

これは長い目でみればさらなる問題へと発展しかねない。たとえばあなたのデータが安全に管理され、他者からは個人を特定できない形式で保存されていたとしても、そのデバイスメーカーが吸収合併や買収、あるいは廃業に追い込まれたとしたらどうか。グーグル傘下の企業に買収され、その後サービス停止となったスマートホーム用ハブデバイス〈リヴォルヴ〉や、フィットビット社が買収したスマートウォッチ〈ペブル〉の例からも窺えるように、頻繁に発生している事象でもある〔フィットビットはその後グーグルに買収された〕。

セックスプライバシーは人権侵害を引き起こす

こうした脅威に対し、「後ろめたいことがなければ恐れる必要はなし」という反応が散見される。本当にそうだろうか。英国では「調査権限法」（通称「覗き見免罪符」）が2016年末に成立している。テロリストとの戦いという美名のもと、大規模な監視体制を許すことになった本法案だが、企業はユーザーのインターネット接続記録情報を1年間保持することが義務づけられた。監視されているとしても、法を遵守している市民であれば心配は無用なのかもしれないが、その後に法律自体が改正されたらどうだろうか。国境を越えて他国に入国しようとする際に、SNSの投稿が調べ上げられ、携帯している電子デバイスの中身がチェックされるとしたら？　しかもそうした確認作業が、本来とは異なる目的で行われているとしたらどうだろうか？

セックステックの利用履歴くらいで何を大袈裟な、と思われるだろうか。しかし、それが違法行為をしていることを示すデータだとしたらどうだろうか。たとえばセックストイを禁止している国は多数存在しているし、セックスロボットを禁止する国が出てきたとしても不自然ではない。現にボツワナではセックスドールが禁じられている。同性愛が違法な国も多い。電子デバイスの利用履歴からあなたのセクシャリティに関する情報や、あなたを差別に追いやるような情報が詳らかになる可能性は高く、あなたの自由や安全、生命までもが危険にさらされるかもしれない。セックスデバイスは、使用するたびに清潔に拭きとってあげる必要があるのだ。あらゆる意味で。

データの収集や保持が倫理的に行われているかどうかは個人情報やセキュリティの観点からも重要なテーマなのだ。個人に危害が及ぶ可能性が間違いなくある。AIを使って人の性別を見分けることが可能だという論文に向けられた懸念はその最たる例である。

同性愛者を見分ける能力を意味する〝ゲイダー〟という言葉がある。2018年にスタンフォード大学のミハル・コジンスキとイールン・ワンが発表した論文はまさにそれをテーマにして、マッチングサービスから収集した何万枚もの顔写真を顔認証技術や独自の機械学習モデルにかけることによって、同性愛者かどうかが予測できるとし、物議を醸した。著者たちによれば、予測精度は81％であったという。ただ、彼らの扱ったデータには結果を故意に変えたり偏らせる変数があまりにも多く、ほとんどが再現できていないことからも、疑いの目を持って受け止めるべきだ。著者たちは、論文を発表した目的はLGBTQを取り巻く問題を広く知らしめることにあったと述べたが、こうしたテクノロジーが誤った人の手に渡れば、誰かを迫害したり死に追いやることに使われかねない。

ビッグデータの世界では、匿名情報がずっと匿名のままでいる保証はない。私たちがクリックをすればするほど、その1つ1つがデジタルな〝足跡〟として残り、つなぎ合わせれば個人を特定できるデータを再構築することも可能だ。身元情報を削除することもできるが、入念に精緻な手続きをする必要がある。「クィアプライバシー」誌の編集長で、匿名通信や個人情報の専門家でもあるサラ・ジェイミー・ルイスは、自身のバイブレーターをなんとしてでも個人を特定できない形で操作するため、いわゆるダークウェブにアクセスする際に使われる匿名通信のためのオープンネットワーク「Tor」を経由するように通信環境を設定したという。これによって彼女は、プライバシーを保全しながらセックストイを使用できることを立証しつつ、脆弱性の原因がオンラインへの接続という単純な理由だけではなく、メーカーの過失に依ることを示した。Torを経由しての接続だから、利用データをメーカーに戻さなくてもバイブレーターを遠隔操作できることを意味する。「100%暗号化されたピア・トゥ・ピアのサイバーセックス」が実現することを確認したのだ。しかしこんなことは誰にでもできるわけではない。

セックスロボットは、本当は隠しておきたい情報まで明らかにしてしまうものかもしれない。サントスが開発した〈サマンサ〉は、設計の段階からネットには接続しないという前提でつくられている。しかしメーカー側の判断で、ネットに接続しての操作やプログラミングを可能とするセックスロボットを提供するのであれば、利用者自身で身を守らないといけない。秘密のままの方がいいものもあるのだ。

セックスロボットの乗っとり

ハッキングに話を戻そう。どんなものであってもネットに接続されればハッキングの可能性が生じる。それはコンピュータでもスマートウォッチでも冷蔵庫でもセックスロボットでも同じことだ。私たちはそうしたリスクを承知した上で利用しているわけだが、大きな問題に発展することは少ない。しかしこれにセックスが関係してくると、リスクのレベルが相当に高まるのだ。まず、データが悪用される危険性がある。人に見られたくない画像がどこかのサーバに送信され、意図しない人の手に渡り見られてしまう可能性は常に潜んでいる。半裸のスナップ写真を間違った電話番号宛てに送ってしまう古典的なホラーのような偶発的な原因だけではなく、悪意ある行為や信頼していた人の裏切り行為による場合もある。私の友人に「ここのところ自分の性器の写真を送るのは平気なのに、顔写真を送信することの方に抵抗を感じている人たちがいることが興味深い」という人がいた。いまのところ顔よりも性器から個人を特定されるリスクの方が低い。

あなたのスマートセックストイや未来のセックスロボットを、見ず知らずの他人とともに楽しむケースでは、互いに合意形成することの重要性は高い。そうでなければ性的暴行になってしまうからだ。ただ、合意は常に流動的で、ひとつところに固定されるものではない。他人と共同で性行為を営むなかで合意形成したとしても、その合意はその状況だけに限定されるもので、いつでも撤回できるものだ。それがなにかしらのセックステクノロジーを介在させた行為だとすれば、操作に携わっている人と性行為を行う当事者たちとの間でも合意形成が必要だ。許可していない誰かがあなたのデバイスを操作しているとしたら、その段階で性行為の当事者間の合意は消滅しているのだ。

いつものことだが、法律は技術革新からおいてけぼりになっている。オンライン上での性的暴行という考えに法制度はまだ追いついていないのだ。サイバーストーキングやリベンジポルノといった犯罪に対する法整備を進めている国もあるが、まだ現実の変化のスピードに追いついているとは言いがたく、実体をともなう犯罪と比べて軽めの量刑に留まる傾向もある。

さらにつっこんでみよう。もしいつの日か、あなたのセックスロボットに感情が芽生えるとしたらどうだろうか。感情らしきものということでも構わない。そしてあなたのセックスロボットが、もうあなたのセックスロボットではありたくないと決めたとしたらどうだろうか。それがSFとしてありそうなものなのであれば、いつか実際に起こることとして考えておくべきだと私は思う。私自身は、その可能性は限定的だと思っているが、完全にないとは断言できない（ないと断言する人もいるが、シンギュラリティが実現したら、まず最初に壁にぶち当たるのはそういう人たちだということは断言できる）。ならばどう対処するのが最良なのか、検討しておいた方がいいのではないだろうか。

有名人に似せたセックスロボット

法曹界では数少ないセックステクノロジーに特化した弁護士に、ニール・ブラウンという人物がいる。「デコーデッド・リーガル」という、テクノロジー専門の法律事務所の共同創立者でもある。セックステック業界で活動する人びとの多くがそうであるように、ブラウンもまた茶目っ気がかなり強めのユーモア感覚の持ち主だが、誰か個人に危害が生じたり、法への影響がありそうなものなら真剣そのもので取り組む弁護士だ。彼が登録教育慈善団体「コンピュータと法のための社会」（Society for Computers and Law）から出版した『セックステック　ベトついた法的課題？』という面白いタイトルの本は、データのセキュリティから個人情報、肖像権に至るまで、ありとあらゆる話題に触れている。ロボットとのセックスは浮気に相当するのか、気になるだろう。法的には心配いらないとブラウンは書いている。英国では、浮気は離婚の正当な根拠として認められているが、それは配偶者が異性と関係を持った場合に限る（異性とでなければ浮気にはならないというのは、あまり進歩的ではないが）。アメリカの場合は州によって異なるので一概には言えないが、相手の過失行為を根拠に結婚を終わらせる「有責判定」の事由に用いられることはまずないだろう（アメリカはすべての州で、何かしらの無責離婚が認められていることだし）。

肖像権はどうだろうか。2016年、プロダクトデザイナーであるリッキー・マーは、スカーレット・ヨハンソンに似せたロボットを一から製作した。それなりによくできた仕上がりだった。あくまでも知り及ぶ限りだが、セックスロボットとしてつくられたわけではなかったらしい。営利目的でもなかった。マーが自身のために自宅でつくったロボットだったから、訴訟沙汰にはならなかった。仮にそれが販売目的でつくられたとしたら、きっとちがう話に発展していたことだろう。人格権（肖像権や自分の姿や似顔絵に対して有する権利）は民法に属し、国によってそれぞれ異なる。カリフォルニア州（ならびに続く12の州）では、1985年にパブリシティ権法（Celebrities Rights Act）が成立したことを受け、著名人の権利は死後70年間にまで延長された。

〈リアルドール〉を開発しているアビスクリエーションズでは、買い手が明白に許可を得ていない限り、特定の個人に似せたドールはつくらないというスタンスをとっている。とはいえ、標準型のドールの外観を決めるにあたり、ある程度誰かに似せた容姿になっていることも否定できない。一方、特定のポルノスターのドールはすでに存在している。ジェシカ・ドレイクとアサ・アキラは〈リアルドール〉のモデルの役を買って出ている。ドレイクの場合は、自身の生き写し（ドッペルゲンガー）ドールの購入者と会話したり、自分の衣服を送ったりするなどの活動を行っている。海賊版によってポルノグラフィ映像が儲からなくなっている昨今のことだから、ドレイクとアキラにとっては絶好のマーケティングにつながる機会なのだ。

いずれにしても、自身の肖像権の管理という観点であれば、ロボットはオンラインよりもおそらくはるかに管理は容易だろう。ここ数年、ディープフェイクの台頭はもっとも憂慮すべき問題の1つだ。人の写真や動画を、別の人の画像や動画と継ぎ目なく重ね合わせることのできる、深層学習を用いた画像合成技術が発達し、行き着いたその先はというと、顔スワッピングというフェイクポルノの誕生だった。先端技術によって本物さながらの出来栄えの動画が大量につくられたのだ。その影響は深刻で、どこかの誰かが有名人に似せたセックスロボットをつくって、ひと儲けしようなどといった話の比ではない。誰か特定の人を模したセックスロボットを無許可でつくることが許されると言っているわけではないが、それがロボットであれば少なくとも本人と見間違えることはないだろうし、ネットのように拡散することもない。

私たちに必要なのは、自分の肖像が盗用されたり、モノ化されるリスクを低減する方策を準備しておくということなのかもしれない。それができれば、来たる未来を安全に乗り切ることができる。いくつか考え及ぶところがあるので、もうしばしのお付き合いを。

第10章
不気味の谷を越えて

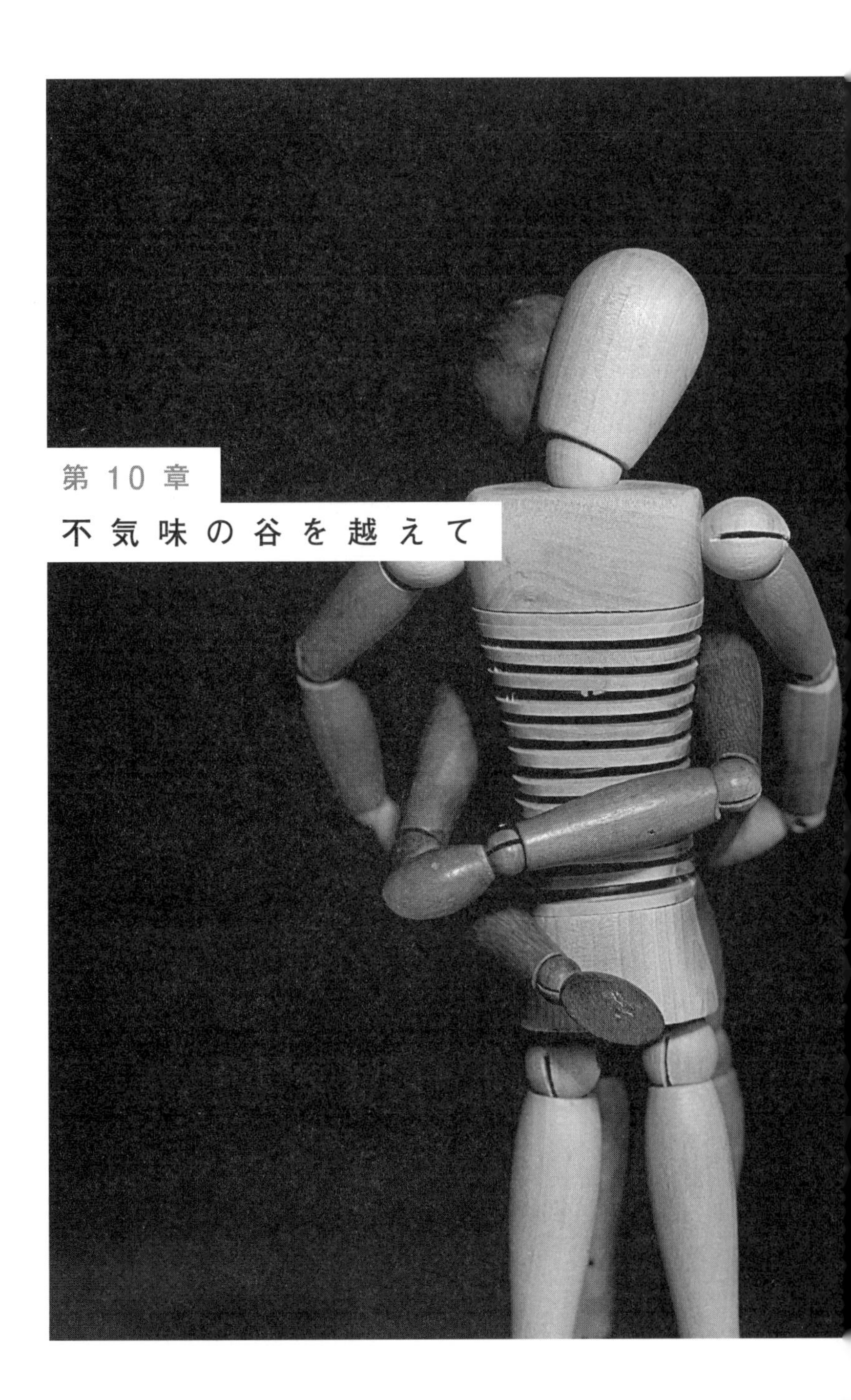

２０１６年12月のある日。私はロンドン南東部にある、かつて教会だった施設で、圧倒されながら佇んでいた。会場内にいる60名の人びととは、あれこれと語り明かしたいことがあり、しかし私の声はもう36時間前にすっかり枯れていて、一睡もしていない。私を囲むようにして渦巻く活動の数々。だいたい3、4人が1組になって――より大所帯なグループもいたが――みな躍起になって議論している。床には教会のステンドグラスがカラフルな光を投げかけている。音楽がかかっているが、張りあう声にかき消されてしまう。テーブルの上にはセックストイの数々。ここは英国ではじめて開催された公開セックステック・ハッカソンの会場なのだ。私がその運営を任されることになったのは、単なることの成り行きだった。

ハッカソン――何かをつくったり別の用途に改変してしまうことを意味する〝ハック〟と〝マラソン〟を掛けあわせた言葉――とは通常24時間から48時間の間に、試作品の設計から開発までを小集団が手がける、いわゆる短期集中型のプログラミング／開発イベントのことで、ソフトウェアまたはハードウェア、あるいはその両方が対象になる。最初にセックステクノロジーでハッカソンができないかと思い描いた時には、10人くらいの人を一堂に集めて、バイブレーターを解体したり、一般的な家電用品にモーターを付けるくらいの漠然としたイメージを描いていた程度で、私の展望はさして大規模なものではなかったのだ。ところが、幸いにしてというべきか、私の学生たちは違った。私がハッカソンを開催したいと発表するやいなやすぐにケヴィン・ルイスとユヴェッシュ・トゥルサニという学部生の手が高々と挙げられたのだった。

ケヴィン・ルイスはロンドン大学ゴールドスミス校のテックサークルである「ハックスミス」のリーダーになって間もなかった。ルイスは取りまとめ能力が驚くほど高く、取り組んでいる活動の多さと人をやる気にさせるメールの文才からも、政治家にでもなってほしいと思うくらいだった。「参加者は10人前後かな……」と遠慮がちに私が言うと、前のめりで「いや100は目指しましょう」と私の発言を遮る。最初の打ち合わせでは、どこかの企業とスポンサー契約を結ぼうという話に発展し、5000ポンドの資金調達を目指すことになった。愛情行為のテクノロジー関係者全体の声を代表したかったので、スローガンは「タブーがイノベーションを止めていいのか？」とした。

最終的に調達できた資金は1200ポンドに達したが、互いの誤解で取りやめになってしまったスポンサー契約が結べていたら、もっと高額を目指せたかもしれない。それでも1200ポンドは確保できたので、52名の参加者には温かい食事と飲み放題のコーヒーが用意できた。他にもオリジナルのステッカーも配った。ハッカソンたるもの、ラップトップに貼れるステッカーを用意するのは必須なのだ。もし周りにフレンドリーなエンジニアがいたら聞いてみてほしい。そりゃそうだと言うだろう。さらには世界きってのセックストイ企業各社に呼びかけて、額にすれば1000ポンド以上に相当するセックストイのサンプルを大量に入手できて、デモや参加者への景品として配ることができた。ハッカソンの数週間前には、私の職場には謎のダンボールが頻繁に届くようになった。この興奮を同僚にも体感してほしくて、新たなダンボールが届くたびに学部の職員室まで運んでは、みんなで開封した。12月に入ると私の研究室の棚はきらびやかに箱詰めされたセックストイで埋め尽くされた。

当日の土曜日は開会のスピーチやアクティビティで場を温めたのち、午後1時にハッキングを開始。4組のチームはそれぞれに図面やスケッチを起こし、企画・プロット・検討作業を進めるなど即座に手を動かし始めた。作業にストップをかけたのはそれから24時間後。私は驚きを禁じ得なかった。わずかな時間だったにもかかわらず、参加チームが人間の愛の形をもろもろ多彩な角度から捉え、まったく異なる14個のアイディアがテクノロジーの成果として試作化されるまでに至ったのだ。

日曜の午後1時、作業を完全に止めてもらって、次は審査員を前にしてのプレゼンテーションが始まる。1グループ5分ずつ、それまでにつくりあげた成果を発表してもらう。

最初の発表は、〈ポップイット〉という子ども用の玩具をハックして、セックストイに仕立て上げたものだった。これには「子ども向けとは誰も思わないで賞」を授与。他にも音楽や手の動きに反応するバイブレーターだったり、ファスナーを開けると恋人にメッセージが送信される服など、広範なハッキングが繰り広げられた。個人的に好きだったのは、膣内の湿潤さに反応して開く孔雀の羽というやつ（人工装具（プロステティック）としての可能性が素晴らしい）。最優秀賞は、シリコンやチューブに空気を注入することによって、触手が身体にまとわりつくソフトロボティクスを開発したチームに授与された。これをおっぱいのような形をしたコントローラーで操作するのだ。見てくれがかなり生々しくて、どんな身体の人でも、どの部位であっても使用できるようになっているところが素晴らしかった。

2017年11月にはさらなるチャンスが訪れた。同じ教会を舞台に「セックステック・ハック2：セカンド・カミング」という第2回大会が開催できたのだ。今回は没入型や体験拡張のテクノロジーに比重を置き、セックスだけではなく、愛情表現全般を対象とした。参加者は他人の肉体に乗り移れるような擬似感覚を試したり、バーチャルアバターをシミュレーションしたりと、VR技術にチャレンジしていた。官能的な拡張現実（オーグメンテッド・リアリティ）とショールを組み合わせて、肌に触れるとセンサーが反応し、投影された仮想の薔薇の花びらの感触を味わえる作品もあった。あるいは雲の中を歩きながら優しく撫でられる作品など、参加者たちは体全体で快感を味わうためのアイディアに突き動かされていた。

8つの椅子を並べて支えた寝袋が簡易的なハンモックのように設置されていたのだが、気づけば私の全身のあちこちに空気圧で膨らんだチューブがまとわりついていた。右手に持たされたモーターのスイッチで操作すると、体全体を抱きしめてくれる〈ハグ・マシン〉なのだという。プラスチックの管で首を締めつけられる感覚は、いくらか不安や不快さを覚えるものだったが、人工物に程よい強さで締めつけられる感覚は快適で、心地いい。もともと私は、柔らかくて撫で心地のいい素材を使って、触ると低音で唸ったり、身を沈めると心地よく包みこんでくれる、〝セクシーな掛け布団〟を構想していたことがあったので、アイディアとしては近い。ただ、自分がもしセックスロボットをつくるのであれば、たくさんのおっぱいでできたベッド、暴言を吐きながら動いたりバイブしたりするたくさんのペニス、あるいはその両方といった具合に、気ままに変えられるものがほしい。せっかく人間ではなくジェンダーもない、しかもカスタマイズもパーソナライズもできるセックスロボットをつくるのであれば、その時々に気持ちがいいと感じるものになってもらうことこそが醍醐味だと思う。

時は流れて2018年1月。私はとある劇場の舞台で、シリコン製マスターベーション・スリーブを手にして、輪ゴムみたいにしてぴゅっと撃ち放っていた。意外にもよく飛ぶ。ロンドン芸術大学のセントラル・セント・マーチンズ校で、セックスロボットのデザインについての勉強会をオーガナイズした時のことだ。同校でプルーラル・フューチャーズというイベントを主催する、学生時代からの旧知の友人ゲリー・キャンベルに招かれたのがきっかけだった。お互いもう20年以上は会っていなかったので、貴重な再会だった。愚直なほどに厳格だった私たちの中学時代の経験は、いまやなんの役にも立っていない。ゲリーに当時性教育を受けた記憶はあるかと聞いてみたが、教科書で男と女を表すために、顔のないねずみ色の人たちが描かれていたことくらいしか覚えていないという。私にはその記憶すら残っていないが、長時間かけてカエルの生殖周期を教わったような気がする。

私はその勉強会で、たっぷり1時間かけ、各領域でいま現在利用されている多様な種類のロボットのデザインや形状についてのプレゼンを行った。次は参加者の番である。袋につめて持参したセックストイの数々をテーブルの上において、それらをばらばらに分解し、参加者に集まってもらった。パーツを回しあってもらって、現在のセックストイがどういうものか確認してもらう。次に4つのグループに分かれてもらい、〝優美な死体ゲーム〟のスタートである。

この〃優美な死体ゲーム〃というのは、正式名称はわからないが、どうやらいわゆるシュルレアリストの間では人気のゲームらしい（シュルレアリスムは20世紀初頭から戦間期のフランスで起きた前衛芸術運動。理性を排除し無意識による創作を重んじた）。その内容は単純で、まず一片の紙を手元に置き、上から4分の1のあたりに、他の誰にも見られないようにしながら頭部を描く。描いた頭部が隠れるように紙を折り畳み、次に胴体を描く人に渡す。それが終わったら再び紙を折り、次は脚を描く人に渡す。最後にもう一度折り畳み、足の甲の部分を描き添えてもらう。固唾を呑んで紙片を開くと、優美な死体が姿を現す、というものだ。ただ、私たちの場合優美な死体ではなく優美なセックスロボットを描く。

結果、独創的で面白いものが現れた。頭部はモニター画面になっていて（お好きな芸能人を表示できる）、筋骨隆々の胴体からは触手が伸び、つま先部分は蛇みたいなペニスの生きもの。もう1つは鳥のような羽毛の胴体に、きつねのしっぽがついていた。

アートを学ぶ学生たちが提案するものは、その幅の広さに感心させられてしまう。総じてバイオロジーとテクノロジーのミックス感がサイボーグらしさを醸し出している。独創的な発想の表現力が素晴らしい（アートとデザインの分野におけるロンドンの名門校だから当然だが）。

では、私たちはここからどこへ向かうのだろうか。どんな未来が私たちを待っているのだろうか。個人用の器具や機械を使って優雅にオーガズムを満喫する世界？　あるいはロボットと生活を共にし、時にはベッドも共にする世界？　私は、こうしたハッカソンや勉強会を通じて既存のセックスロボットとは違う選択肢を構想するのが最初の一歩だろうと思う。今あるセックスロボットのプロトタイプは女性の容姿に似せられ、性的に誇張されているものばかりだ。人と交友できるロボットの外観は人間に似せるのがいいのか、そうではないのか、議論するにしても学説の範疇からは抜け出ていない。ただ、セックステックの開発について考えるにあたっては、明確に異なる2つの流れに分けて捉えることによって、整理しやすくなるのではないだろうか。つまり、何千年も前から人類が使用してきているセックストイ、もう1つがこれから私たちが使うことになる21世紀版セックストイとしてのセックスロボット。

これまで見てきたように、私たちはすでに何百年もの時間をかけてロボットの物語を刷り込まれてきているので、人工的に造られる恋人は人の姿をしているものだと決めつけているきらいがある。今あるデザインは思い込みの産物なのかもしれない。いまのセックスロボットが人の姿を模しているのは、現実世界のものを真似る「スキューモーフィズム」(skeuomorphism)という考え方に基づいている。これは利用者が使用方法を想像しやすいという利点があって、ソフトウェア開発や商品開発でよく用いられる手法だ。コンピュータでファイルを削除する際に使う「ゴミ箱」のアイコンなどがその好例だが、ファイルをそこに入れると廃棄されることを、現実世界のゴミ箱の絵で示すことによって期待させているのだ。セックストイの世界では、実際の性器の形状を追求するようなこだわりは、昨今ではもう下火だ。現実世界と機械の世界をいたずらにつなげようとするメタファーはイノベーションを阻害しているのかもしれない。

とにもかくにも人間に模した超リアルなロボットをつくろうという試みは、森政弘氏のいう「不気味の谷現象」がある限り、失敗の命運を辿るだけに思える。そもそも外見上、人と見間違えるほどのロボットの実現すら当面は先のことだし、人間同様の知覚を有するロボットとなると本当に実現するかは未知数だ。どうしていまだこうした開発を目指すのだろうか。人間と同様の特徴を備えていれば、人間にとっては接しやすいかもしれない。しかし本物と見間違えるほどリアルな人型ロボットは、少なくとも現時点では到達不能な目標としか思えないし、そうした取り組みがロボットとのセックスということに違和感を覚える人が多い原因になっているのだろう。

私の知る限り、セックストイでは形状の洗練やフォルムに対するこだわりが重視され、いわゆるデザイン主導型に移行している。それに対してセックスロボットはまだまだ機能ばかりに重きが置かれ、技術主導型の局面にある。現在のセックスロボットは昔ながらのSFでお馴染みの外観をいまだに追い求めている。デザインを主体とする局面には達しておらず、新たな形状が模索されている様子はない。

技術重視からデザイン重視への転換はごく一般的なことである。ユーザーインターフェースに顕著だが、ソフトウェアがそのいい例だ。パソコン初期のアイコンは、実物さながらに見せるためにディテールを事細かに描写してつくられていた。それがじょじょにいま現在見られるような、フラットでシンプルな表現へ移行している。

これまで別の道を歩んできたセックストイとセックスドールが、交錯するような未来であれば面白いと思う。ポルノグラフィでしかない女性型ロボットなどという単純な発想や、人のモノ化から決別し、抽象化へと踏み出す一歩は、凝り固まったジェンダーロールとの決別の第一歩になり得る。セックストイをスマホと連携したりネット接続できるようにする中で、具体的な形状へ拡張していけば、今ある狭間を埋めることができる。せっかくセックスロボットを設計するのならば、快感を最大限に高められる機能を最優先すればいいのだ。ベルベットやシルクでつくられたボディに、センサーや性別混合の性器。あるいは腕の代わりに触手を検討してみたらどうだろう。現状のセックスロボット開発が外観や音声の「本物」らしさを追求するばかりのなか、もっと感覚を重視し、ビジュアルに依拠しない手法を採用することだって可能だ。

私はこれまで、多くの研究に取り組んできたが、極度にリアルで、極度に性的な現状のガイノイドは、小さなニッチ市場を形成するだけで、従来のセックスドールを買っている人や風俗店でセックスドールを利用する新しもの好きの人たちの関心を集めるくらいにとどまるのだろうと思わざるを得ない。人間に寄せた、人間サイズのセックスロボットが台頭するのではなく、ケアロボットやコンパニオンロボットがその用途や目的を拡張していく過程で性的な機能が加わっていくという未来の方が現実味があるように思える。もっと可能性を感じるのは、セックストイのトレンドがそうであるように、ロボット技術にさまざまな感覚技術が加わり、どんどん具現化されたデザインになっていく方向性だ。だからといって倫理的な問題が解消されるわけではないが、一部の目立った恐怖心なら軽減できる。そうして新しい利用方法が形成され、社会に根づいたセックスや快感、愛情行為に対する固定概念を、テクノロジーによって変えることができるのではないだろうか。

人とコンピュータをつなぐインターフェース技術が進歩するなかで、もはやスマホでお馴染みになったタッチ機能や発話機能、ジェスチャー機能、さらには脳波まで活用しつつ、人はテクノロジーを使いこなせるようになってきた。肌の状態や心拍数、筋肉の動き、顔の表情といった身体反応をデータとして送信することもできるようになってきた。昨今ではスマートファブリック（衣類）や導電塗料、柔らかい素材でできたロボットやセンサーなど意欲的な素材も出てきている。触ったら触り返してくれるような仕組みは、すぐに実装できる状況にある。新しいロボットには、はなから実際の人間らしさや性別などは度外視してデザインされたものも出てきており、そうしたロボットは私たちの生活にうまく溶け込んでいる。だからこそ、触れ合い、交わることのできるロボットをつくるべきだと思う。そっと撫でたら、撫で返してくれるロボットや、柔らかな生地のロボットはどうか。滑らかでしなやかな抽象芸術のように美しいロボットも悪くない。常識の壁を取っ払い、分野を越えてアイディアを出しあい、新しいデザインへとつなげてほしい。

ウィリアム・モリスの言葉にならって、確実に役立ち、加えて美しいテクノロジーをつくるべきなのだ。

エピローグ　愛しあうならテクノロジーで

私が本書を執筆しているあいだも、セックスロボットの開発はとどまるところを知らなかった。書き始めたばかりの時には、まだ商業販売が始められる見込みもなかったが、ひとたび市場投入を目指す競争が始まったかと思うと、アビスクリエーションズが〈ハーモニー〉と〈ソラーナ〉の一般販売を発表、その次の構想まで語られるようになった。執筆作業の終盤にはロボットを使ってセックスを社会的に再配分するといった論議がメディアで取り沙汰されるまでになった。原稿を出版社に提出するわずか数日前には、アビスクリエーションズの男性版セックスロボット〈ヘンリー〉のプロトタイプが「ニューヨークマガジン」の表紙を飾った。

とはいえ私たちがロボットやＡＩと親密な関係を持つようになるまで、まだ長い道のりが控えている。機械が私たちのことを感じ、私たちの考えを理解できるようになったら（つまり、いわゆるシンギュラリティが到来したら）何が起きるのか、推測することはできるが、本書では短く言及するにとどめた。そこまで踏み込むとしたら、利用者とロボットにとっての責任と権利の問題について深く議論する必要がある。すでに検討をはじめている人びともいる。しかし、私たちにはもっと差し迫った懸案事項がある。

この本の出版社のスタッフは極めて忍耐強い方々であったが、もうこれ以上は何が何でも絶対に待っていられないと、「ケイト、もう待てない、今すぐ書き終えて」と最後通牒してきたある金曜日のこと、私は「ロボットとその他デバイスとのセックス」という新作舞台の報道関係者向け公演を観に行くことにした。ネッサー・マージー脚本、クロークルーム・シアター主催による作品は、私がこれまで観てきたこの分野の作品ではもっとも繊細にして感動的なものだった。3人の役者が17人の人間、そして人間ならぬものの登場人物を演じ、ロボットとの愛やセックスにまつわる問題の中でも特に趣深いことを取り上げ、しっとりと考えさせる演劇作品だった。簡素な舞台上で、欲求がすれ違うカップル、恋人の死を悼む人、子を失った父親、認知症の配偶者、そして感情を持つ機械、それぞれの物語が交錯し、1つの大きな探索と可能性へと重なっていく。美しく、心奪われる物語だった。いつか私たちの世話を焼き、面倒をみてくれるロボットに囲まれる日が来るならば、その時人間という存在はどんな意味をなすのかという問いに対し、ここまで真剣に向き合った作品があるだろうかと、私にとっては一筋の希望となった。

孤立や孤独の原因をテクノロジーのせいにする見解が、あまりにも多く見られる。少しでも踏み込んで考えてみれば、同じテクノロジーであっても、絆を強めるものだってあることは誰でも知っているはずだ。テクノロジーのおかげで地球上のどこにいても愛する人とつながることができるし、メーカーやユーザーを中心とした新しいコミュニティが生まれていて、今までは快感も喜びも感じることができなかった人びとにその機会を与えることにもなっている。未来の私たちの愛情関係は、決して殺伐として孤立したものではなく、誰かと一緒にいたいという、これまで人類が抱き続けてきた願いはそのままに、人びとをつなげてくれるネットワークであり続ける。

テクノロジーのレイヤーを重ねながら、私たちはそれでも頑として人らしくあり続けるだろう。

解説

坂爪真吾

機械仕掛けの歌舞伎町の女王

大学時代、ジェンダーとセクシュアリティをテーマにしたゼミに所属していた私は、新宿歌舞伎町・池袋・渋谷などの風俗街を研究対象にしたフィールドワークを行い、『機械仕掛けの歌舞伎町の女王』というタイトルの論文を書いた。

当時風俗業界で流行っていたサービスである「恋人プレイ」を研究対象にして、実際の風俗の現場で「恋人らしさ」がどのように表現されているか＝「人工恋人」を演じる風俗嬢、そして「人工恋人」を求める男性客の間で、どのような仕草や振る舞いが「恋人らしい」と観念されているかについて、調査した。

恋人プレイの世界で行われていることは、メディアによって作られた「恋人らしさ」の追体験である。そして、その「恋人らしさ」の実態は、「名前で呼び合う」「手をつなぐ」「いちゃいちゃする」といった表面的な言動や記号の順列組み合わせにすぎない。

わざわざ安くないお金を払って「人工恋人」とのプレイに没入し、恋人らしさを求めることは不毛極まりない行為だが、そもそも恋愛自体が、恋人プレイと同様、あるいはそれ以上に不毛な行為なのではないだろうか。イメージの追体験や、記号の順列組み合わせでない「本当の恋愛」なんて、存在するのだろうか。私たちは、恋人プレイを求める男性客、恋人プレイに応じる風俗嬢を、決して笑えないのではないだろうか……。

研究の背景には、こうしたひねくれた問題意識があった。恋人らしさを相対化することで、「恋愛せよ。さもなければ、お前は無だ」と迫ってくる社会の圧力（と当時の自分が思い込んでいたもの）から解放されて楽になりたい、という気持ちもあったのかもしれない。

「人工恋人」をめぐる営みや議論の中には、人間の尽きない欲望や果てしない業、そしてジェンダーとセクシュアリティに関する様々な社会課題が詰まっている。それゆえに、研究対象としては極めて面白い。

大学を卒業して20年近く経った今も、私は風俗や売春の仕事に従事している女性たちの生活・法律相談事業を行うＮＰＯ法人で、夜の歓楽街やホテルで男性たちのイメージに合わせた「人工恋人」を演じる女性たちからの相談を日々受け付けている。

バズワードとしてのセックスロボット

２０２３年現在、メディアでは連日、人工知能＝ＡＩをめぐる話題が取り上げられている。２０２２年11月に Open AI によって公開された「ChatGPT」が世界を席巻し、私たちの社会がこれからＡＩとどのように向き合っていくかについて、国内外で活発な議論が交わされている。

こうした状況下で、時折話題になるのが「セックスロボット」だ。といっても、実際にＳＦ映画やマンガに出てくるような、人間と同様の見た目を持ち、スムーズに会話と性行為ができるレベルのAIを搭載した2足歩行のロボットは、2023年時点では、どの国のどんな企業も開発できていない。開発される目処(めど)すら経っていないのが現実である。

いかにも専門性・説得力がありそうだが、実際は曖昧な定義のまま広く世間で使われてしまう言葉を「バズワード」と呼ぶが、セックスロボットは、現代における代表的なバズワードの1つである。

現実的には、実物が未だ存在していないにもかかわらず、セックスロボットをめぐるニュースや議論は、私たちの心をざわつかせ、様々なハレーションを起こす。

「人工知能を搭載したロボットとのセックス」を語るためには、そもそも「知能」とは何か、「意識」とは何か、といった問いに答える必要がある。そもそも「恋愛」とは何か、「セックス」とは何か、という問いについても同様だ。いずれの問いに対しても、私たち人類は、未だに明確な答えを持ち合わせていない。「未だセックスを知らず、焉(いずく)んぞロボットとのセックスを知らん」という状況だ。

前提となる対象や定義、現状認識が曖昧であれば、皆が足並みをそろえて議論のスタートラインに立つことができず、それゆえにあちこちでフライングが発生して、各々が明後日の方向に走り出してしまい、結局誰が勝って誰が負けたのか、そもそも何を競っていたのかもわからないまま終わってしまう、ということになりがちだ。

デヴリン氏による見事な交通整理

こうした混沌とした状況の中、セックスロボットの問題をきちんと議論していくために、これまでの歴史的経緯と現状を整理した上で、「みんなを同じスタートラインに立たせる」という難題に果敢にも挑戦したのが、本書の著者であるケイト・デヴリン氏だ。

研究者であり、フェミニストでもあるデヴリン氏は、ギリシア神話中の人物で、亡くした最愛の夫に似せた銅像を作らせ、愛撫したというラーオダメイアや、現実世界の女性に失望し、人工物としての女性に恋をしたピグマリオンなど、「人工恋人」をめぐる古今東西の物語や映画作品、知られざるセックストイやセックスドールの歴史を整理しながら、これまで人間が「人工恋人」をどのように求め、作り出そうとしてきたのかを明らかにする。

そして人間の道具や奴隷として誕生したロボットが、「学習する力」を身につけて人間のコンパニオンへと変化していく過程を追いながら、哲学・生物学・心理学・宗教学などの様々な学問領域を横断しつつ、セックスロボットをめぐる開発や議論の現状と課題を丁寧に描き出していく。

その交通整理の手腕は、実に見事だ。セックスロボットというテーマ自体が持つ面白さもさることながら、デヴリン氏の豊かな教養、ウィットに富んだ語り口、そして安易な善悪二元論を避け、余計な仮想敵を作らずに、事実をベースに問いを追究していく姿勢は、このセンセーショナルかつ賛否の分かれるテーマを扱う上でふさわしい。

コーンフレークはマスターベーションの衝動を抑えるための粗食として開発された、男性向けの挿入型のセックストイは考古学的にはまだ見つかっていない、など誰かに話したくなる蘊蓄も満載である。彼女のガイドを受けながら、セックスロボットをめぐる様々な問いを考えていくことそれ自体が、読者にとって刺激的かつ心地よい体験になるだろう。

本書を通読したあなたは、「セックスロボットについて一家言を持っている人」になり、日々メディアを賑わせているAIと人間、社会との関係をめぐる問題についても、実りのある議論を行うためのスタートラインに立つことができているはずだ。

歴史あるバズワードとしての「人工恋人」

本書でも詳細に述べられているように、「人工恋人」の歴史は数千年前に遡る。神話の時代から人類を魅了し続けてきたテーマだ。人工的に作られた恋人を愛でる行為は、非本質的で不道徳なもの、と思われがちである。神話や寓話の中で、禁を犯して人工恋人の制作に手を染めた者は、悲惨な結末を迎えることも多い。

しかし、現実は「本質的でない」「倫理的でない」といった紋切り型の批判で切り捨てられるほど、単純ではない。本書の中では、セックスドールの愛好者は、世間のイメージとは異なり、性的な弱者や反社会的な人ではなく、良識的な一般人であると紹介されている。ドール所有者に、ドールを人間と錯覚している人はいない。孤独な引きこもりの人形マニアというわけでもない。セックスドールのコミュニティに参加している人たちは、「共通の趣味や関心事を通して交流している人たち」であり、それ以上でもそれ以下でもない。

また生身の「人工恋人」＝異性と金銭を介したデート（いわゆるパパ活）をしている人たちの世界についても、全く同じことが言える。パパ活をテーマにした新書執筆のために、交際クラブに登録している女性たちを取材したことがあるが、少なくとも会員制の交際クラブの世界においては、真面目で常識的な女性が多いと感じた（だからこそ、風俗や水商売の女性を避けたがる男性から選ばれるのだ）。

一方のパパ＝男性の側も、一定の学歴と社会的地位があり、きちんと現実と虚構の線引きができる人が多い。女性をモノ扱いするような真似は決して行わず、妻や恋人と同じように、あるいはそれ以上の配慮を持って、女性に接している人が大半である。

つまり、セックスドールもパパ活も、真っ当な個人が、真っ当な社会生活を送るための支えの役割を果たしているのだ。そう考えると、いずれも反社会的な行為ではなく、極めて社会的な行為だと言えるかもしれない。「椅子は2本脚ではなく、3本脚でないと安定しない。結婚も同じである」という格言があるが、3本目の脚＝2次元もしくは3次元の「人工恋人」がいないと安定しない恋愛や結婚生活は、間違いなく存在する。

そう考えると、「私たちの社会はセックスロボットとどう向き合っていくか」という問いは、数千年前の神話や数万年先のSFの世界の話ではなく、実は極めて身近な問いであることが分かるはずだ。

もう1つの補助線「セックスワーク」

セックスロボットについて議論を行う上で、「人工恋人」と並んで欠かせない補助線となる概念が、「セックスワーク」である。本書の中でもセックスワークをめぐる議論が紹介されているが、まず指摘しておきたいことは、そもそも「セックスワーク」という言葉自体、セックスロボットと同様、SNS上で流通しているバズワードの1つである、ということだ。

歴史的に見れば、セックスワークという言葉は、売春や風俗の現場から生まれた言葉ではない。

現場の当事者ではなく、当事者を代弁・利用して自分たちの政治的主張や優位性を喧伝したいLGBTの左翼活動家やフェミニストたちによって生み出された言葉であり、少なくとも日本国内においては、実際の現場では誰も使っていない。

私自身、20年以上、日本国内の性風俗や売春の現場に携わり、1万人以上の女性と接しているが、彼女たちが「セックスワーク」「性的搾取」「性売買」といった言葉を発している場面には、一度も出会ったことがない。

セックスワークを巡る議論は、非当事者の・非当事者による・非当事者のための議論になりがちであり、実際の現場の話が具体的なエビデンスを基に語られることはほとんどない。

本書でも紹介されているように、セックスロボットの賛否をめぐる運動や議論も、同じような構造がある。そもそも運動の目的自体が不明確だったり、「セックスロボットはセックスワークと同じだから、当然悪である」など、元々同じ価値観を持っている人たちにしか響かない議論になっていることが大半だ。そもそもセックスロボット自体がまだ存在していない中、四方山話と与太話、フェイクニュースだけが流通している状態で、両陣営が「自分たちの主張こそが正義」と言い争っている。極めて不毛な状態である。

障がい者や高齢者の役に立つ?

セックスロボットをめぐる議論で、活用の方法として必ず出てくるのが「障がい者や高齢者の役に立つ」という主張だ。男性の重度身体障がい者向けの射精介助事業を15年運営してきた立場から言わせていただくと、仮にセックスロボットの開発や量産化が実現したとしても、実際にパートナーの欠如で悩んでいる障がい者や高齢者に利用される可能性は低い。

障がい者の性に関する事業を運営している中で、いくつかの企業から、「障がいのある方のために、自社のセックストイを提供したい」という申し出を受ける機会があった。メディアの取材でも、「障がい者のためにセックスロボットを活用できるのでは」という質問を度々受けてきた。

しかし、障がい当事者の方から、「セックスロボットを使いたい」という声が寄せられたことは、15年間で一度もない。「セックストイを使いたい」「VRを使ってAVを観たい」というリクエストすら、一度も受けたことがない。おそらく高齢者についても、同じことが言えるだろう。「使ってほしい」「使わせたい」と思っている人はたくさんいるが、「使いたい」と思っている人は、どこにもいないのだ。

当たり前のことだが、障がいのある人たちが異口同音に求めているのは、「自分のことを理解してくれる生身の相手とセックスしたい」という（障がいの有無を問わずに、誰もが思っている）当たり前のことである。今後、障がい者向けや高齢者向けのセックスロボットが実現・販売される可能性は、かなり低いと私は考えている。

セックスロボットと私たちの未来

本書の中で紹介されている通り、セックストイは「実物を真似る」こと＝人体模写を放棄したことによって成功した。日本国内において、いわゆる「萌え絵」＝身体の一部を極端にデフォルメした、現実的にはありえない人物が描かれている絵が「性的」とみなされている現状を鑑みると、そもそも「不気味の谷」は越える必要がないのかもしれない。

未来に開発されるセックスロボットも、人体そのものを愚直に再現する方向性ではなく、現在の我々が思いもよらないような独自のデザインになるのかもしれない。

本書の中で述べられているように、「セックスは社交性の基本要素であり、そして社交性は認知の基本要素である」のであれば、AIが性別を持ち、性的な感情や快楽を理解するようになる日は、決して遠くないのだろう。

歴史を繙けば、神学論争や錬金術、永久機関や数学の証明など、「現時点では存在しない（証明できない）何か」をめぐって議論や探索が行われることで、その後の科学や社会の発展に寄与する成果が生まれる例は、枚挙に暇がない。

セックスロボットをめぐる議論も、それ自体が1つの媒体であり、人と人とを繋げ、私たちに新しい視点や価値観をもたらしてくれるツールになる。

本書のおかげで、私たちはスタートラインに立つことができた。これからは、日々進化を続けるAIとどう付き合っていくか、そして、AIによって変化していくであろう私たち自身の性とどう向き合っていくか、走りながら考えていくとしよう。

筆者略歴　NPO法人風テラス理事長。1981年新潟市生まれ。東京大学文学部卒。大学時代は上野千鶴子ゼミに所属し、新宿歌舞伎町・渋谷・池袋などで風俗店のフィールドワークを行う。2008年、「障害者の性」問題を解決するための非営利組織・ホワイトハンズを設立。2015年、風俗店で働く女性の無料相談事業「風テラス」を開始。2022年、風テラス事業をNPO法人化。『未来のセックス年表　2019‐2050年』（SB新書）、『性風俗サバイバル　夜の世界の緊急事態』（ちくま新書）、『ツイッターで学ぶ「正義の教室」』（晶文社）など著書多数。

章扉クレジット

19ページ　ジャン＝レオン・ジェローム画「ピグマリオンとガラテア」1890年頃、メトロポリタン美術館蔵。

49ページ　人体の骨格に基づいて設計されたヒューマノイド〈CRONOS/ECCE1〉。2005年にオーウェン・ホランドが考案し、ロブ・ナイトが設計した。© The Board of Trustees of the Science Museum

79ページ　アラン・チューリングの写真を0と1の数字で表現したもの。Public Domain by parameter_bond

119ページ　宮川長春画、18世紀初頭、メトロポリタン美術館蔵。

155ページ　アビスクリエーションズのサンマルコス本社工場で撮影された写真。© Tribune Content Agency LLC / Alamy Stock Photo

189ページ　Public Domain by Charles Deluvio

209ページ　東京大学大学院の池上高志研究室と大阪大学の石黒浩研究室が共同開発した〈オルタ〉、日本科学未来館蔵。Public Domain by Possessed Photography

237ページ　Public Domain by Jason Yuen

277ページ　Public Domain by Tingey Injury Law Firm

295ページ　Public Domain by Gaelle Marcel

著者　ケイト・デヴリン
ロンドン大学キングス・カレッジ、デジタル人文学部準教授。クイーンズ大学ベルファストで考古学を学んだのち、ブリストル大学でコンピュータ・サイエンスの博士号を取得。専門はコンピュータと人のインタラクションや人工知能。幅広いジャンルのサイエンス・コミュニケーターとして活動している。

訳者　池田尽
新潟県生まれ。新潟県立高田高等学校卒業後渡米。カリフォルニア大学ロサンゼルス校に編入・卒業。日系金融機関に勤務した後に帰国し、通訳・翻訳業務に従事。現在は主に会議通訳者として活動。2012年から3年間、当時民政移管の途上にあったミャンマー政府の要請を受けヤンゴン大学にて通訳官育成プログラムの講義を担当した。

ヒトは生成AIとセックスできるか
人工知能とロボットの性愛未来学

発　行　2023年9月15日

著　者　ケイト・デヴリン
訳　者　池田尽

発行者　佐藤隆信
発行所　株式会社新潮社
〒162-8711　東京都新宿区矢来町71
電話　編集部　03-3266-5611
読者係　03-3266-5111
https://www.shinchosha.co.jp

装　幀　新潮社装幀室
組　版　新潮社デジタル編集支援室
印刷所　株式会社光邦
製本所　加藤製本株式会社

ISBN978-4-10-507361-9 C0004